## ポリスに生きた人間の表情

1877年にアテネで頭部が発見された青年像「ランパンの騎士」は、前古典期のギリシアを代表する大理石の彫刻。唇の両端を上げた独特の表情はアルカイック・スマイルとよばれる。前550年頃。ルーヴル美術館蔵。胴体の部分はアテネのアクロポリス美術館が所蔵する。

## 描かれた神話と古代人の世界

古代ギリシアの陶器には、幾何学文様から動植物、幻獣、神話や人々の日常まで、あらゆるものが描かれた。上は、アテナイを建国した伝説の王・テセウスとアマゾネスの戦い。前460-450年頃の赤絵式アッティカ陶器。ナポリ国立考古学博物館蔵。下は婚礼の行列。前580-570年頃のコリントス陶器。ヴァチカン博物館蔵。横長の写真は、それぞれの表面を特殊な機材で撮影した展開写真。いずれも小川忠博氏撮影。〔本文220頁〕

## エーゲ海の失われた文明

クレタ島のクノッソス宮殿跡で発掘され、「パリジェンヌ」の名で親しまれている壁画断片。前1500年頃に宮殿を飾ったと思われるが、このミノア文明は前15世紀半ばに急激に滅んだ。イラクリオン考古学博物館蔵。〔本文20頁〕

講談社選書メチエ

803

地中海世界の歴史③

# 白熱する人間たちの都市

## エーゲ海とギリシアの文明

本村凌二

MÉTIER

# はじめに

## 人類史でひときわ輝くギリシア

ローマ帝国の人々が「われらが海」と自負した地中海、とりわけその東部にあるエーゲ海は紺碧に彩られた人類の愛する海である。この美しい情景のなかで、古来、ギリシア人はこの世を讃美することにことさら熱心であったという。それとともに、この世の仕組みに向けられたまなざしがめばえ、自然や宇宙の根源と法則を究めようとする姿勢が目立ってきた。やがて、人間は自由であり平等であることを自覚するようになり、その政治表現として民主主義すら生み出すようになった。

世界史あるいは人類史のなかでギリシア史はひときわ輝いているかのようである。それまでほかの古代人と同様に、ギリシア人も曖昧模糊(あいまいもこ)とした迷信のなかですくんでいることに変わりなかった。だが、どこかで軽やかに飛躍したのだろう。変転きわまりない世界は神々の気まぐれで動いているかのようだったが、今や自然あるいは宇宙には動かしがたい秩序があることが見出されたのだ。そこから自然学や宇宙論が形成され、やがて哲学や科学も産声をあげ、これらの理性に根ざした芸術や文学も姿を現すことになった。

しかしながら、歴史の現実はそのような艶やかな華やかさだけがちりばめられているわけではない。世界や人生には悲惨さ残酷さという暗闇も厳然としており、それはいかなる時代であっても避けられない宿命であるかもしれない。

しばしば古代史の話をすると、現代も古代も同じですね、という感想を耳にする。たしかに似かよったところに目がいきがちだが、歴史の面白さはそれぞれの時代や社会の差異に気づくことにあるのではないだろうか。それによって、自分の生きている時代の特異さを自覚できるからだ。

たとえば、現代なら新聞やテレビで報道される汚職事件の事例がある。その多くは国内企業が公共事業の分配などで政治家や官僚に贈賄し、便宜を図ってもらったりすることである。もちろん、古代にも賄賂（わいろ）事件はあったから、古代も現代も変わらないと言いたくなる。だが、仔細に検討すると、そこには大きな違いがある。

### 対外的だった贈収賄

現代では贈賄者も収賄者も同一の政治社会に属する。だから、対内における贈収賄とでもよべる。ところが、ギリシア人のポリス社会にあっては、贈収賄とは対外的であったという。

そもそも古代ギリシアでは、贈与と返礼とは相互の絆を確認しあう互酬関係の約束事であり、それは美徳であった。ところが、民主政が形を整える前五世紀になると、断罪されるようになる。そのきっかけはペルシア戦争であったという。圧倒的な富に物をいわせてペルシア側がギリシアの要人を買収したからだ。内通する者あり、撤退する者ありで、混乱が生まれる。やがて、アテナイの政治家のなかには同盟国からの貢租の取り立てや査定をめぐって手加減を加える者が出たりもする。異民族であれ、ほかのポリス市民であれ、「よそ者」として他者が意識されればされるほど、贈り物が胡散臭(うさんくさ)いものになったのである。

この事例をとりあげるだけでも、一口にギリシア人といっても多様な人間関係があり、時代とともに変容していくものであることがご理解いただけるだろう。たしかに現代世界は西洋近代社会に負うところが大きく、その始原地としての古代ギリシアはわれわれ現代日本人にも無視できないものが少なくない。メソポタミアやエジプトに生きた人々に比べて、知を愛した理性的なギリシア人は理解しやすいかもしれない。そのせいでギリシア人と類似な生活文化に目が向きがちだが、彼らが生きていたのは古代社会であることは忘れないでもらいたい。そこには現代と古代との差異が如何ともしがたくあり、「歴史を学ぶ楽しさ」はその差異に気づくことで歴史における現代の特殊性を自覚することにもなる。その意味で本巻は現代史にも通じる地中海文明史でもある。

アテネのアクロポリス

本題に入る前に、古代ギリシア史のおよその流れと時代区分について、あらかじめ簡単におさらいしておこう。

「古代ギリシア」と一口にいっても、それは二〇〇〇年以上におよぶ長い期間の文明であり、かなりの部分が、本シリーズでいえば第一巻、第二巻で述べたオリエント史とも並行する時代である。

まず前三〇〇〇年頃に始まる「エーゲ文明」と総称される文明があり、その前半を代表するのはクレタ島を中心とするミノア文明（クレタ文明）、後半の中心は、前一六〇〇年頃からギリシア本土で始まるミュケナイ文明だが、そのほかに、アナトリアのトロイアや、クレタ島北方のキクラデス諸島などにも独特の文明が展開していた。

しかし、エーゲ海に栄えたミュケナイ文明は前一二〇〇年頃に突如崩壊する。その後、前八世紀前半に都市国家（ポリス）が形成をされるまでの数百年は文明の途絶えた「暗黒時代」とよばれている。

そして誕生したアテナイ、スパルタに代表されるポリスの時代は、前五世紀のペルシア戦争のころまでを「古拙期」「前古典期」または「アルカイック期」とよび、その後を「古典期」とよんでいるが、この「古典期」が、民主政やギリシア哲学など、ギリシア文化の最盛期となる。

以上は、政治史や文化史、美術史からみた古代ギリシア史の定型的な時代区分だが、古代人の心性やオリエントの影響を重視する本シリーズの視点からは、また違った時代相が見えてくるかもしれない。まずは、エーゲ海の自然環境と神々の姿からみていこう。

白熱する人間たちの都市◉**目次**

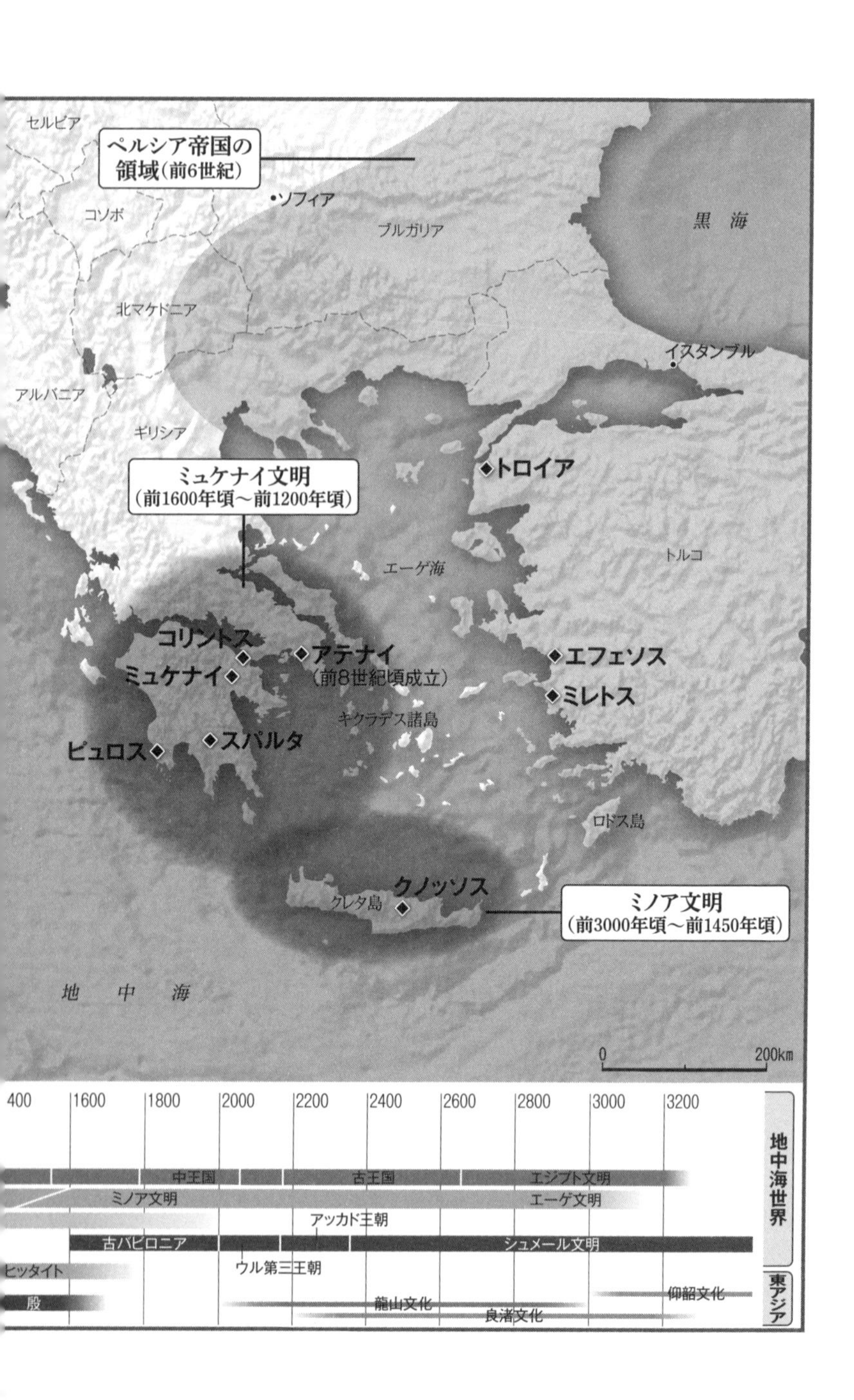
セルビア
ペルシア帝国の領域（前6世紀）
•ソフィア
コソボ
ブルガリア
黒　海
北マケドニア
イスタンブル
アルバニア
ギリシア
ミュケナイ文明（前1600年頃～前1200年頃）
トロイア
トルコ
エーゲ海
コリントス
アテナイ（前8世紀頃成立）
ミュケナイ
エフェソス
ミレトス
キクラデス諸島
ピュロス
スパルタ
ロドス島
クノッソス
クレタ島
ミノア文明（前3000年頃～前1450年頃）
地　中　海
0
200km
400
1600
1800
2000
2200
2400
2600
2800
3000
3200
地中海世界
中王国
古王国
エジプト文明
ミノア文明
エーゲ文明
アッカド王朝
古バビロニア
シュメール文明
ヒッタイト
ウル第三王朝
東アジア
仰韶文化
殷
龍山文化
良渚文化

# エーゲ文明とギリシアのポリス

紀元前3000年頃に始まるエーゲ文明は、その前半はミノア文明に、後半はミュケナイ文明に代表されるが、前1200年頃に崩壊する。その後、前8世紀頃に成立したアテナイやスパルタ、ミレトス、シュラクサイなどのポリスで、現代に連なる政治思想や学問・芸術が花開き、前5～前4世紀頃に最盛期を迎えた。

※地形、国境線、国名、都市名は現在のもの。
◆は本書に登場するおもな古代都市・遺跡

800 600 400 200 AD BC 200 400 600 800 1000 1200
カルタゴ
フェニキア
ローマ帝国
東ローマ帝国
共和政ローマ
王政ローマ
エトルリア文明
プトレマイオス朝
新王
スパルタ・アテナイ
ミュケナイ文
ササン朝ペルシア
パルティア
ペルシア帝国
アッシリア
アレクサンドロス帝国
イスラム帝国
セレウコス朝
新バビロニア
イスラエル王国
突厥
匈奴
スキタイ
唐
隋（南北朝）
（三国）
後漢
前漢
秦（戦国）
（春　秋）
周

| ローマ | オリエント（中東・エジプト） | |
|---|---|---|
| | | BC2000 |
| | 第19王朝　ラメセス2世 | |
| | 「海の民」の侵攻　第20王朝　ラメセス3世 | |
| 古イタリア人の南下・定住 | フェニキア人の海上交易活動 | BC1000 |
| | ヘブライ人の王国 | |
| | 新アッシリア時代 | BC900 |
| エトルリア人の都市形成 | フェニキア人の植民市カルタゴ創設 | BC800 |
| ローマ建国伝承（BC753） | | |
| | アッシリアが帝国化 | |
| | センナケリブ帝 | BC700 |
| | アッシュルバニパル帝　帝国の最大版図 | |
| | エジプトがアッシリア帝国の支配下に | |
| | アッシリア帝国の衰退 | |
| | | BC600 |
| | キュロス2世がアケメネス朝ペルシア創設 | |
| | エジプト末期王朝時代 | |
| | ダレイオス1世 | |
| ローマ共和政の開始 | ペルシアのオリエント支配の確立 | |
| | | BC500 |
| 平民会、護民官の設置 | ギリシア遠征（ペルシア戦争） | |
| 「十二表法」の成立 | | |
| | | BC400 |
| ケルト人のイタリア侵入　ローマ焼失 | ギリシア内紛への介入（大王の和約） | |
| リキニウス＝セクスティウス法の成立 | | |
| アッピア街道の創設 | | |
| | アレクサンドロス大王の侵入 | |
| | | BC300 |

## 地中海世界の歴史③
# 関係略年表

| | エーゲ海とギリシア |
|---|---|
| BC2000 | エーゲ文明<br>ミノア文明（クレタ島を中心にクノッソス宮殿など造営）<br>ミュケナイ文明<br>　　線文字B文書 |
| BC1000 | 　　（暗黒時代） |
| BC900 | |
| BC800 | オリンピア競技会の開始（BC776）<br>アテナイ、シュラクサイなど、ポリスの成立 |
| BC700 | リュクルゴス体制（スパルタ）<br>重装歩兵戦術の形成<br>ドラコンの立法（アテナイ） |
| BC600 | ソロンの改革（アテナイ）<br>ペロポネソス同盟の結成（スパルタ）<br>ペイシストラトスの僭主政（アテナイ）<br>クレイステネスの改革（アテナイ、BC508） |
| BC500 | ペルシア戦争（BC492～449）<br>アテナイが主導しデロス同盟結成<br>ペリクレス時代（パルテノン神殿の建設）<br>ペロポネソス戦争（BC431～404）、スパルタがアテナイに勝利<br>アテナイでペスト流行（BC430～429）<br>アルキビアデスのシチリア遠征（アテナイ） |
| BC400 | 大王の和約（BC386）<br>レウクトラの戦い（BC371）でテーバイがスパルタを破る<br>フィリポス2世（マケドニア）登場<br>カイロネイアの戦い（BC338）でマケドニアがアテナイ・テーバイ連合軍を破る<br>アレクサンドロス大王の東方遠征 |
| BC300 | |

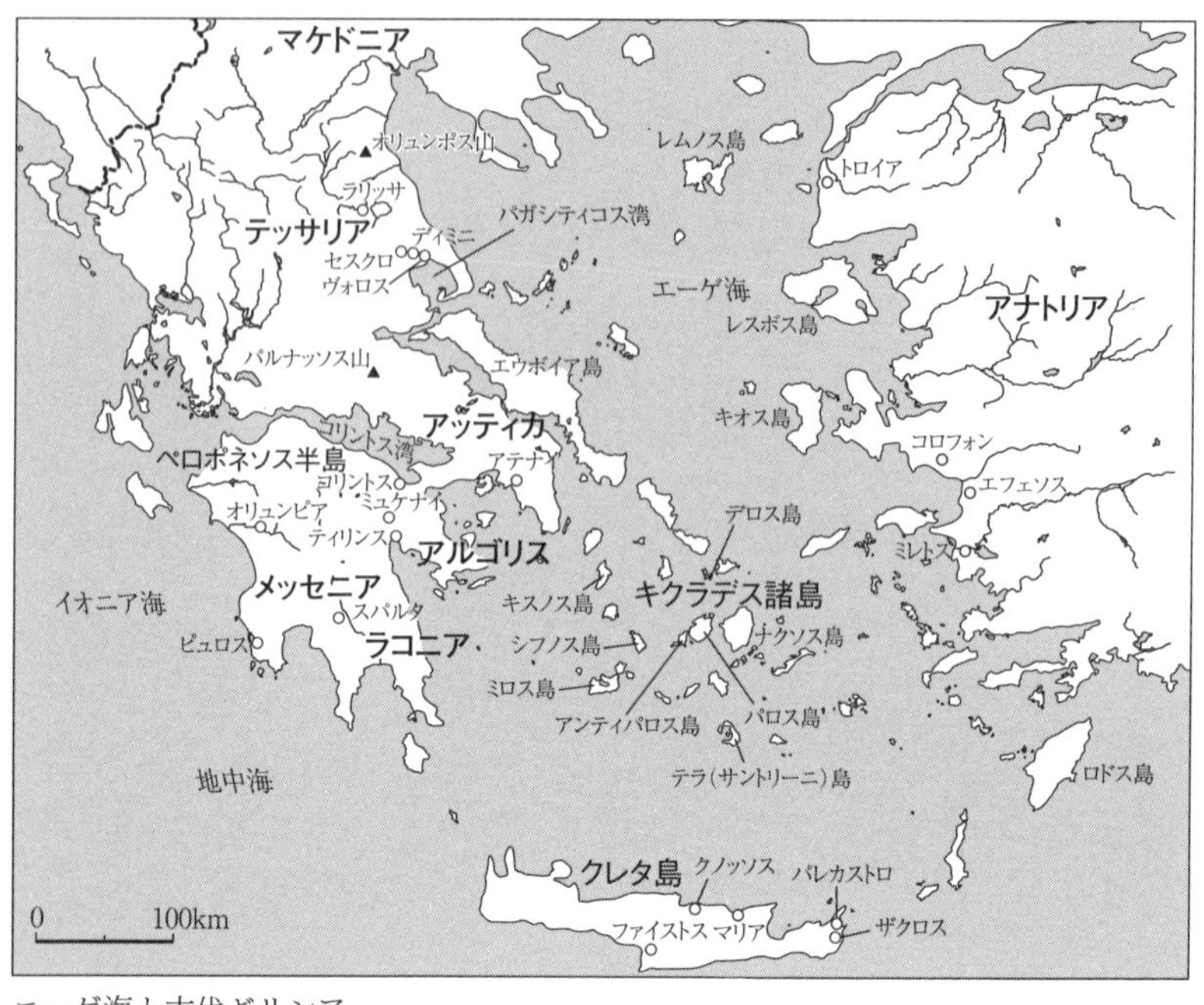


エーゲ海と古代ギリシア

# 第一章 陽光は暗黒を照らす

「ヘビを持つ女神」とよばれる巫女像。前 1600 年頃。クノッソス宮殿跡出土。イラクリオン考古学博物館蔵

# 1　エーゲ海の宮殿文明

## 神々をあがめるギリシア人

地中海のやや東側に位置するエーゲ海。ギリシア本土と小アジア西岸およびクレタ島に囲まれた海域には、大小四〇〇〇ほどの島々があり、多島海ともよばれることがある。このエーゲ海域のなかでも最大の規模を誇るのがクレタ島である。

クレタ島には最高神ゼウスが生まれたとされる洞窟がある。名高いクノッソス宮殿跡から南東へ三五キロメートルほど進むと、小高い山が姿を現す。荒涼たる山道を上がると、おだやかな高原が見えてくる。その高原の行きどまり辺りが洞窟への登り口になっている。そこを登ると、洞窟の入り口にたどり着く。

そこはディクテオン洞窟とよばれ、ほぼ垂直に地底に向かって裂けたような鍾乳洞(しょうにゅうどう)が沈んでいる。垂れさがる鍾乳石の間をぬって、階段状の足場が刻まれており、薄闇のなかを数十メートルほど降りていく。奈落の底には自然の空間が広がり、下には沼のような水溜まりが横穴の奥深くつづいているらしい。岩壁には幼神を寝かせていたという窪みがあり、もともとは大地母神(だいちぼしん)の聖所であり、幼神を生み育てる大地の母胎にふさわしい雰囲気がただよっていたのだ。

ギリシア人の神話伝承によれば、かつてはティタン神族が世にはびこっていた。その王クロノスは、主権をわが子に奪われるのを恐れて、生まれてくる子供たちを次々とお腹のなかに呑みこんだという。妻レアはそれを憤って、末子ゼウスが生まれたとき、石塊を産着にくるんでクロノスに渡したのだった。そこつ者のクロノスがそれを呑みこんでいるすきに、レアはゼウスをディクテオンの洞窟に隠してしまう。幼神の養育は土地の王の娘たちや山羊の妖精（ニンフ）に委ねられたという。この地で、ゼウスは蜂蜜を食べ、山羊の乳を飲んで成長したと伝えられている。

　成人したゼウスは、専横な父クロノスの打倒を決意する。酒のなかに嘔吐薬を混ぜてクロノスに飲ませると、クロノスは呑みこんでいた五人の子供と石塊を吐き出してしまう。野蛮で粗野なクロノスは王位を追われたが、なおティタン神族との戦いが待ちかまえていた。ゼウスは、ポセイドンやハデスなどの兄たちと協力して、ティタン神族と一〇年にわたって戦い、ついには勝利する。やがて、ゼウスは最高神としてオリュンポス山に君臨し、ギリシア全土で崇拝されるようになったという。

ギリシア北部にそびえるオリュンポス山

　ギリシア北部にそびえる標高三〇〇〇メートル近いオリュンポス山は切り立っており、山肌には万年雪が降り積もっている。どこか近づきがたいところがあり、古代人には神秘的で恐ろしい山であり、神々の住処（すみか）にふさわしいと思われたのだろう。この雲たなびくオリュンポスは主神ゼウスをはじめとする十二神がいる聖所であった。「ギリシア人」とは何か、というのは後に述べるように、なかなかやっかいな問題なのだが、こ

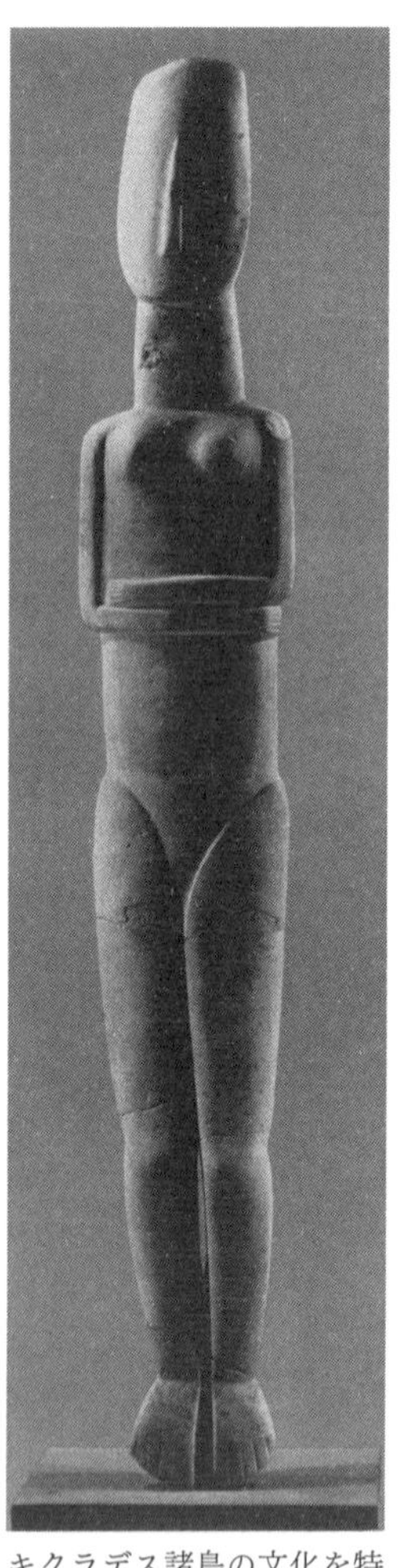

キクラデス諸島の文化を特徴づける大理石の女身偶像。前2000年頃。高さ約150cm

こではひとまず、これらの神々をあがめる人々をギリシア人であるとしておこう。

## エーゲ文明

エーゲ海をめぐる周辺の陸地や島々は、今日、ギリシア人の世界として知られている。なかでも、バルカン半島の南部はギリシア本土とよばれ、最大規模の地域をなしている。この地域や島々にギリシア人らしき人々が住むようになったのは、いつごろからなのだろうか。

その話題について語るとき、トロイア戦争の物語は欠かせない。小アジア（アナトリア）北西端にある城市トロイアは別名イリオンともよばれ、詩聖ホメロスの叙事詩『イリアス』の舞台となっている。古代人の伝承によれば、このトロイアをギリシア人の英雄たちが長きにわたって包囲した後、占拠して炎上させたという。そもそもトロイア王子パリスが絶世の美女といわれたスパルタ王妃ヘレネを誘拐したことが発端だった。ミュケナイ王アガメムノンを総大将とするギリシア連合軍がトロイア

シュリーマン(左)が発見したトロイア遺跡は現在、世界遺産として観光地化され、ギリシア神話で語られる木馬が想像復元されている(上、永山浩庸撮影)

に遠征したのだ。その戦いは一〇年にもおよび壮絶をきわめた。

この物語は、古代には核となるような真実があると信じられており、少なくともホメロスのような叙事詩の伝承があるものには信頼が寄せられていたらしい。もちろん、同時代の必要に応じて、伝承が作りなおされることはあったにしても、まったくの創作神話と見なされていたわけではない。

ところが、近代になって、この叙事詩に描かれた世界はまったくの作り話であり、想像された神話物語にすぎないと考えられるようになった。このような常識がまかり通っていた一九世紀後半、衝撃的な発見がなされている。

ドイツ人のハインリヒ・シュリーマンは、少年時代から、この『イリアス』および後日談の『オデュッセイア』の物語は真実にちがいないという思いにとりつかれていた。この少年の凄さは、そのために考古学者や歴史学者になろうと志したのではないところだ。彼は、なによりも実業家になり財力をたくわえることに心血をそそいだ。やがて、四〇歳になるころから準備をし、その資金を投じて一八七〇年には発掘に乗り出し、そこで小アジアにあるトロイアの遺跡を探り当てたのである。少年の夢が実現したのだから、それは当時としてはきわめてセンセーショナルな出来事であった。

それにともなって、ギリシア側の世界にも注目が集まり、その中心勢力をなしたミュケナイ王国も発掘されることになる。とりわけ、考古学者アーサー・エヴァンズはクレタ島にあるクノッソス遺跡を発掘している。その発掘調査によれば、おそらくギリシア人が到来する以前の新石器時代からの最古層の集落があり、前二〇〇〇年頃には丘上の宮殿をはじめ近接する住居などがあったという。前一七〇〇年頃、その宮殿がたぶん地震のために破壊され、その上に新宮殿が建てられたらしい。ギリシア人到来以前の文明の最盛期であったようだが、その頃とおぼしきクレタ（クレテ）島について、数百年後の詩聖ホメロスの言及が目を引く。

> 葡萄酒色の大海の真只中に、クレテなる土地があり、美しく肥沃でもあり、四方を海に囲まれております。住民は数え切れぬほど多く、九十の町があります。……それらの町の一つであるクノソスは大都で、ここには大神ゼウスと親しく語り合うことを許されたミノスが、九年にわたって王位にありましたが、……。（『オデュッセイア』一九・一六四－二〇二　松平千秋訳）

このクノソス（クノッソス）のミノス王の実態は謎だが、それにまつわる伝説には事欠かない。それによれば、クレタ王ミノスは、王妃が海神ポセイドンの怒りをかったために、人身牛頭の怪物ミノタウロスを産んだ。怪物は迷宮ラビュリントスに閉じ込められていたが、毎年アテナイから送られる

クノッソス宮殿跡に復元された北側入り口(右)と王座の間(上)。壁面にはグリフィンが描かれている

クノッソス宮殿の「王妃の間」。壁面にはイルカが描かれている。永山浩庸撮影（3点）

少年少女を餌としていたという。ところが、アテナイ王子テセウスが来て迷宮内のミノタウロスを退治してしまう。

このミノス王の名に因んで、この文明は後にミノア文明と名づけられている。おそらく、東方や南方から渡来したオリエント系の人々であったらしい。この文明は前三千年紀以来の青銅器時代のものであり、そもそも牧畜・農業と手工業を管理する集落が形成されたという。そこを拠点に物財を集積し分配するとともに、加工品が再集積されてもいたらしい。物財や製品の移動は記録され、そのために文字が考案され、それは後述するように、線文字Aとよばれるが未解読である。

## サントリーニ島の考古学調査

やがて、前二千年紀をむかえると、これらの諸集落をまとめあげる強力な統合機構が生まれ、クノッソスなど四ヵ所に宮殿が築かれている。その後、前一七〇〇年頃、たぶん大地震で破壊されたが、ほどなく宮殿は華麗に再建されたらしい。新宮殿には長方形の中庭を中心にして四周に多様な機能をもつ建物群が並んでいた。もちろん、一翼には国政と祭祀(さいし)をなす中枢部があり、さらには、青銅製品、貴金属、土器、織物などの産業区画あるいは穀物、オリーヴ油、葡萄酒などの食糧貯蔵区画が設けられていた。宮殿には城壁などはなく、外側には貴族の館が並び、さらに庶民の住む下町へと広がっていたらしい。

ところで、このミノア文明に影響された周辺の痕跡として、サントリーニ島のアクロティリ遺跡がある。クレタ島から北方へ二〇〇キロメートルほど離れたサントリーニ島（古代名テラ島）はエーゲ

サントリーニ島、アクロティリ遺跡の船団が描かれた壁画。部分。アテネ国立考古学博物館蔵

海に散らばるキクラデス諸島の一つであり、活火山をひそませている。有史以来、いく度も噴火したらしいが、とりわけ前一五世紀頃の巨大噴火は凄まじいものがあった。旧島の中央部が大爆発で吹き飛んだか、海底に没して、カルデラ状の内海の湾になってしまったのだ。その惨状は、カルデラ崖壁の丘上から見下ろせば、鳥肌がたつような気さえする。

このサントリーニ島の考古学調査が一九六七年から始まり、五年後に南岸のアクロティリ遺跡から船団のフレスコ画が発掘されている。そこは艦隊司令官の居室であるというが、その部屋の壁いっぱいに横に長いフレスコ画が描かれていた。今日では、アテネ国立考古学博物館に展示されており、原図は色鮮やかであり、見事というしかない。

船団は、左の小さい島から右の大きい島に進んでおり、左がサントリーニ島、右がクレタ島と推定されている。ところが、両島の建物を見ると、左の島が右の島より立派であり、人士も左の島がどっしりと大物感があり、右の島では小物に描かれている。ここから、左のサントリーニ島に貴族たちが常住しているか、少なくとも豪華な別荘をもっていたことが想定できないわけでもない。右のクレタ島には庶民大衆が住んでいたのだろう。さらに、アクロティリ遺跡の人物画が多種多様に出土し、女性は必ずといっていいほど大きな耳飾りを着けているという。同じことは土器装飾にも見られ、サントリーニ島の文化の高さあるいは独自性を暗示している。もっとも、大方は想像の域を出ないのであり、さまざまな解釈ができるのである。

## ミュケナイ文明と線文字Bの社会

このミノア文明の崩壊期に目を向ければ、前一五世紀半ばに、クレタ島の宮殿が猛火にさらされ、灰燼（かいじん）に帰したという。自然災害説もあるが、おそらくミュケナイ王国と似かよった人々が占拠するようになり、それに呼応して地方の下層住民が蜂起し略奪をくりかえしたことも考えられる。後世の言い伝えであるから、どこまで正確かはともかく、ホメロスの詩句には、トロイア戦争時のクレタ島の支配者層が浮かび上がってくる。

後にギリシア人とよばれる人々が、ミュケナイ王アガメムノンの率いるアカイア勢の一派として集められる。それを描いたホメロスの叙述は軍船表の場面として名高い。

ピュロスで出土した線文字Bが書かれた粘土板。©Sharon Mollerus CC BY 2.0

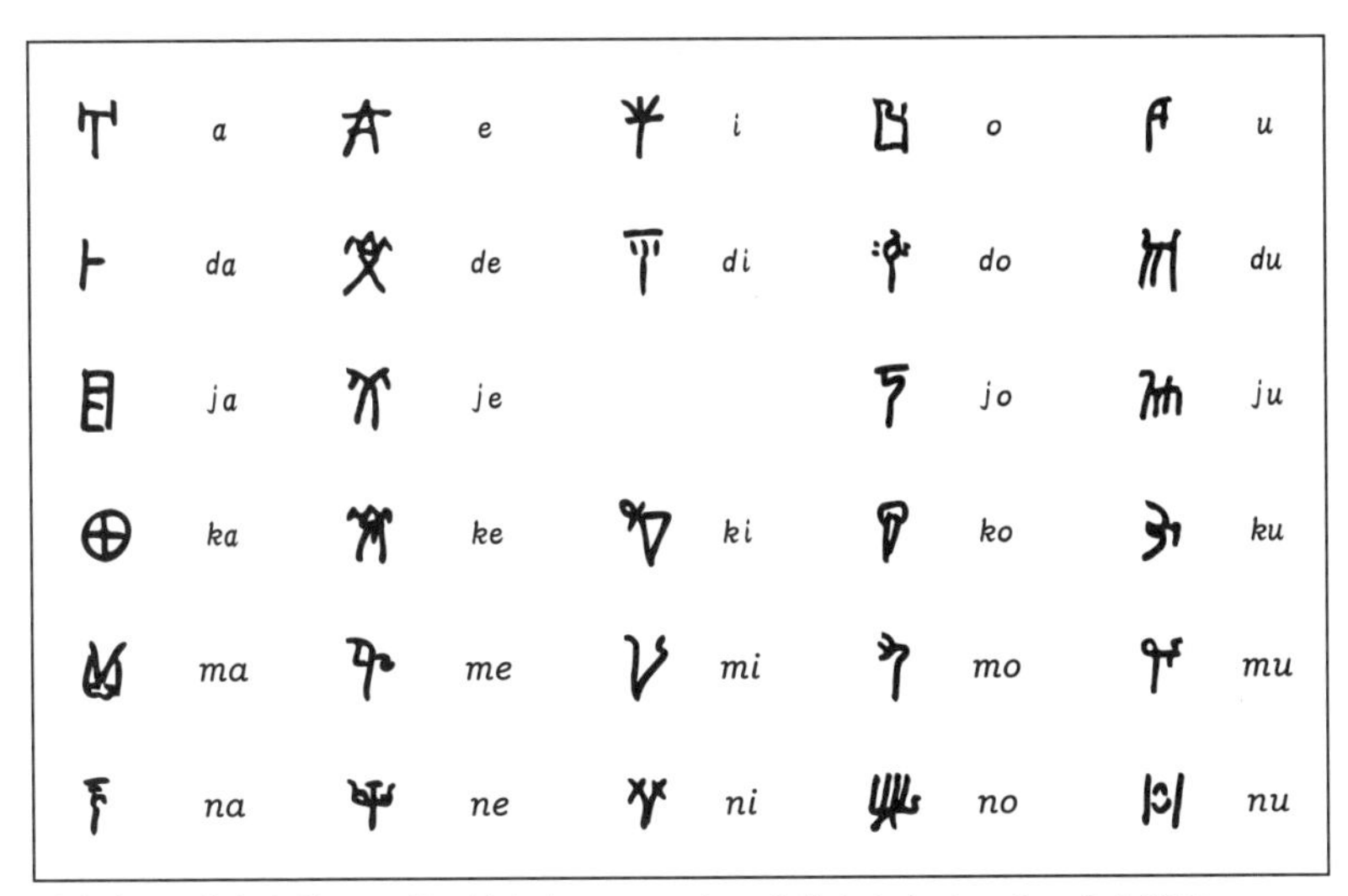


線文字Bの基本音節の一部。線文字Bは90ほどの文字からなる。そのうち60ほどの音節が判明し、ほかに補足的な記号と考えられるものや、音価不明の記号がある。J・チャドウィック『失われた文字を読む３　線文字B』細井敦子訳、學藝書林、1996年より

クレテ勢を指揮するのは槍に名高きイドメネウス、その軍勢はクノソス、城壁堅固なゴルテュン、リュクトスにミレトス、白亜に輝くリュカストス、パイストスにリュティオンなど、いずれも栄える町々の住民たち、さらに町はその数、百にのぼると称されるクレテに住む他のものども。この軍勢の指揮をとるのは、槍に名高きイドメネウスと、武士の命を奪うエニュアリオス（アレス）にも劣らぬ勇将メリオネス。随（したが）う船は八十艘。（『イリアス』二・六四五－六五二　松平千秋訳）

ここでは、クノソス（クノッソス）やほかの町の住民たちがアカイアの人々と同じであることが当然であるかのように

描かれている。

このクノッソス宮殿が発掘されるにつれ、そこで粘土板文書が発見された。さらに、ここには絵文字、線文字A、線文字Bの三種類の文字があることが公表された。ただし、最後の線文字Bについては、文書そのものは未公開のままであったという。その後、ペロポネソス半島西南岸のピュロスの地でもミュケナイ時代の線文字Bの文書が発見され、しかも保存の状態も非常に良いものだった。そのために世界中の学者たちがこの文書の解読に乗り出すことになる。

さまざまな解読案が出てきたが、なかなか衆目の納得するところではなかった。やがて、一九五二年に、言語学者でも考古学者でもない建築家マイケル・ヴェントリスという青年が新しい解読に成功する。彼は言語学者ジョン・チャドウィックに相談して、彼ら二人の名において、線文字Bで書かれた言葉はギリシア語であるという結論に達したのである。

ミュケナイ王宮跡の獅子の門。永山浩庸撮影

線文字Bには九〇ほどの文字がある。そこから、アルファベットのように子音と母音を組み合わせる音標文字ではなく、日本語の「あいうえお」のような音節文字であると推測されていた。解読してみると、それはまさしくギリシア語であり、アルファベットと別の表記で書かれていたのである。ちなみに、チャドウィックは第二次世界大戦中には海軍の語学将校として日本語を学び、暗号解読に従

事していたという（日本にあって線文字Bの研究に最初に着手した太田秀通は、ミケーネ〈ミュケナイ〉学会でチャドウィック教授と歓談し、暗号解読に従事したこと、日本語論文を読めることを本人から聞いたという）。日本語の音節文字の学識が線文字Bの解読に役立ったのであれば、はなはだ興味深いことである。

ピュロス文書は保存状態が良いので、当然ながら、ピュロス王国の姿がこの時代を再現する手掛かりになる。浮かび上がったピュロス王国を見れば、そこは王宮社会と村落社会とに大別できるらしい。王はウァナカ（ワナカ）とよばれ、その配下に軍司令官、従士団、王所有の奴隷たちがいる王宮社会がある。シュリーマンが手をつけたミュケナイの発掘では、王宮跡が残されており、この種の王宮が王国全体の中心にどっしり構えていた。

## 身も凍る人身御供の記録も

その一方には村落もあり、それは線文字Bの言葉ではダーモとよばれていた。そこには、村落の首長である豪族（クァシレウ〈カシレウ〉）の指導下に、民衆がいた。彼らは、大工、鍛冶屋、パン焼き、牧夫などとよばれているが、本来の姿は農民であった。農民のなかには、農作業のかたわら、もうひとつ別の特技をもつ者が大勢いたのだろう。

たとえば、ピュロス王国の行政組織と土地所有形態についての文書がある。

さて、区長と妻は

副区長、鍵持ち役、イチジク監督、鋤返し監督は
神殿にある青銅を矢尻と矛先用に
メタパ村　　　　　　　区長　青銅M2　副区長　青銅N3
ペトノ村　　　　　　　区長　青銅M2　副区長　青銅N3
パキヤピ村　　　　　　区長　青銅M2　副区長　青銅N3
……（略）……（『西洋古代史料集』〔第2版〕古山正人他編訳　一部改訳）

これは、行政区の役人が村落に課せられる貢納徴収の監督・実施にあたっている記録である。重量単位のMは二キログラム、Nは七五〇グラムを表すという。さらに、土地の播種量（はしゅ）が記された文書もあるが、数値の意味するところは不明なところがある。

アマリュンタスの私有地　播種量　小麦2V3
以下の如く（ごと）アマリュンタスの土地を借地人たちが有す
神の奴隷ソウロが借地一片を有す　播種量　小麦V3
………
借地に出されていない公有地　播種量　（小麦1T1?）
アイティオクスは共同体ダモスの公有地からの借地を有す　彼自身は区画地所有者　播種量　小麦1T4V3

ワナタイオスは共同体ダモスの公有地からの借地を有す　播種量　小麦T5

………（略）

これらを見ると、公有地も私有地もあり、それぞれに借地人がいることがわかる。さらにまた、神への奉納を記す粘土板もある。

ピュロスはポセイドンの神域で供犠を行い、そして町は連れて行く。
奉納物を捧げ、犠牲を連れて行く。
金製杯1、女1、雌牛と（女性名？）に

………

ピュロスは王宮地区で供犠を行い、奉納物を捧げ犠牲を
連れて行く。ポタニア神に　金製両耳杯1、女1
ムナサ神に　金製鉢1、女1、ポシダエイア神に　金製鉢1、女1

………（上掲書）

なにげない献呈表だが、輝くような金製の杯や鉢とともに、初々しくも感じられるような「女1」とあり、いったい何を物語るのだろうか。これはまさしく人身御供という身も凍るごとき衝撃的な事実であり、そのことが平然と記されているのだ。この粘土板文書だけで一〇人が確認できるというか

ら、当時のピュロス社会には、なにかの異常な事態がふりかかっていたことが暗示されている。なにやら、ホメロスの叙事詩『イリアス』からは削除されたらしいが、後世の悲劇作品に登場する生贄(いけにえ)に捧げられたアガメムノンの娘イピゲネイアが想起される。

## 貢納王政の世界

このような線文字Bの粘土板文書から、当該社会の素朴な姿が浮かび上がってくる。王宮と村落をそなえた王国とは、言いかえれば、王宮の周辺に村落が数多く拡散しており、それら村落の上に王権が君臨するわけである。村落の人々に貢納させることが支配の要であり、そのために素朴ながらも官僚機構を整えていたらしい。

このような貢納王政の世界であれば、それはメソポタミアやエジプト、とくにエジプトに見られるごとくファラオの絶大な権力による支配に似かよっていた。それほど広域ではないにしろオリエント社会の独裁政に通じるものがあり、後代のギリシアに見られるポリス（都市国家）の構造とはかなり異なるものだった。つまり、自由市民の共同体を基盤とするポリスは規模が小さいものになるのだが、貢納王政の地域支配はより広域であったようである。前二千年紀後半のエーゲ海沿岸地域は、これらの広大な王国がいくつか群立していたことが想像される。これらの王国のなかでも宗主国のごとき勢力を誇ったのがミュケナイ王国であった。そのために、この前二千年紀半ば以降数百年の期間をミュケナイ時代とよぶことになっている。

ところで、一見すれば、オリエント社会とミュケナイ社会は似かよっているが、それは先進地域であるオリエント地域がエーゲ海沿岸地域に影響をおよぼしたからなのだろうか。ピラミッドに代表される巨大墓や豪華な副葬品を見れば、この中央集権化された社会の序列は上下の格差がはなはだ大きいように思われる。これらを実現するための資財や労働力は膨大であり、その背景には経済専業化にともなう生産効率の増大があるという。なによりもオリエントの中央集権国家は農耕の集約化をもたらしたことが注目される。

これに比べれば、エーゲ海沿岸地域の王国が出現するには、別の枠組みがあったと指摘されている（コリン・レンフルー／大貫良夫訳『文明の誕生』）。ミノア期およびミュケナイ期の宮殿文明の背景には青銅器時代の特徴がよく出ているという。新石器時代には小麦と大麦が主要な作物であり、羊と山羊に加えて牛と豚が主な家畜動物であった。

## オリーヴとブドウが主要作物に

ところが、前三千年紀になり青銅器時代が訪れると、様相が一変する。新しい作物として乾季に強いオリーヴとブドウが特別な意義をもつようになり、さらに進んで青銅器時代後期になると、オリーヴとブドウは重要な作物として傑出した役割をはたすようになったのだ。このために農民の生産活動が多様になり、個々の農民がそれぞれ専業化する機会が生じた。各人各様に生産した作物は交換しなければならなかったし、この交換の場が宮殿であった。もっとも、この交換とは、宮殿を中心として作物の収集と分配を調整するものであり、物財の流通を集中管理する機構ができあがっていた。分かりやすく言えば、まさしく生産と流通の再分配をとりしきる首長制のシステムにほかならなかったと

「海の民」とミュケナイ文明の崩壊。R・モアコット『地図で読む世界の歴史　古代ギリシア』桜井万里子監修／青木桃子訳、河出書房新社、1998年より作成

いう。

こうしてみると、一口に貢納王政とくくっても、オリエント地域の強大な中央集権機能とエーゲ海沿岸地域の首長制機能とでは、かなり様相が違っている。だから、ここでオリエントの影響をもち出す必要はないかもしれない。むしろ、灌漑(かんがい)農業を擁する巨大なオリエントの王国と比較してみれば、耐乾性のあるオリーヴとブドウを主要作物とした王宮国家の独自性が浮かび上がってくるのではないだろうか。

ところが、前一二〇〇年頃になると、突然のごとく王宮が炎上し破壊された形跡が残っている。そのために、のちに移住して来たドーリア人が破壊したという見方がかつては唱えられた。その後、東地中海の各地に出現した「海の民」の襲撃や略奪によって一挙に崩壊したのだという考え方も出てきた。「海の民」とは、これらの人々に襲撃されそれを撃退したエジプト人が命名した言葉として残っている。さらに、気候変動による飢饉や疫病の蔓延を考える見解もあり、また、それぞれの王国が群雄割拠し、戦争をくりかえしていくなかで、国力を弱めていったとも考えられている。

ミュケナイ社会が前一二世紀頃に衰退しているように見えるが、それはたんにギリシア人の世界にだけ起こったことではないらしい。東地中海地域一帯でも、たとえばオリエントにおけるヒクソスのように、かなり急激に衰退している姿がある。そのような現象が各地で見られるのであるから、その数世紀間、東地中海世界全体が混迷を深め、疲弊していたことは明らかである。

## 2　英雄叙事詩が語る「新しい人間」

### 「暗黒時代」の口誦伝承

こうした文明を生んだ「ギリシア人」とは、どんな心性をもった人々だったのだろうか。

そもそも、「ギリシア人」とは後世のローマ人が与えた語に由来しており、ミュケナイ時代にはおおざっぱに「アカイア人」として知られていたらしい。古くはヒッタイトの記録にもあり、ギリシアの最古の叙事詩である『イリアス』のなかにも、「アカイア人」の呼称を見出すことができる。古代史をたどる現代人の立場からすれば、「原ギリシア人」とでも言っておくべきだろう。

ミュケナイ時代の文化がすたれるにつれ、線文字Bの文字文化も失われてしまった。文字を知らない人々がいるだけと見られがちだから、前一二〇〇年頃から数百年を「暗黒時代」とよぶこともある。だが、それは文字を書き記すことだけが文化創造の基本であるという偏見に根ざしているのではないだろうか。

たしかに、文字の開発とともに文明が生まれている。身の回りでおこった出来事を記録しなければ、将来の時代にも離れた地域にも伝わることはない。だが、人間の文化活動は図像の描写でも、音声としての言葉でも伝えられるはずである。

そもそも言葉は音声であるから、それらの音声語をつむぐことで言語表現を磨きあげることができる。言語は豊かであり、主題と制作は様式化されており、口承技術とよべる段階にあった。テーマは英雄の過去をめぐる物語であったが、その過去とは勝手に創作されたり、でっちあげられたりしたものではなかったという。そこに生きる人々にとっては、現実の過去を詩人が語るのであると思っていたらしい。語る吟遊(ぎんゆう)詩人も聴き手である聴衆もそう信じて疑わなかったのだ。

吟遊詩人という言葉にはなんともいえない響きがある。根なし草のさすらい人を思わせながら、なぜか郷愁をさそうのだ。そこには人間世界のおりなす出来事を語る者の祖型が感じられるのではないだろうか。

話はそれるが、二〇世紀になっても、ヨーロッパで唯一、口伝の詩を朗誦する吟遊詩人がいた。バルカン半島のユーゴスラヴィアにいた吟遊詩人の歌声を録音してまわった研究者がおり、持ち帰ったレコードは三五〇〇枚以上もあったのだから、半端ではない。

吟遊詩人は何も見ることなく数日間歌いつづけ、ときどき飲み物をとりながら休憩するだけだった。とうとう声が出なくなり、しばらく休んで、さらに数日間あまり歌いつづけた。やがて叙事詩の朗誦が終わったとき、一万三三三一行からなる大叙事詩の全貌が姿を現したのである。

　これらの叙事詩には、独特の旋律やリズムがあり、しばしば枕詞（エピテトン）、定型表現、比喩がくりかえされているという。それはホメロスの叙事詩ときわめて似かよっていたのだ。われわれは『イリアス』や『オデュッセイア』を「読む」とかんたんに言うが、もともとの成り立ちからすれば、それらを「聴く」と言わなければならない。というのも、くりかえされる形容表現の数々も音声として耳にふれるとき、圧倒的な力を発揮するからだ。ただ文字を目でたどるだけなら、しばしばまわりくどく煩（わずら）わしいだけにすぎない。

　たとえば、ギリシアの最高神ゼウスは天空神であり、その登場の場面では、「雨を降らせる」「雲を集める」「雷を投げつける」などのエピテトンが前ぶれとなる。英雄のアキレウスには「神とも見まごう」「神のごとき」などのエピテトンがつく。文字で読めば、またかとうっとうしくなる。だが、音声が響けば、そのたびにゼウスやアキレウスの勇姿があざやかに浮かび上がってくる。

　盲目の詩人といわれるホメロスの叙事詩は、なによりも音声からなる物語である。人間の心をゆさぶる言葉は、文字ではなく、音声にこそある。現代にも吟遊詩人がいたことが世界を驚かせたのは、ホメロスの歌声が人の心に訴える力を今なおまざまざと思い知らせてくれたからだろう。


**『イリアス』『オデュッセイア』の背後にいた吟遊詩人**

　この曖昧模糊（あいまいもこ）とした「暗黒時代」には、おそらく数多くの英雄をめぐるテーマが語り継がれていたにちがいない。凡人離れした英雄たちの血沸き肉躍らせる言動が彩り豊かな言葉で描かれ、それに耳

ホメロスの像。ボストン美術館蔵

をかたむける非力な庶民の心が揺れ動く。そのような夥（おびただ）しい英雄譚の口誦伝承のなかで、もっとも偉大なテーマとなった叙事詩が詩聖ホメロスの手でまとめられた『イリアス』と『オデュッセイア』である。前者は、ギリシア本土からの連合軍が荒波のごとく押し寄せて侵入し、トロイアを落城させた物語であり、後者は英雄たちの帰還、とくに知将オデュッセウスをめぐる物語である。

ギリシア人は誰もが、『イリアス』と『オデュッセイア』をホメロスなる大詩人の作品であると思っていた。もっとも、後者は前者より一世代ほど遅れて成立したというので、同一人物の作品である確証はどこにもないという。分かりやすく言えば、古代ローマのウェルギリウスや中世イタリアのダンテのような後世の叙事詩人のごとく、言語、構成、思想の面でも自在に創作した姿を想像してはならないのである。

『イリアス』と『オデュッセイア』の背後には、芸人のような吟遊詩人たちがいて、古来の物語を練り上げつつ朗誦しながら、口から口へと世代を重ねて伝承してきたのである。一語といえども書き言葉としての文字の助けをかりることはなかったのだ。自由な創作とはほど遠い技法であったが、それだけに様式が固定されており、聴衆は詩人の語り口に酔いしれていたにちがいない。

しかしながら、今日見られるような二大叙事詩にまとめあげられたのは、暗黒時代末期に、ホメロスのような天才的詩人が現れたことである。もっとも、二つの詩編には、文体や詩句の面で差異があり、世代の異なるホメロスAとホメロスBがいたと解する方が無難であるという。ほどなく、卓越した非凡な大詩人ホメロスの叙事詩は吟遊詩人たちの後裔仲間の間で歌い継がれていっただろう。

「暗黒時代」が幕を下ろし、音標文字のアルファベットによる筆記法が導入され、ギリシア人はふたたび文字を知った。そのころから、二大叙事詩を歌い継いできた吟遊詩人集団はもはや長大な叙事詩を記憶しなくなったらしい。前六世紀には『イリアス』や『オデュッセイア』が文字に書きとめられ、今日に伝わるテキストの原型ができあがっている。

## ホメロス叙事詩の社会

ところで、このホメロスの叙事詩のテキストを史料としてあつかえるとすれば、どのような事実が浮かび上がるのだろうか。まさか、トロイア戦争という出来事がそのまま反映されていると言うわけではあるまい。小高いヒサリクの丘の上にトロイアの古代遺跡があることは、一九世紀後半以来の考古学調査によって確認されている。とはいえ、この戦争という出来事が現実にあったかどうかは、はなはだ心もとないのだ。

古代人はともかく、近代になると『イリアス』の物語は神話上の出来事で作り話にすぎないと誰もが思うようになった。なにしろ、不死なる神々が死すべき人間たちと一緒に登場し、ひんぱんに人間界に介入してくる。

神々はさまざまなやり方で、自分が味方していることを人間にささやきかける。激励したり、忠告したり、ときには鳥になったり、さらには夢のなかでも、加勢する。前兆を告げることもあり、相手をあざむくこともあり、さらには直々に手をくだすこともある。

これらの場面をめぐっては、本シリーズ第一巻第四章にある事例が最も典型的で分かりやすい。くりかえしになるが、『イリアス』の場面をとりあげておく。

ギリシア人の連合軍が小アジア沿岸を襲撃したトロイア戦争の最中、英雄アキレウスは連合軍の総大将アガメムノンに怒り狂っている。

戦利品の愛人を奪ったミュケナイ王アガメムノンは、アキレウスに蒸し返されて自分の咎（とが）を責められたとき、言い返す。

だがその張本人は私ではなく、
あのゼウス神と、運の女神（モイラ）と、靄いを彷徨（さまよ）うエリーニュースだ、
その神々が、会議の座で　私の胸にひどい迷いをぶち込んだもの、
アキレウスにやった褒美を、私が自身取り返さしたその日のことだが。
だが何を私ができたであろう、神意は万事をおし貫き、果たしたもうのだ。
（『イーリアス』一九・八六－九〇　呉茂一訳）

神々が「迷いをぶち込んだ」などという弁解を聞いたアキレウスは、アガメムノンの言い逃れにすぎないと反論するわけでもない。それどころか疑いもなく信じているのである。おそらくアキレウスもまた自分の神々には素直であったからにちがいない。

このような場面は神話でしかなく作り話にすぎない、と一笑に付したり、幻視(げんし)や幻聴(げんちょう)にふりまわされているだけだと軽んじたりするのはたやすいことだ。そうすれば、合理主義精神のとがった近現代の人々には、まったくの絵空事にしかすぎなかっただけである。古代遺跡が明らかになったとはいえ、ホメロスの物語には神々の挿話があふれんばかりであり、これには近現代の人々は苦笑せざるをえない。これらばかりは作り話にすぎないと思いたくなるだろう。

だが、はたしてこれらの挿話はたんなる空想物語の神話にすぎないのだろうか。未熟な知性しかもたない古代人には、その種の絵空事でも疑念もなく楽しめたと割り切っていいのだろうか。このように問うとき、筆者は必ずしもそうとは断言できないと言いたいのだ。

というのも、二一世紀の歴史学は過去の人々の心性史にも注目し、ここでは古代人の心をも掘りおこそうとする。この神々がささやきかける場面は、もしかすると古代の人々の心性をのぞきみる有力な手掛かりになるかもしれないのだ。

ミュケナイでシュリーマンが発掘した黄金のマスク。シュリーマンはアガメムノンの遺体を発見したと主張したため、「アガメムノンのマスク」とよばれる。アテネ国立考古学博物館蔵

**現実のごとく「神々がささやく」世界**

おそらく、そこに生きていた人々には、幻視や幻聴とは感じられなかったにちがいない。現代人の感覚や知見では幻視や幻聴に違いなかったにしても、古代の人々には肌身に感じる現実の出来事

であった。ほかにも、まだ帰国しない父オデュッセウスを探すかのように故国を離れ近隣のピュロスに旅立った息子テレマコスだが、彼を案じる召し使いの言葉も聞き捨てならない。

ピュロスへお出でになったというのは、いずれかの神のお指図によるのか、あるいは御自身のやむにやまれぬお気持からなのか、わたくしには判りません。(『オデュッセイア』四・七一二–七一三)

「いずれかの神のお指図」という表現はかなり具象的であり、なんのためらいもなく口にされているところに、当時の人々にとって「神々がささやく」世界という常識が見てとれるのではないだろうか。

このように理解できるとすれば、ここには、トロイアやミュケナイの物質文明のみならず、その精神文化の模様すら浮かび上がってくる。そうすれば、ホメロスの物語は、「暗黒時代」にいたる前二千年紀後半の世界を見渡す未知なる扉の前に誘ってくれるかのようだ。

ホメロスの叙事詩を史料として読んだときに浮かび上がる事実として注目されるのは、トロイア戦争という出来事の真偽ではなく、当時の人々の心のなかに去来する想念の情景とでも言えることではないだろうか。これは、変動する時代のなかで生きる人間とその「心性史」を凝視する本書のような立場からの切り口であり、一つの歴史理解として提示しておきたい。

ところで、歴史学や考古学の示唆するところでは、ミュケナイ時代から「暗黒時代」末期にいたる歴史をたどれば、いくつかの特徴をあげることができる。『イリアス』と『オデュッセイア』の叙事詩の舞台はミュケナイ時代末期である。だが、叙事詩の素材になる口誦詩編がはぐくまれたのは「暗黒時代」であり、さらに二大叙事詩がまとめられたのは前八世紀の「暗黒時代」末期からポリス成立期初期であろう。

三つの時代層がおり重なっており、それぞれの影が交わり錯綜していることは言うまでもない。たとえば、まだ青銅器時代を脱していないミュケナイ時代であるのに、叙事詩の農民たちは鉄製の農具を使っている。また、線文字Bの文書から想定される王国は、オリエントより規模は小さいながら貢納を強いる専制王政のごとき感があるが、叙事詩のなかの王国は部族連合の首長としての王がとりしきっていたように見える。さらに、出土する土器などから推測すると、ミュケナイ文化には一様なところがあるが、叙事詩がはぐくまれた「暗黒時代」にはそれぞれの地域ごとに独自な面が強くなっているという。さらにまた、「暗黒時代」には、多くの定住地が捨てられ、長い間かえりみられなかったし、人口が減少していたことは確かであろう。

## 英雄たちの活躍

初期鉄器時代である「暗黒時代」には、「英雄時代」という呼び名と重なるものがある。そもそも、オリエントには、人間の歴史をめぐって、金・銀・銅・鉄の四つの時代があったという。そこへ前七〇〇年頃の詩人ヘシオドスが、銅と鉄の間に、ギリシア人が信じて疑わなかった「英雄たち」の時代をはさんだことに由来する。そうしたとき、この詩人が生きていた現世よりも前の時代ということになり、英雄とは、まさしくホメロスの叙事詩のなかで活躍する王たちや戦士たちにほかならないのだ。

ホメロスの英雄たちとは、なによりも名誉と美徳を追い求める男たちだった。体力に勝り、身体的勇気で卓越し、度胸でひるまず、武勲に優れていなければならない。それらの能力を一途に純粋に公にするのだ。逆にいえば、英雄らしからぬ弱さとは、ひとえに臆病であり、そのせいで英雄らしい偉業の追求を怠ることだった。

たとえば、武勇抜群といわれたトロイア王子ヘクトルは、幼児のわが子に口づけした後で、次のように祈りを捧げている。

ゼウスならびに他の神々よ、どうかこの倅もわたしのように、トロイエ人の間に頭角をあらわし、力においてもわたし同様に強く、武威によってイリオスを治めることができますように。また、いつの日か、戦場から帰って来た彼を見て、なにがしかが「あのお方は父君よりも遥かに優れたお人じゃ」といってくれますように。また敵を討ち取って奪った血塗れの物の具を持ち帰り、母を嬉しがらせますように。（『イリアス』六・四七六－四八一）

この祈りの文句には、いかなる道義心も、戒めも、家族以外への責任感も、他人や物財への義務感も、欠如しているのは驚くほどである。ただひたすら自分の武勲、自分の勝利と力を誇示することだけである。

とりわけ注目されるのは、時代の古い『イリアス』のなかには、英雄たちの活躍が数多く盛りこまれている。中心をなす「アキレウスの怒り」だけでなく、詩人の目線は英雄の言動や魂胆から離れることはない。

たとえば、ギリシア軍最大の英傑アキレウスの親友パトロクロスの活躍する場面がある。彼はギリシア側の苦戦を見かねると、アキレウスの武具を借り、手勢をひいて戦場に向かった。彼の奮戦のおかげで、味方のアカイア勢の船側から敵のトロイア勢を撃退し追撃して、気勢を上げる。

両アイアスよ、今こそおぬしら二人が、かつて衆に混じって勇しく戦ってくれたように、いやむしろそれよりもさらに見事に、戦う気を起してくれ。アカイア勢の防壁内に一番乗りした男、サルペドンは死んだ。彼の遺体を抑えて散々に痛めつけ、肩から武具を剝いでやりたい、また彼の身を守ろうとする彼の仲間の誰彼を、非情の槍で討ち取りたいものだが。（『イリアス』一六・五五三－五六一）

ここにも、敵勢の武勲者を打ち倒して辱めたいと勇みたつだけの慢心にあふれており、敵への残忍さを誇示するかのごとき粗野な蛮勇心しか感じとれない。およそ道義心のかけらも、人間への温情の片鱗もない。ひたすら強壮な勇者としての自分を見せつけようとしているだけである。

ともあれ、英雄叙事詩に登場する英雄とは、並はずれた人間であり、神々の血を引いているか、神々に守られているらしい。彼らは、人間離れした体格や腕力をもっており、凡人にはできないことをやってのける。たとえば、英雄アキレウスはトロイア勢に味方する河神と激闘して撃退したし、英雄ディオメデスは長時間も疲れもせず戦場に立ち、トロイア兵の多勢を打ち負かしたし、英雄オデュッセウスは一つ目の怪物キュクロプスの一人を酒でだまして敗退させたりした。

　かくも英雄たちは偉大であり驚異であったので、それよりも後の現世に生きていた人々は、これらの英雄がかつて活躍したことを微塵も疑わなかったらしい。詩人ホメロスは登場人物と彼らの行動からいつも距離をおいていたといわれる。無関心でもなく、冷淡でもなく、ためらいでもなく、背景となる出来事を受けとめたとおりに、淡々と加工せずに述べ伝えている。とりたてて誇張しなくても、聴衆たちはいささかの疑心もなく、詩人の語るところを聴いたままに心にとどめたからであろう。

将棋を指すアキレウスとアイアスの壺絵。ヴァチカン美術館蔵

## 偉大な自己への確信をもつ人々

　英雄時代の英雄といえども、人間であるから、神々のような不死ではない。だが、英雄たちには、神々に対する畏敬の念などほとんどなかった。『イリアス』では、「神を怖れる」に似た言葉はまったく使われていないという。偽の誓いを立てたり、供物を捧げなかったりして、神々の名誉を傷つけ辱めたりしないかぎり、人々は神々の怒りを怖れることはなかったからである。

　だから、英雄叙事詩の王族たちは自分たちの世界を堂々とのし歩いていた。彼らが神々を怖れたとすれば、自分より強大な豪族を怖れるのと異なることはなかったのだろう。そこには、人知を超えた圧倒的な自然の力という悪夢にひれ伏し、その背後にいる神々を怖れるという自信のなさから一歩ふみだしたかのような世界があったにちがいない。

もちろん、このような自信と誇りをいだいた人間など、ひとにぎりの豪族たちにすぎないかもしれない。それでも、この世には、制するどころか理解もできないさまざまな不思議な力が錯綜しているということ、それが分かっていながら、もはやへし折れることはなく偉大な自己への確信をもつ人々が登場したのである。自分自身とその周辺の社会について、確固たる意識をもっており、自尊心をいだく人々が舞台に上がってきたのだ。それこそが「英雄時代」とよべる所以(ゆえん)であろう。

しかしながら、その舞台の背後には、貧しくみすぼらしい庶民が数多くいた。彼らには誇りや自信などどこにもなく、日々の生活に追われるばかりだった。昼も夜も休む時もなく働きつづけ、くたびれ果てるのだった。このような貧民たちは神々が災いをもたらさないかと怖れていた。だから、彼らは神々に犠牲や供物を捧げることを怠らなかった。だが、それは神々を敬愛していたからではないだろう。とりわけ、下層の人々にとって、収穫の恵みにあずかることはなによりも望ましいことだったにちがいない。その幸運に恵まれるなら、労苦も悲嘆も耐えられることだったろう。

これらの生活にあえぐ人々があふれるなかから、まがりなりにも自信と誇りをもつ強壮の者どもが出現したのである。力のない弱者たちからすれば、気迫にみちた豪壮の者たちが、どれほど頼もしい存在として期待されただろうか。そのような非凡な豪族たちが相次いで目立ってきたのである。あえて「英雄時代」という呼び名で通るのである。

## 贈与交換の慣行と社会秩序

ところで、この「英雄時代」について語るとき、そもそも両叙事詩がいかなる史実を映し出しているかをめぐって、数多くの専門家の間で議論がある。それらが物語の舞台となるミュケナイ時代の出来事ではないという点については、大方が同意している。

しかしながら、これらの叙事詩には、歴史のなかで実在した社会像を見出しうるとする考え方もある。たしかに、確固たる物語の伝承があれば、当時の人々も昔話として楽しめたにちがいないだろう。なかでも、M・I・フィンリーの名著『オデュッセウスの世界』(下田立行訳)は見事なほどに出色である。それによれば、英雄叙事詩のなかには、前一〇~前九世紀の社会が色濃く描かれているというのだ。

もはやミュケナイ時代とはまったく異質でありながら、未だにポリス成立へのめばえすら見られない時代であった。そのことをなによりも鮮やかに際立たせているのが、叙事詩のあちらこちらでくりかえされる贈与交換の慣行である。この英雄叙事詩の社会では、贈ったり、受けとったり、返礼したりすることが、義務づけられているという。

英雄たちにとって、贈り物を提供することは競争と名誉にかかわる活動の大切な部分であった。彼らは、受けとった贈り物にしろ、他者に与えた贈り物にしろ、自慢の種であった。それらの贈り物の品に系譜があれば、それを披瀝(ひれき)するのも誇らしかった。

たとえば、来訪したオデュッセウスの息子テレマコスが馬の贈り物を断ったとき、スパルタ王メネラオスは次のように申し出ている。

　この屋敷に秘蔵している品の中でも、一番美しく一番高価な品をあげよう。それは見事な造りの混酒器で総銀造り、縁には黄金が施してある。ヘパイストスの手に成るもので、かつてシドンの王、勇武のパイディモスが、帰国の途次立ち寄ったわしを屋敷に泊めてくれた折、土産にくれたものだ。これをそなたにあげようと思う。(『オデュッセイア』四・六一三－六一九)

このような輝かしい前史のある贈り物は、与える側と受けとる側のいずれにも、ただの銀製品よりもはるかに大きい栄光をもたらしたにちがいない。
　ホメロスの英雄叙事詩のなかで、戦闘以外の日常の場面が描かれるとき、贈り物の贈与ほど注目されているものは他にないという。それを語るときにも、贈り物が上等なものか、適切なものか、あるいは賠償のためか、それらについて率直な関心が述べられている。
　トロイア援軍のグラウコスとギリシア側の武将ディオメデスは戦場で対峙(たいじ)したが、先祖が共通だと分かると、二人とも戦車から飛び降り、手を握り合って誓いを交わす。

　ところがこの時、クロノスの子ゼウスはグラウコスの頭を狂わせてしまった――なんと彼は、テュデウスの子ディオメデスと武具を交換するのに、黄金製のものを青銅製のものと、値いにすれば一方は牛百頭のものと、他方はわずか九頭のものとを取り替えたのであった。(『イリアス』

六・二三四－二三六）

ゼウスに思慮を奪われたとはいえ、グラウコスは敵軍の武将と同じ先祖をもつという喜びに浮かされて、法外な贈り物をしたのである。それについて、詩人が注釈をつけているのは関心の高さを示唆している。

先祖が共通であることをことさら喜ぶというのは、過去の出来事を大事にし、それに律せられる社会である。そのような制約がある人間関係のなかでは、伝統的な贈り物は事実上ほとんど義務に近いものがあったという。

**口で語り耳で聞くだけが伝達手段**

このようにして、相互に与えたり、受けとったり、返礼したりすることがくりかえされていくと、贈与交換の慣行ができあがる。それによって、漠然とした社会のなかで、人々の結びつきが深まっていく。そればかりか、個々別々に孤立していた共同体の間もまた、相互に結びつくようになり、さらに大きな社会集団が築かれ発展することになりそうにもなった。そもそも古代社会にあっては、しばしば経済行為が社会のなかで目立つことがなく、埋没していると言われることがある。だが、贈与交換の慣行は、重要な経済活動として、ひときわ鮮明であったのではないだろうか。

前一千年紀初頭のころ、ギリシア人の世界に独自の人間関係をもつ社会がきわだっていたかどうかはともかく、贈与交換の慣行が社会秩序のなかで、何らかの役割を果たしていたことは否めないだろう。その件を考慮するとき、やはり避けられないのは、ホメロスの英雄叙事詩がどれくらいの時期にまとめ上げられたのかという問題である。

その時代とは、なによりも、文字を失っていた時代であった。口で語り耳で聞く、それだけが思いを伝える術であったのだ。そのような情況であれば、人々の身辺で見聞きする出来事を三世代以上もさかのぼって伝えることなど、ほとんどできなかったのではないだろうか。

今日に伝わる英雄叙事詩の背景には、数多くの口誦伝承が大叙事詩にまとめ上げられていた時代がある。およそ時代考証や実証という観念などはまったくない時代であるから、それらの描写は自分の周囲にある出来事や情景をどこかに投影しながら描かれていたにちがいない。

その点をめぐっては、暗黒時代末期からポリス成立初期の前八世紀というのが、大方の認める通説である。二つの英雄叙事詩が同一詩人の手になるかどうかは問わないにしろ、まず『イリアス』が完了し、数十年後に『オデュッセイア』が形をなしたという。

## 神々と人間——社会秩序の変容

ところで、一口にホメロスの英雄叙事詩とよんでも、『イリアス』に比べて、『オデュッセイア』には、どこか「英雄時代」らしからぬ色彩のある場面がある。というのも、神々の世界をめぐって、英雄たちの態度が微妙に変容してくるのだ。

そもそも、人々は神々の恵みにあずからんとするとき、神々の贈り物が必ずしも幸運とはかぎらないことを知っていた。『イリアス』の大詰めの直前、老王プリアモスを前にして勇将アキレウスが語る場面がある。そこでアキレウスははっきりと口に出している。

心を凍らす悲しみに暮れたとて、どうにもなるものではない。そのように神々は哀れな人間どもに、苦しみつつ生きるように運命の糸を紡がれたのだ――御自身にはなんの憂いもないくせに。ゼウスの屋敷の床には、人間に賜わるものを容れた甕が二つ置いてあり、一つには悪いことが、もう一つには善いことが入っている。雷電を楽しむゼウスから、この二つを混ぜて賜わった者は、ある時は不幸に遭うが、幸せに恵まれることもある。(『イリアス』二四・五二三―五三〇)

神々からの賜り物が人間の個々人にどのような結末をもたらすかは、個々人の器ではなく、ほとんど偶然の成り行きであった。神々は善悪の影響には関与することはなく、道徳上の問題には無関心であったという。神々には倫理という基準などもちあわせておらず、英雄叙事詩の世界の道義は、人間によって形作られ、広く人々が認めるところであったという。オリュンポスの神々にとって、世界(宇宙)は所与のものであって、自分たちが創造したものではなかった。そのせいで、神々は世界に対して責任をとることなどなかったのだ。

そのように語られる英雄叙事詩の神々は正か不正かを問われることはない。神々には、良心という観念も罪という意識もなかった。王侯や豪族たちの神々であるから、名誉を傷つけられた神々が怒ることはある。そのとき怒らせた者は賠償しなければならないのだ。それは罪を償うということではなく、禍が降りかからないようにすることだった。その禍が実害をもたらすかは、「運」に左右される。

たとえば、オデュッセウスは、いく度も海神ポセイドンの怒りにふれて禍を被りながら、それらの難を逃れたではないか。英雄叙事詩の登場人物が道徳の支えとしたのは、同時代の社会つまり同胞(どうほう)たちと習慣・制度であって、神々ではなかったのだ。だからこそ、「英雄時代」とよぶにふさわしい人間様の世界だったと言える。

ところが、人間の運命への神々の無関心がすけて見える『イリアス』に比べて、『オデュッセイア』では、ある段階から、道徳をめぐる神々の反応がいささか変化しているように思われる。祖国イタケの島に帰り着いたオデュッセウスは、留守中に妻に言い寄ったばかりか家産を食い物にしていた求婚者たちを激闘の末に殺戮した。その経緯について父親の前に名乗り出て話したとき、父親は思わず叫んだのだ。

父神ゼウスよ、しんじつ求婚者どもが極悪非道の行いの報いを受けたのであれば、確かに神々は、今も雲に聳(そび)ゆるオリュンポスに在(おわ)したのですな――（『オデュッセイア』二四・三五一－三五二）

驚くべきことに、ここには、道徳の変革があると指摘されている（『オデュッセウスの世界』）。というのも、ゼウスが英雄社会に君臨する王ではなくなり、世界（宇宙）における正義を実現する力としてあがめられているのである。それとともに、ここには、英雄時代にはなかった「罪」と「罰」という新しい観念が垣間見られるのである。

二一世紀に生きる現代人からすれば、「正義」「罪」「罰」などの観念は、当たり前と思えるだろう。

だが、世界史あるいは人類史という視野に立てば、とてつもない新しい感じ方あるいは考え方が生まれ出たのである。時の経過のなかで微妙に変わりつつある人間の感性について、その動向を見過ごさないようにしたいものだ。

## オデュッセウスという新タイプの人間

この変革をめぐって、さらに興味深い点をあげることができる。舞台は『オデュッセイア』の終幕に近づいている時期の話である。オデュッセウスは不埒(ふらち)な求婚者たちを一網打尽(いちもうだじん)にして殺戮した後、乳母(うば)だった老婆をよんで、累々(るいるい)たる死骸を見せている。そのとき、彼女は復讐の成就を目のあたりにして喜びの声をあげようとした。だが、オデュッセウスはそれを制して、こう語りかけた。

婆やよ、胸の内だけで喜び、我慢して喜びの声は立ててくれるな。殺された者たちの前で功を誇るのは、許されぬことじゃ。彼らを滅ぼしたのは、神々の定めと彼ら自身の犯した悪事であったのだ。(『オデュッセイア』二二・四一一―四一三)

英雄が敵たる犠牲者の前で公然と勝ち誇ることなど朝飯前だったのだから、ここでのオデュッセウスの発言は意外であり、英雄らしからぬところがある。同時代の感性からすれば、地平の彼方に何やら見てはならないものを見てしまったというためらいがあるかのようだ。オデュッセウスはその深遠にふれながら、すぐにそこから引き返しているのだ。いわば、血も涙もない実力の世界にいながら、血も涙もある情実の風景が英雄の心にしみこんできたのである。

この点に思いめぐらすとき、オデュッセウスという人物そのものにとくに感興をそそるところがある。トロイア戦争後の帰国の旅は、オデュッセウスには艱難辛苦（かんなんしんく）の連続だった。その打ちつづく苦難に立ち向かっていくには、オデュッセウスはあらゆる手練手管（てれんてくだ）を使って身を守るしかなかった。

祖国イタケの島で目覚めたとき、オデュッセウスの前に羊飼いが現れる。よそ者だから自分の素性がばれないように、巧妙な作り話で乗り切ろうとした。じつのところ羊飼いは彼の守護女神アテナが変身していたにすぎなかったから、女神は本来の美貌の姿を現し、オデュッセウスをからかうかのように語りかける。


あらゆる策略において、そなたを凌（しの）ぐ者があるとすれば、それは余程のずるく悪賢い男に相違ない――いや神とてもそなたには太刀打ちできぬかも知れぬ。そなたはなんという不敵な男であろう、さまざまに悪知慧をめぐらし、策謀に飽くことを知らぬ。自分の国に在りながら、欺瞞や作り話をやめようとせぬ、そなたは心からそのような作り話が好きなのですね。（『オデュッセイア』一三・二九一－二九五）

英雄オデュッセウスは、神々を怖れることもなく、自分の意図するところを実現するためなら、堂々と嘘をつく。オデュッセウスにとって、作り話をでっちあげることなど造作もなかった。このような詐欺師まがいの人物が世間を股にかけて歩きまわるのだから、かつて自然の暴力にふりまわされ、神々を怖れていた人々がいた世界とは、かなり隔たった時代にいるかのようである。それはいかなる時代であったのだろうか。

そこに生きる人々にとって、少しばかり祖先をさかのぼれば、英雄たちが闊歩(かっぽ)している過去があった。人々はそれを信じて疑わなかったという。神々を怖れおののく民衆と異なり、英雄たる豪族たちは自分の力でこの世を切り開くたくましさをもっていた。このような英雄たちのなかでも、智謀にたけたオデュッセウスはひときわ突出していたところがある。

身体としての力強さの目立つ英雄たちに比べて、オデュッセウスは精神のうえでのたくましさがきわだっている。自分の目標を脳裏に刻み、その実現のためには知力のかぎりを尽くすのだ。場合によっては、詐欺師まがいの策略さえ平然として実行する。近現代に生きる人間には、どこか理解しやすいところがあるかもしれない。だが、人類史としてふりかえるとき、はるかな古代の彼方に、このようなタイプの人間がいたとはどうしても思えない。おそらく、これまで誰もがなそうともしなかったように思考しながら行動する人間が現れたのである。

私見を怖れずに言えば、オデュッセウスのようなタイプの人間が生きていたというのが、「暗黒時代」を脱しながら古代ギリシアの都市国家――ポリスが形成されつつあった前八世紀の背景にあったのではないだろうか。たとえ物語のなかの登場人物であれ、オデュッセウスはきわめて新しいタイプの人間であり、彼らこそ世界史上稀(まれ)なポリスを形成する牽引力になったことを想像したくなる。

## 3　ポリスの誕生

### 収穫に王が笑みをたたえる情景

世界史のなかのポリスについて思いめぐらすとき、ギリシア以外の古代国家、たとえばペルシアやエジプトなどとかなり異なっていることが注目される。もはや専制君主のごとき最高権力者に否応なく隷属する官吏や民衆の姿はどこにも見られないかのようである。『イリアス』や『オデュッセイア』に描かれた英雄たちは、多少の身分の差があっても、座を組んで話しこんでいるような雰囲気がある。もちろん、ここで語られているのは、舞台となるミュケナイ時代ではなく、英雄叙事詩がまとめ上げられた頃から数世代をさかのぼることはないのだが。統率者格のミュケナイ国王アガメムノンと他の勇将たちの関係からして、一つの組織や集団のなかの先輩と後輩ほどの差しか感じられない。

そのような社会集団をめぐっては、英雄叙事詩中の「アキレウスの楯」とよばれる場面が示唆するところがある。ギリシア一の勇将アキレウスの武具を借りてトロイア戦線に出た盟友パトロクロスは敵将の手で打ち殺され、武具も奪われてしまう。息子アキレウスの懇願で、母親の女神テティスは鍛冶(かじ)の神に依頼して、武具一式を作ってもらうのだった（『イリアス』一八・四一〇－六一七）。このなかの大楯は大小五枚の円形の革を重ね合わせており、意匠を凝らした装飾が施されていた。そこには人々の生活風景が多種多彩に生き生きと描かれており、きわめて興味深いものがある。

人間の住む町二つが描かれている図柄がある。その一つは平和の情景であり、一方には婚礼の宴が描かれ、若い男たちの踊りと女たちの見物の場面がある。他方では集会場での裁きの係争の出来事が

19世紀の画家によりデザイン化されたアキレウスの楯

描かれている。殺された男の補償をめぐって、二人の男が言い争い、民衆はそれぞれの側に味方して声援を送るのだった。もう一つの町の図柄は戦争の情景であり、町を敵の軍勢が取り囲み、町の内では防戦の態勢が整えられる。さらには伏勢も隠れており、戦闘のなかでは屍が引きずられ、血生臭さがただようかのようだ。

さらには、肥沃な休耕地が描かれ、多数の農夫たちが牛に犂（すき）を引かせて折り返す耕作の情景がある。犂が通ったあとは黒ずんだ土に見えるのは、黄金製であるのに驚くべき技量である。また、王領の荘園を語る場面には、この時代の縮図が写しとられているかのようである。

ここでは傭いの人足たちが、鋭い鎌を手に麦を刈っている。刈られた麦の穂の束が、刈り跡に一列になって地面に落ちてゆくところもあれば、束ね役の者がそれを縄でくくっているところもある。束ね役の者は三人その場にいるが、その後ろには子供たちが落ちた穂を拾い集め、腕に抱えてはせっせと束ね役に渡している。人足たちに混じって王笏を手にした王が、満足げな面持で黙然として畦の端に立っている。離れた樫の木蔭では、触れ役たちが宴の用意をし、生贄に屠った大きな牛の料理にかかっている。こちらでは女たちが、人足どもに食わすべく、多量の白い大麦粉をかきまぜている。(『イリアス』一八・五五〇-五六〇)

ここには、王の御料地での麦の刈り入れの情景が描かれている。麦を刈る者もいれば、それを束ねる者もおり、それを手伝う子供たちもいる。誰もがせわしげに働いているのだ。人足の農夫たちのかたわらには、杖を手にした王が笑みをたたえて立っている。庶民に親しむかのように収穫の場に立ち会い、豊かな実りに満足げな王の姿は、あの専制君主の独善的な王の佇まいとなんと異なっているのだろうか。みずから汗することこそないが、さりげなく民衆に寄りそっているのだ。

ミュケナイ時代の線文字Bの文書から窺われるような諸王国では、強大な王が君臨しており、民衆から隔たった所にいた。ところが、数百年の暗黒時代を経るなかで、民衆を率いる指導者たちは、「王」とよぶよりも「豪族」と称する方が似つかわしい実力者に変容してしまった。彼らは農民一般に比べればはるかに広大な所領をもっており、多数の奴隷を使い、日雇い人足を雇っていた。これらの労働力で穀物や果樹を栽培し、大小の家畜も数多く所有していたにちがいない。つまるところ富裕な豪族たちがあちらこちらに散在していたのである。

## 王宮の崩壊と「海の民」の侵入

農園の周囲には、村落のごとき小さな社会があり、豪族と民衆たちが協調しながら共同体の秩序を維持していたのだろう。耕作する農民たちの姿を豪族が近隣でにこやかな顔で見守っている場面は、この時代を象徴するものである。

線文字Bの文書に記された「王」（ウァナカ〈ワナカ〉）は、壮大な王宮に居をかまえ王国を支配していた。城内には目を奪うばかりの貴金属製品を所有し、城外には大きな円頂墳墓（トロス）を備えたものもあった。それだけでも王国の繁栄と王権の強大さが想像される。この文書にはもう一つ「王」とも訳される有力者（クァシレウ〈カシレウ〉）もいるが、これは在地の王であり、民衆（ダーモ）とともに村落社会に住んでいた。

われわれがよく知る古代ギリシアといえば、古典期（前五～前四世紀）のギリシアであり、その時代のアテナイを中心とするアッティカ方言が標準の「ギリシア語」とよばれている。この標準語では、クァシレウはバシレウスとなり、ダーモはデーモスと発音される。つまり、村落のなかの「王」とよばれていた豪族が統率者になり、これらの豪族の中心に民衆が集結して、村落が成り立っている。線文字B文書のウァナカはアナックスの形で古典語にも残っているが、もはや奴隷に対する主人の意であるにすぎない。

これらの名称の推移をたどるにつけ、ミュケナイ時代とポリス成立初期との間に、数百年の「暗黒時代」をはさんで、大きな変容が生じていたことに気づく。いったいこの期間に何がおこったのだろうか。

分かりやすく整理すれば、王国の王宮にいた王（ウァナカ）が消え去ってしまい、村落の有力者としての王（クァシレウ）が民衆（ダーモ）を指導して村落を形成しながら協調関係に彩られた社会を営んでいるのだ。

なぜ王（ウァナカ）の居住する王宮が崩壊したのだろうか。これをめぐっては、まず、第二波のギリシア人であるドーリア人の侵入・移住が唱えられている。後世の歴史家トゥキュディデスの『戦史』の伝承によれば、トロイア陥落から八〇年目に北部にいたドーリア人が南下し始めたという。彼らは破壊をくりかえした後、やがてスパルタなどに定住したという。

次には、まさしく外敵としての「海の民」の侵入・襲撃を指摘する向きもある。前二千年紀末期には、東地中海地域一帯で海上の混成遊牧民としての「海の民」が荒らしまわった痕跡は各地に残存している。彼らの活動はめざましいものがあり、そのために、東地中海地域が混乱し、大きな変動がおこっていたことは否めない。

王宮の壊滅の原因については、ほかにも、民衆による反乱があったという説があり、また、異常乾燥による飢饉と出火がおこったという説もある。だが、近年の考古学上の知見からすると、それらの説とはちぐはぐな遺跡情況が少なくないという。

いずれにしろ、凄まじいばかりの混乱と変動があり、王（ウァナカ）の君臨する王国の中核となる王宮が襲撃され壊滅してしまった。外部勢力の破壊は激しかったが、襲撃はつかの間のものであり、その地に定住することはほとんどなかった。もっとも、ドーリア人などの第二波のギリシア人の場合は、侵入後に本土の各地、エーゲ海南部の島々、小アジア西岸南部に定住したことは動かしがたい出来事であった。

## 数多くの村落を統合してポリスが生まれる

王宮と王国が消滅してしまえば、旧王国の地は混迷を深めるばかりであったにちがいない。おそらく強力な王権に代わるものとして、在地の王(クアシレウ)が勢威を強めていっただろう。どのようにして王(クアシレウ)としての豪族が村落の民衆の指導者の姿で現れたのか、それについて根拠となる史料はない。線文字Bは失われ、アルファベットのギリシア文字はまだ歴史の舞台に登場していないのである。

しかしながら、ホメロスなる大詩人が生きていた時代とその数世代ほどしかさかのぼらない期間であったことはまちがいない。英雄として描かれるような有力者のなかに、その時代の名残が影をおとしていたと見なすこともできるのだ。

たとえば、先の「アキレウスの楯」の図柄で、人々が広場(アゴラ)に集まり、殺人事件の裁判がなされている場面がある。二人の男が、賠償金の支払いと受領をめぐって、それぞれの立場で弁明し、人々は両方の側に分かれてざわざわと声援するという光景である。このような紛争解決の場にあって、おそらく有力者たちが率先して辣腕(らつわん)をふるい活躍していたにちがいない。

これらの有力者あるいは豪族は、みずからの集落の社会秩序を保つことに、くりかえし苦心をしただろう。とりわけ、内外の危機に襲われたとき、彼らの苦心はひとかたならぬものがあった。そのためには、集落の規模と絆をより強大なものにしておかなければならない。それがしばしば「ポリスの誕生」とよばれる出来事である。前五世紀の歴史家トゥキュディデスの筆に従って、昔の出来事をこんなふうに回顧できるかもしれない。

前八世紀になると、これらの有力者あるいは豪族の指導のもとに、さまざまな村落に住む人々が単一の大きな集落を形成しはじめる。もともと村落の人々は田園生活になじんでいたので、小さな集落の生活で充分だった。いささか規模が大きくなっても、それぞれの集落が分かれて住むだけであり、それぞれの集落が公会堂と役人を備えていたという。いわば一種の政治的共同体であったと言える。だから、よほどの危機に見舞われないかぎり、中央の王のもとに集まって評議することなどなかったのである。それぞれの集落ごとに評議がなされ、行政が営まれていたのだ。そのせいで、ときには諸々の集落が対立し、戦争になることもあったという。

アテナイ人の伝説によれば、冒険好きなテセウスが王位を継承すると、アッティカ地方の数多くの村落を統合し、集住して、アテナイという一つの国家（ポリス）をつくったとされる。ほかの雑多な評議会場や役職は撤廃され、唯一の評議会場と唯一の市庁舎が設けられ、全アッティカ住民はアテナイ市民の権利・義務を享受するものとなったという。

また、統合の象徴として、大規模な建物が築かれるようになる。しかし、それは支配者の居城としての王宮のごときものではなく、民衆を守護する神々の座所としての神殿が建てられている。アテナ女神を守護神として祀（まつ）り、その神殿はアクロポリスの内側にあり、ほかの神々の神殿も同様に内側にあった。

## 村落が集まって大集落を建設

このような伝説が、どれほど真実を反映しているかは問わないにしろ、ポリスの創設時にシュノイキスモスとよばれる集住があったことは疑うべくもない。前八世紀半ばのアッティカ地方では、中心市アテナイとその近郊において、人口が急激に増加したらしい。このころから、墓跡の数が急激に増加していることから見てとれる。これは自然増ではなく、アッティカ全土を領域とする都市国家アテナイの成立に関わっておこったことだろう。

このような「集住」がおこる背景には、生産や交易などの経済活動が活発になっていたことがある。もともとギリシアの地では、穀物が充分ではなかったし、穀物の輸入も定かではなかった。このために、果樹栽培が盛んになるにつれて、オリーヴの樹木の間に小麦や大麦を植えて間作させることもあったという。この混作農業がますます注目されるようになったらしい。

また、前八世紀には、青銅小像や青銅留め金などの工芸品が聖所に奉納される事例が激増しているという。その裏では、青銅原料がことさら輸入されるようになったことがあり、とりわけ東方世界との交易活動がますます活発になっていたことを窺わせる。

このような新しい経済事情のために、それらに誘発される土地の争奪がくりかえされることになった。これに対処するには、貴族も平民もともども、土地所有が保証され安定することを求めなければならないのだった。そのために、それぞれに散らばっていた集落が「集住」に踏み切るようになったのだろう。

おそらく、村落の形で居住していた諸集落が、地の利に恵まれた所に集まって大集落を建設する。それが都市としてのポリスの誕生であった。それとともに、「集住」によって成立した新しい国家は外敵から守られなければならないのだ。そのために、市民は部族ごとに編成され、部族の下には疑似的血縁集団としてのフラトリアがあり、その成員として兵役に参加する義務が生じた。

## 「前八世紀ルネサンス」

ポリスが誕生したこの時代を評した、「前八世紀ルネサンス」という言葉がある。
それ以前の数百年間は、陽光まぶしい地中海の真っ青な海と空に彩られながらも、「暗黒時代」とよばれ、混沌としていた。ところが、前八世紀のころから、東方化の進展、アルファベットの導入、聖域と神殿の建設、民族文学の確立、植民活動の開始などがおこり、文化活動が活発になり、拡散していくのだった。

東方化の進展の背景には、ギリシア人がフェニキア人やエジプト人と交わる機会が増えてきたことがあった。とりわけ、フェニキア人とのふれあいを重ねるなかで、おそらく船を建造し操作する技術が向上したのだろう。なんといっても、フェニキア人の故地は、船材に適したレバノン杉の名産地であり、彼らは「海の民」と接触するなかで、船舶を操る技術を学んでいたのだろう。

フェニキア人と接触するなかで、なんといっても重要な出来事は、アルファベットの導入である。すでに前九世紀の段階で、フェニキア人のアルファベットはギリシア人にも知られていたという。その後、フェニキア人と親しく交わるなかで、ギリシア人は独自のアルファベットを開発することになる。というのも、フェニキア文字には子音を表す文字しかなく、母音をはっきりさせる必要がなかった。だが、ギリシア語では母音をはっきりさせることが不可欠であった。このために、ギリシア人の使わない子音の文字五つを母音に転用して、ギリシア・アルファベットが生まれたのである。

最初期のギリシア・アルファベットの事例は、アテナイの東方にあるエウボイア島から出土してい

| | 後期の原カナン文字 前1200〜前1050年 | 古ギリシア文字 | 古典ギリシア文字 | ラテン文字 |
|---|---|---|---|---|
| 1 | | | A | |
| 2 | | | B | |
| 3 | | | Γ | C |
| 4 | | | Δ | D |
| 5 | | | E | |
| 6 | | | – | F |
| 7 | | | Z | – G[1] |
| 8 | | | H | |
| 9 | | | Θ | – |
| 10 | | | I | J |
| 11 | | | K | |
| 12 | | | Λ | L |
| 13 | | | M | |
| 14 | | | N | |
| 15 | | | Ξ | – |
| 16 | | | O | |
| 17 | | | Π | P |
| 18 | | | – | |
| 19 | | | – | Q |
| 20 | | | P | R |
| 21 | | | Σ | S |
| 22 | | | T | |
| | | | Y | U,V,W |
| | | | Φ | – X[2] |
| | | | X | Y |
| | | | Ψ | Z |
| | | | Ω | |

原カナン文字からラテン文字への変遷。J・ナヴェー『初期アルファベットの歴史』津村俊夫ほか訳、法政大学出版局、2000年より

る。そこから、フェニキア海岸での交易にたずさわったエウボイア商人たちが、フェニキア文字をもとにギリシア・アルファベットを考案したことが考えられる。これらの商人たちが交易を重ねるなかで、自分たちもアルファベットを使用し、ギリシア各地に伝えられていっただろう。

　そもそもギリシア最古期の銘文が、ナポリ湾の沖合に浮かぶイスキア島のピテクサイの墓域から出

土した什器(じゅうき)に見られる。通称「ネストルの杯」とよばれ、そこでは以下のように語りかける。

　私はネストルの杯……。飲むによし、この杯で飲む者は、ただちに冠も美しい女神アフロディテへの欲望にとらわれるだろう。

と解釈される銘文である。一〇歳ほどで亡くなった少年の墓にしては、なんとも艶めかしいアルファベット文字ではないだろうか。エウボイア系の文字で記されていることから、ギリシア本土から持ちこまれたのだろう。前八世紀のポリス創成期のことであり、いかに早い時期からギリシア人が西地中海方面にも進出していたかには驚かされる。

同じ前八世紀後半には、アテナイ最古のギリシア・アルファベットの銘文が、アゴラ北西部出土の幾何学文様の土器に刻まれている。ある読み方に従えば、以下のように読むことができるという。

　すべての舞い人たちのなかで誰よりも雅やかに舞踏せし者こそ、この酒壺(オイノコエ)を受けとるべし。

（*IG* I$^2$ 919）

この銘文を記した酒壺(オイノコエ)は、おそらく舞踏競技の優勝者への賞品であっただろう。文字そのものは稚拙であるが、酒壺はことさら立派なものであるという。というよりも、文字が使用されはじめて間もない時代のものであり、巧拙(こうせつ)の差など気になることではなく、アルファベット文字そのものが魅力あふれるものとして感じられていたにちがいない。もっとも、当時の人々にとって、文字の読み書きはきわめて限られた少数者にしかできなかったのであり、それだけに神秘的なものとして受けとられていたのだ。

## 植民市建設は新たなポリスの創設

それにしても、文字数の多い楔形(くさびがた)文字やヒエログリフと異なり、三〇個足らずの文字で書き記せるアルファベットが開発されたことは画期的であった。さらに、ギリシア・アルファベットは母音の文字を加えることによって、多くの言語の表記に適応できる力を秘めていたことになる。ここにいたって、ある人々が唱えるように、アルファベットは人類最大の発明になったと言えるかもしれない。

「前八世紀ルネサンス」という言葉には、ギリシア人の世界が拡大したことも大きな意味をもっている。じっさい、前八世紀から前七世紀にかけての百数十年間、ギリシア人の植民活動は活発になった。東方へは、小アジア、黒海沿岸、南方へは、ナイル河口、西方へは、イタリア南部、シチリア島、フランス南岸、イベリア半島東岸に航行し、各地に母国と類似したポリスを建設している。

ここで混同してはならないのは、ギリシア植民市の建設とは、母国に従属した近代の植民地と異なっていることである。新しく生まれた植民市はアポイキアとよばれたが、政治的にも経済的にも母国から独立しており、あくまで一つのポリスの創設であった。

これらの植民市創設の多くは、本土の母国における人口過剰による農地の不足がもたらされたり、国内の政争が激しくなったりしたことによる。また、場合によっては、交易活動が盛んになったことで、戦略上、交通の要衝に計画されたものもあったという。

たとえば、後世の歴史家トゥキュディデスは、シケリア（シチリア島）の植民市について、こう記している。


ギリシア人の中で最初にやって来たのは、エウボイア島のカルキス人であった。かれらはトゥークレースを植民地創設者にいただいて渡来すると、ナクソス市を建設し、現在のナクソス市の外側にある、開国神アポローンの祭壇をこの時に建立した。ちなみに今日でもギリシア本土の祭祀に詣でる使がシケリアを出航するときには、先ず最初にこの祭壇で犠牲をささげることになっている。それから一年おいて、コリントスのヘーラクレイダイ一門のアルキアースが、シュラクーサイ市を建設した。かれは、今は市の内郭となり島ではなくなっているが、かつては島であった場所からシケロス人を駆逐して、市を建てたのである。やがて陸に面するその外側にも城壁が築きめぐらされてからは、住民も多くを数えるに至った。（『戦史』六・三　久保正彰訳）

ここには、シチリア島最大のポリスとなるシュラクサイ（シラクサ）の創設時の伝承がある。新しい植民市が設けられたときには、まず祭壇が置かれ、城壁がめぐらされるという有り様がよく分かる。

概して言えば、西方への植民活動は前八世紀後半には始まっているが、東方へは前七世紀前半に集中しているという。西方への植民の最古の事例が、前述したギリシア・アルファベットを刻んだ通称「ネストルの杯」が出土したピテクサイであった。早期における植民市アポイキアの創設がギリシア本土のポリスの成立とほとんど同じような時期に生じていることは、驚くべきことではないだろうか。ギリシア人が自分たちの目の届かない外界に並々ならない好奇心と探求心をいだいており、それらの地域との交易を望んでいたことを如実に物語っている。

シュラクサイのアポロン神殿跡

### ヘシオドスが説いた訓戒

このような交易に思いめぐらすとき、農民としての心得を説く叙事詩人ヘシオドスの詩編『仕事と日』のなかで、ひときわ注目されるのが航海をめぐる訓戒である。

「夏至も過ぎた後の五十日の間、……吹く風の向きも定まり、海も穏やかで危険はない」季節が来たら、「船を海におろして、荷をことごとく積みこめ」という。また、仕事はいずれも時を違(たが)えぬことが大事だが、ことに航海については何よりも肝心であり、「荷は大型の船に積め。荷が多ければ、それだけ儲けも多くなる」からだともいう。さらにまた「昴星が……霧たちこめる海に沈む季節には」、船は陸に揚げ、湿り気のある風を防ぐために、周りを石で隙間なく囲い、船底の栓も抜いておけと説く。そして「よいか忘れるなよ――わしの忠告に従って畑の仕事に精を出せ」とは農民の本分である。

晩秋から早春にかけて船出が危うい時節をのぞけば、葡萄酒色の地中海は沿岸の人々には、交通路としてひときわすぐれていた。太古から、この海路を通じて、人々の移動と物資の交換があったのだ。自分の地域に不足するものを輸入し、みずからの特産物を輸出する。それは地中海沿岸における生活と文化を維持していくうえで不可欠な営みであった。ここには、航海と農業が結びつく絶妙な舞台があった。

エーゲ海周辺に定住したギリシア人にとって、豊かな収穫が見こめるのは、きわめて限られた地域でしかなかった。岩山や丘陵に囲まれた狭い平野部だけが農耕できる土地であり、しかも乾燥地農業でしかないのだ。ブドウやオリーヴのような農産物は豊富であったが、穀物栽培は充分とはいえなかった。それらとともに、各種の金属、羊毛製品、陶器などが地中海を往来した。谷間がそのまま海に切れこんでいるので、本土内の諸ポリスがお互いに行き来するのは難しかった。ギリシアの人々が陸路よりもはるかに楽な海路を好むようになるのは宿命だったのかもしれない。

しかしながら、なによりも大切なのは農作業に従事することだと、ヘシオドスは弟に代表される農民を激励する。

まず何よりも、一戸を構え女を一人と耕耘(こううん)用の牛一頭を備えよ
女といっても嫁に貰うのではない、必要あらば牛を追うこともできる奴隷を買うのだ。

ヘシオドスといわれる像。ローマのセネカとする説もある。ルーヴル美術館蔵

またもろもろの道具をすべて家に用意しておけ、
他人に頼んでも断わられ、不自由を喞(かこ)っているうちに、
季節は過ぎ、仕事がふいになってはならぬからな。
仕事をあす、あさってと延ばしてはならぬ。
仕事を怠る者も、延ばす者も、納屋を満たすことはできぬ。
精を出してこそ、仕事はうまく運ぶ、
だらだらと延ばす男は、いつも貧乏神と戦わねばならぬ。（『仕事と日』四〇五－四一三　松平千秋訳）

ここには勤勉で自主独立な処世が大切だと唱えられている。概して上層民はヘシオドスの視野の外にあったが、貴族の専横には批判の目を向けていたという。

傲慢(ごうまん)な貴族の権威を前にして、平民たちは平身低頭して畏縮するばかりではなかったらしい。ヘシオドスは、この平民たちの姿勢を気高い思想と言葉で語っている。不正な裁定を下す貴族を「賄賂(わいろ)を貪(むさぼ)る殿様方」と一喝しながら、ヘシオドスはまめやかに正義の理を説くのだった。この高邁(こうまい)な姿には、これまでの世界には見出すことのできないような、たくましいギリシア農民の雄姿が生き生きと現れている。ギリシアの平民・農民とは貴族に隷属していたわけではなく、自由な土地所有者として育っていたのだ。このような下地ができつつあったところにも、前八世紀がめざましい時代として登場してくることができたのだろう。

## いわゆる「東方化」問題――『ブラック・アテナ』をめぐって

前八世紀のエーゲ海の周辺地域において、ポリスという集落の様式はどのような特徴をもっていたのだろうか。ギリシア本土についてながめてみれば、ポリスが成立した地域は、より東側の沿岸地域であり、オリエントに近い位置にある。そこで、オリエント世界とギリシア世界との関係に目を向けておくべきだろう。

メソポタミアやエジプトでは、すでに前四千年紀末には、文明らしきものが誕生していた。だが、前二千年紀の原ギリシア人あるいは古代ギリシア人の世界は先史時代であるからここではふれないことにして、ギリシアの地に文明らしきものが出現するのは、前一〇～前九世紀頃からである。

こうしてみると、オリエント世界はギリシアの側からすれば圧倒的に先進地域であり、それなりの影響力をもったことが想像される。しかし、はたしてそうだったのだろうか。この問題は、いわゆる「東方化」がどのように進んだのか、さらに、どれほどの深さまで浸透したのか、という類の問いかけと関わっているのだ。

「東方化」問題については、極東に住むわれわれ日本人には理解しやすい側面があるのではないだろうか。というのは、古来、日本は、インド、中国、朝鮮半島の大陸文化の影響を濃厚に被っており、とくに中国の影響は、漢字の導入に明白なように、否定しがたいものがある。文化や生活様式のみならず、行政や経済のあり方などにおいても、かなりの影響下にあったことはまちがいない。だが、だからといって、それらの先進諸地域の文明の力に屈して、それらに呑みこまれてしまったわけではないことも自明の事実である。

同じような道筋が、オリエントとギリシアの間にも成り立つのではないだろうか。とりわけ、一九八七年にM・バナールが『ブラック・アテナ』（邦訳は片岡幸彦監訳 二〇〇七年）という刺激的な書物で提起した諸問題は、二〇世紀末には侃々諤々たる議論をまきおこした。

バナールの議論を詳細に紹介するつもりはないが、ごくかいつまんで大まかな粗筋だけでも示しておかなければならない。彼の主張するところでは、ギリシア古典文明は、その深層において、アジアとアフリカの文明に起源をもっているという。なかでも、レヴァント（フェニキア）とエジプトの影響は著しいものがあった。すでにギリシア・アルファベットについては、フェニキア文字のアルファベットを素地にして開発されたことは前述したとおりである。エジプトについても、その長く豊かな伝統をもつ先進文化が「未開な」ギリシアに多大の影響をもたらしたことは想像に難くない。たとえば、石造彫刻などを見れば、先進文明エジプトからその技法を学んでいたことは歴然としている。これらの点をめぐって、バナールは、考古学および文書の論拠を膨大な著作で提示したのである。

さらにまた重要なことであるが、このオリエントの優越性や先進性については、古代のギリシア人にはまったく周知のことであったという指摘である。驚くべき示唆であるが、必ずしも的外れの異様なことではない。というのも、ここでも日本人の歴史と経験が大いに参考になる。

**影響を受け入れながら土着の独自性を**

日本でも、和魂洋才が唱えられるようになる明治時代までは、漢学や漢方などが幅をきかせていたのであり、大陸アジア、とりわけ中国への敬愛の念は並々ならぬものがあったはずである。アヘン戦争や日清戦争あるいは植民地国同然のごとく弱体化した中国を知るにつけ、また、戦後の困窮生活のなかで右往左往する中国社会の混乱を見るにつけ、日本人の中国観のなかにかつての敬愛の念は薄れていっただろう。

同じようなことが、ギリシアの古典古代を西洋文明のルーツと考えていたヨーロッパ人のなかでも生じたのだ、とバナールは主張する。とくに一八世紀以降の近現代人は、ギリシア古典文明へのアフロ・アジア語族の文化的影響を意図的に無視してきたのだ。その根底には、おそらく主として人種差別の意識がかくれていたにちがいないという。

このバナールの問題提起は欧米の人々にとっては衝撃的であり、賛否両論というよりも、懐疑的・批判的な意見が大部分であったし、今でも大勢はせいぜい限定的受容にとどまっている。ギリシア・ローマ文明からキリスト教・ヨーロッパ文明への発展を疑いなく信じる欧米人には当然の反応であろう。

先にふれたように、バナール説はわれわれ日本人には理解しやすいところがある。というのも、そもそもバナール自身が、『ブラック・アテナ』プロジェクトの中心となる着想を日本から得たと公言しているのだ。ギリシアも日本も、言語、宗教およびその他の文化的影響を長期にわたって外部から受け入れながら、外部の文明に決して呑みこまれず、取捨選択を重ねながら、立派に土着の独自性を磨きあげてきたのだ。このような事情であれば、われわれ日本人はバナール説の理解者になりやすいと言っても不思議ではない。

じっさいのところ、オリエントの影響とギリシア人の独自性について、どちらに重きをおくか、識者によって千差万別だろう。だが、たとえオリエントの影響を重大なものだったとしても、それらをギリシア人はそのまま受容したのではなく、前もって適合させたものを継承したのであり、排除することも少なくなかった。このような切磋琢磨（せっさたくま）の混合の努力のなかから、まぎれもなく豊かな味わい深いギリシア文化が生まれ育っていたのである。まさしくギリシア人の誠心誠意の努力のたまものであり、育まれた文化として結晶していくはずだった。

**アゴン（競争）精神の象徴としてのオリュンピア**

文化を育むという営みがあるからには、その裏に、やはり圧倒的多数の平民がいて、彼らは貴族に隷属するだけではなかったことがことさら注目される。いささか誇張した表現をすれば、平民たちは一人一人が個性をもつ人間として行動しつつあったと言えるのではないだろうか。

それぞれの個性をそなえた人々が集えば、お互いの能力・技能を比べたくなるのだろうか。もともとギリシア人は勝負ごとが大好きであったらしい。英雄叙事詩のなかの武人は戦場で手柄を競い、亡き戦友の葬儀にも盛大な競技会を開き、ホメロスとヘシオドスは詩人としての才能を競ったという。これらの伝承のなかに史実があるか疑わしいが、それらの物語がまことしやかにささやかれるほどに、ギリシア人は腕比べを好んでいたにちがいない。

このような勝負ごとを好む文化は、しばしばアゴン文化とよばれることがある。もともと、アゴンは「会合」を意味し、そこから「競争」あるいは「試合」を意味するようになったという。人々が集まれば、それぞれの技と力があり、それらの優劣をはっきりさせたい気分がめばえる。いかなる民族にも文化にも見られる出来事だろうが、なにしろギリシア人は「自由人」としての自意識がことさらきわだっていた。しかも、広く世界史を見渡しても、「自由人」としての存在感を示すことにいち早く自覚していたと言ってもいい。それゆえ、このアゴンこそ、ギリシア人の心の根底にあるものを示唆して余りあるのではないだろうか。

このようなアゴン文化とよべる心性の土壌を象徴するかのごとく成立したのがオリュンピア（オリンピック）競技である。ペロポネソス半島西部のオリュンピアには、最高神ゼウスの神殿があり、その聖域で古くから祭祀が行われていたが、そこに競技をともなう祭典が創設されたのである。

まさしく前七七六年の出来事であり、ギリシア史のなかで最初に記録されて残る年号である。種々雑多な伝承を見比べると、どこまでが事実かあやふやになるが、種目はスタディオン競走（約一九一メートル走）だけだったという。この年をギリシア人の紀年法の元年とし、四年後に開かれる次のオリュンピアまでを一期に数えるようになったらしい。

初期のオリュンピア競技は、オリュンピア近隣の村落共同体の人々から参加する者が集まって開催されていたにすぎない。やがて前四世紀には、競技の歴代勝利者リストが作成されており、そこにはさまざまな開催事情が反映されている。まず、前八世紀の間は、勝利者のほとんどがペロポネソス半島西部の出身者であり、おそらく参加者もその地域にかぎられていたからだろう。さらに、前七世紀末頃までには、やっとのことでギリシア全土から参加者が集まるようになったらしい。最高神ゼウスの神殿がある場所がギリシア全土の人々にとっても聖域と見なされるようになったのであろう。

この聖域から、高価な青銅製の奉納品が数多く出土しており、優勝記念ばかりか参加記念としても奉納されていたという。遠路はるばる奉納品を持参してきたのだから、その財力もかなりなものであった。それだけ、オリュンピア競技に参加できることは、富裕な人々であることの証(あかし)であっただろう。もちろん月桂樹の冠を授かる勝利者は名誉に輝いたが、参加者であるだけでも、ある種のステータスをギリシア人の社会で公認されたにちがいない。

## ギリシア美術の黎明

「前八世紀ルネサンス」について語るとき、もちろんギリシア人の美術にも目を向けるべきである。この時期のギリシア人がさまざまな地域と交易し交流していたことはいうまでもない。そのために、ギリシア文化への諸地域の影響がなかったはずはない。だが、まだ新しいギリシア文化の独自性といえるものはなかった。

曖昧(あいまい)な暗黒時代を抜け出してはいたが、まだ幾何学様式とよばれる主に直線でかたどられた図形のものが多かった。この様式の文様では、もともと人物像が描かれることはほとんどなかったが、徐々に馬、鳥、鹿、山羊などが登場するようになっていく。今日に残る遺物の大半は、土器や陶器であり、彫刻があっても小像にとどまっている。

前八世紀後半になると、美術活動が活発になり、後世にギリシア美術とよばれる作品群の祖型が姿を現している。幾何学様式のなかに人間や動物、あるいは船舶や武器のようなものがしばしば描かれるようになるが、それらはまだかなりパターン化された図式であり、型にはまっていた。

彫刻に目を向けると、この時期には、ギリシア人の彫像制作に対して、エジプト彫刻が影響をおよぼしていたことはまぎれもない。たとえば、人体の比率や石彫りの技法などでは、目で見ればすぐに分かるほど明白である。だが、重要な差異があるのも見逃せない。エジプト彫像では背後の支え壁と立像が一体をなしているのに、ギリシア彫像は支え壁に頼らず、自分の足で立っている。

このような違いが生じる背景には、どうやら物の見方の差異があるらしい。人間が自然に立ったならば、必ずや左右のどちらかに重心がかかる。この点を考慮しなかったのがエジプト彫刻であり、両足均等に立っているのは不自然な立ち姿になる。これに比べて、ギリシア彫刻には動きを表すことに意をもちい、それによって彫刻が生命をもっているように見える。だが、まだ前八世紀の段階では、そのような動感と生命感が鮮明であったわけではないだろう。

幾何学様式を代表するディピュロン式陶器の墓甕。前8世紀前半。アテネ国立考古学博物館蔵

ニカンドラ奉納の女性像。前650年頃。もっとも早い時期のギリシアの大理石彫刻で、デロス島出土。高さ175cm、奥行き17cm。アテネ国立考古学博物館蔵

### ポリスと非ポリス国家・エトノス

最後に、「前八世紀ルネサンス」とよばれる背景には、なんといってもこの時代にポリスが誕生したことがある。だが、ギリシア人の地にあって、ポリスという集落形態だけがあったわけではないのだ。これらのポリスの成立が集住によっておこったにしても、それだけではなく、都市国家の形態までにはいたらない部族連合のごとき集合形態もあった。それはエトノスとよばれる集落結合の形態であり、英語のエスニック（「民族」）の語源となるギリシア語である。

そもそも、ポリスは、中心市（アスティ）と田園地帯からなっている。中心市には、アクロポリス（城砦）やアゴラ（広場）があり、神殿（ナオス）やギュムナシオン（体育場）などがそなわり、もちろん人々の住宅もある。田園部には、いくつもの小さな村落があり、農耕地、牧草地、森林がある。この全体をポリスといい、とくに中心市をセンターとするポリス社会ということができる。

これに対して、エトノスなるものは、中心市をもたない集落がいくつか集まり、一つの連合体をな

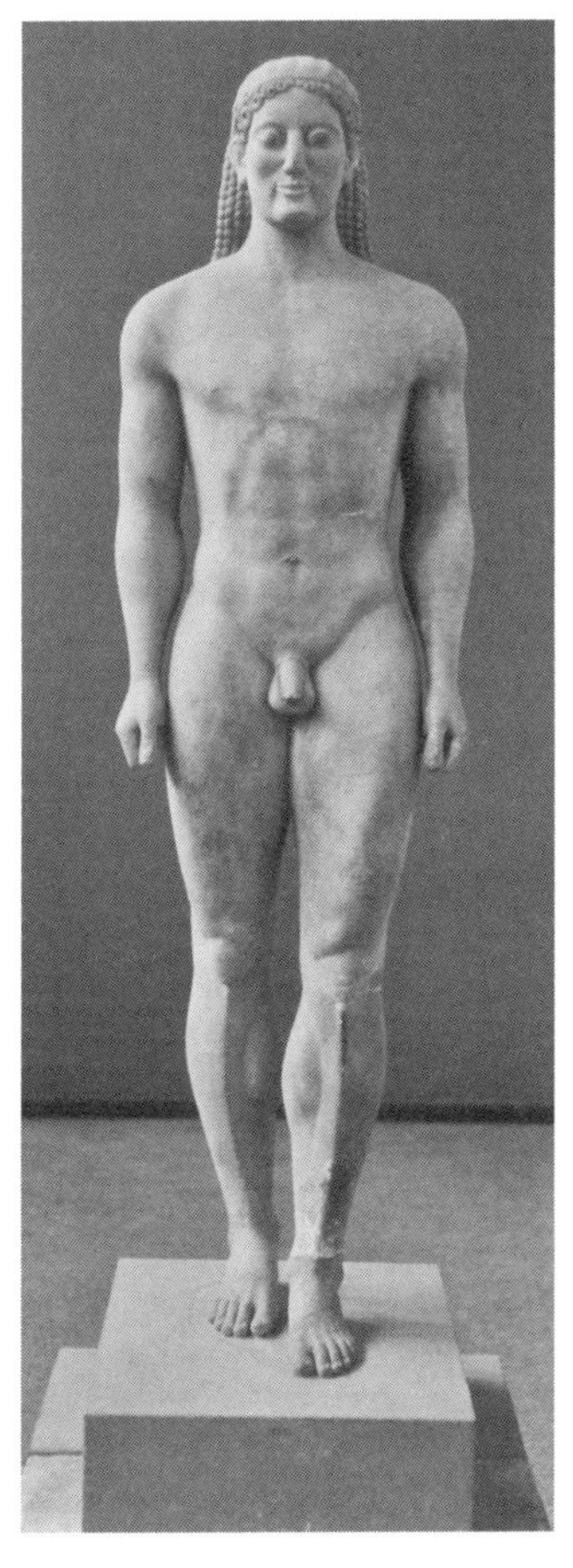

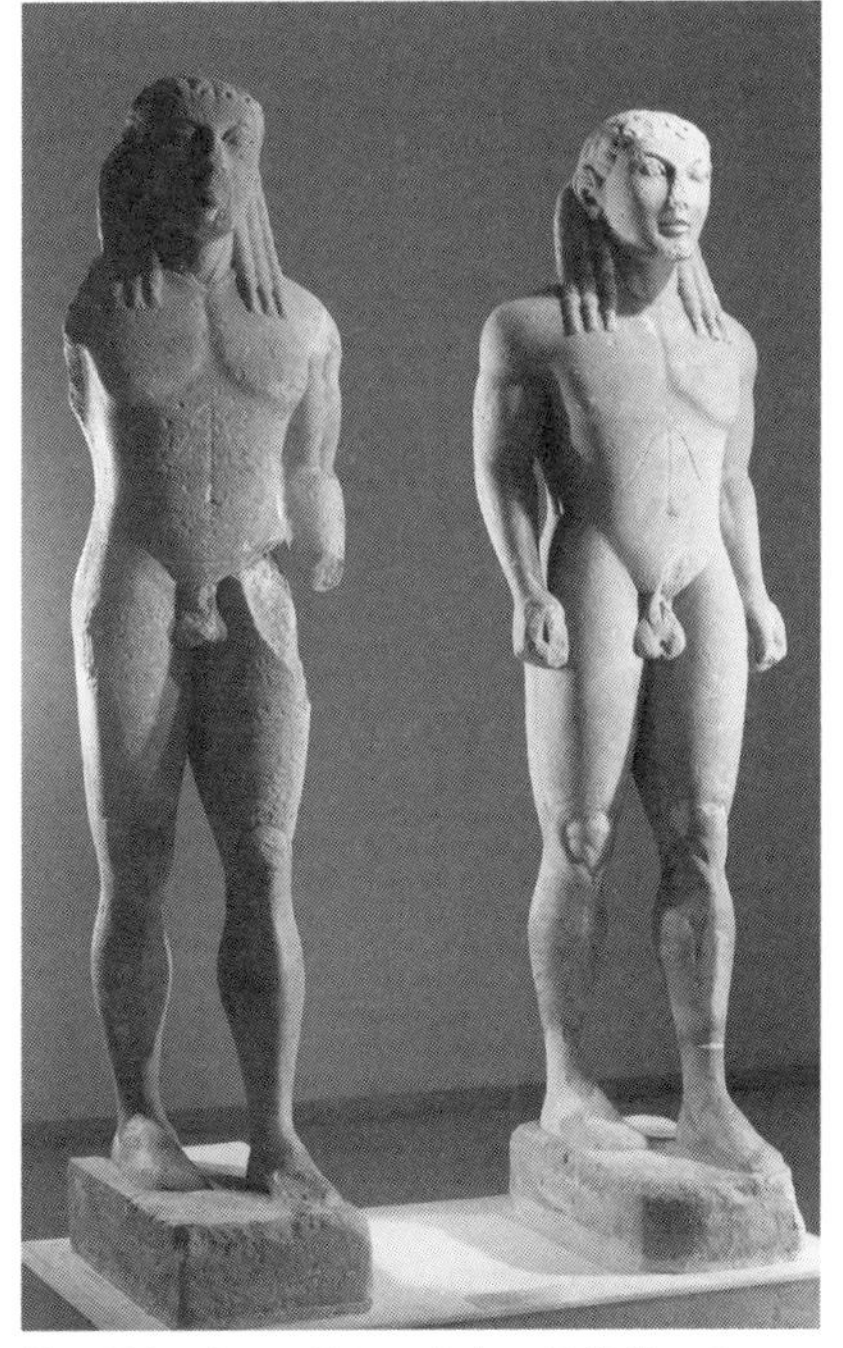

前6世紀頃から現れる直立の男性像はクーロス像とよばれる。右は「クレオビスとビトン」の名で知られ、前580年頃。高さ218cm、216cm。デルフォイ考古学博物館蔵。左はアテネ近郊出土。前530年頃。高さ194cm。アテネ国立考古学博物館蔵。いずれも左足を前に出したポーズにエジプトの影響がみられる

しているような形態である。これもあえて国家の一形態といえるなら、エトノスは非ポリス国家として理解される。

このようにしてみると、前八世紀のエーゲ海の周辺地域におけるポリスの形成について、一つの特徴が浮かび上がってくる。ギリシア本土にあってポリスが成立した地域は、より東側の沿岸地域であり、オリエントに近い位置にある。なんといっても、オリエント世界はギリシアの側から見ると先進地域であるのだ。長期にわたる交易や交流のなかで、オリエントの生活様式や文化、行政や経済のあり方などが、ギリシア人の世界にかなりの影響をおよぼしていたのだろう。

時代を下れば、エトノス的な形態からポリス的な形態へと推移することがギリシアの各地で見られるという。しかし、前八世紀の時点でながめれば、ポリス社会はオリエントに近い地域で成立していることが大きな特徴としてあげられる。

# 第二章 拙き理知の彼方に

「ペプロス・コレー」とよばれる女性像。前530年代。高さ120cm。アテネのアクロポリス出土。アクロポリス博物館蔵

## 1 神々と人間への讃美

### 神意へのこだわり

ギリシア本土の中部にあるパルナッソス山には、知性あふれる美貌の太陽神アポロンが住むという。この聖なる山の麓(ふもと)にデルフォイの遺跡がある。かつて最高神ゼウスは、この大地の中心がどこにあるかを見定めようとして、天空の果ての両端から鷲を飛び立たせ、その二羽の鷲が出会ったのがデルフォイの地であったという。

このデルフォイの大地の割れ目から霊気が立ちのぼり、それを吸った巫女(みこ)が何かにとりつかれたように未来を予言するという話が後世には伝わっているらしい。この伝聞はギリシア全土に広がり、各地から予言の神託を伺おうとする人々がデルフォイを訪れるようになった。たとえば、前八世紀後半から前七世紀にかけて大植民活動とよばれる時代だったが、神託に従って「植民者の宣誓協定」が結ばれたことを記す碑銘が残されている。

> アポロンがバットスとテラ人にキュレネへの植民を勧告したので、テラ人は、バットスを創始者かつ王としてリビアに送り出すこと、テラ人がその仲間として航行することを、決議した。公平かつ平等の条件で航行すること、家ごとに息子一人を徴募すること、……。(M&L 5)

ここでテラ人というのは、今日のサントリーニ島の住民であり、ギリシアの南方に位置する北アフリカ沿岸のリビアの地に植民者を送り出し、キュレネという名のポリスを創建することが決議された。この碑銘は前七世紀後半の出来事を記すものであり、キュレネで見出されている。

幸いにも、このテラ人のキュレネへの植民については、後の歴史家ヘロドトスも記録を残している。

デルフォイの遺跡。©tamara semina CC BY-SA 3.0

> しかしそれから七年の間テラには雨がなく、その間にテラ島の樹木は一本を除いてことごとく枯れてしまった。テラ人が神託に問うと、巫女は（再び）リビアに植民すべきことを答えたのである。（『歴史』四・一五一　松平千秋訳）

文書の記録が碑銘によって裏づけられる最たる事例である。ここでギリシア人の植民活動について留意すべきことがある。この時期すなわち前八世紀頃に、ギリシア人の住む地域も活動する範囲も急激に拡大したが、ギリシア本土にある母市たるポリスが新しく植民地を設け、ポリスの領域を拡張したということではない。人口が増加し土地が不足して没落の危機に陥った零細農民や、ポリスの権力争いに敗れた不平貴族が新たな土地に移り住み、都市を切り拓いたのである。もちろん、植民

ラファエロが描いたオリュンポスの十二神。1517年頃の作

市は母市の宗教・方言・社会慣習などを受け継いでいるのだが、政治的にはまったく新しい独立国家であった。

ところで、デルフォイの聖域に話題を戻すと、なにはともあれ、ギリシア人の神々への思惑をとりあげてみなければならない。そもそもギリシア人はどこかとりつかれたごとく「知りたがる」ところがあったかのようである。そのことは、ギリシア人の宗教のなかによく表れているのではないだろうか。

一方では、ギリシア人の思い描く神々は、しばしば人間と同じような感情をもつ男と女であった。とりわけ、ギリシア北部の聖山オリュンポスに住む十二神は重んじられており、それぞれの神にはさまざまな性格があたえられていたという。それら十二神とは、ゼウス、ヘラ、アポロン、アルテミス、アテナ、アレス、アフロディテ、デメテル、ヘファイストス、ポセイドン、ヘルメス、ヘスティアである。これらの神々のうち、ヘラ、アルテミス、アテナ、アフロディテ、デメテル、ヘスティアは女神であった。これらの神々のほかにも、いろいろな神々が信仰され、都市国家ポリスにもそれぞれの守護神がいたという。ギリシア人のあがめる神々はなにかと人間味あふれた姿で描かれている。それだけ、神々は彼らの現実の世界に溶けこんでいたとも言えるのではないだろうか。

## さまざまな神託所と秘儀への参加

他方では、ギリシア人の信仰には、人間のあずかり知れない世界への怖れがあった。それは国家や公事の外にありながら、人々の心をとらえる民間信仰とでもよべる営みであろう。不可知の神秘につつまれた何ものかがおり、予知できない超自然的な力があるかのようだった。神々を手の届きそうな身近なものと感じながらも、どうしても人知のおよばぬ世界があるとしか思えなかった。

しかしながら、ギリシア人は、人間の理解を超えた存在に思いめぐらし、なんとしてもその気配を知ろうと努める。神々を信じる者はそれぞれの仕方で自分たちの信念を儀礼として形にするのであろう。ギリシア人にとって、その儀礼の形は、ひとつは神託や予兆のようにして前兆を感知することであり、もうひとつは謎めいた秘儀への参加であった。

前兆の感知というのはほかの宗教にも見られるところである。たとえば、鳥の飛行であったり、動物の肝臓の状態であったり、指骨（しこつ）のサイコロ投げであったり、それらの形象を観察するのである。異常な出来事や夢を解釈する預言者や占い師については、すでにホメロスの叙事詩にも言及されており、ひきつづきギリシア人の宗教でも重んじられていた。

それにしても、デルフォイの神託のように大規模になり、神殿や聖域まで設けるとなると、かなり異彩を放っている。なにしろ、ギリシア人の世界ばかりか、地中海世界の各地からデルフォイの神託を伺いにくるようになるのだから、やはり尋常ではない。それにかぎらず、ギリシア人の世界には、ほかにも名の知れた神託所がいくつもあった。

たとえば、アッティカ北部の聖域オロポスでは、夢を通じて神託が伝えられたという。また、ギリシア北西部には、最古の神託所といわれるゼウスの聖域ドドナがあり、風が奏でる樫の葉の音色で神託が下されたらしい。さらに、小アジアのディディマのアポロン聖域には、巨大な神殿があり、その奥で清浄な泉に足を浸して憑依(ひょうい)した巫女の唇から神意が告げられたという。名高いデルフォイでは、霊媒となる巫女が処女であることがとくに定められていたという。アポロンのような男神であれば、男の祭司がいるのが通例であったからだ。

秘儀への参入の祭式については、アテナイ近郊のエレウシスの秘儀が好例をなしている。穀物の女神デメテルをあがめる儀礼では、植物の生長過程になぞらえた秘儀が信者たちによって行われていたという。おそらく農耕儀礼として生まれた秘教であったが、入信者に死後の安寧を約束したことで数多くの信者が集まるようになったらしい。当初のところ、その秘密はかなり守られていたが、時を経るにしたがい、徐々に大衆の注目を集めるところとなったという。そのために、前六世紀末には、アテナイの国家祭儀として盛んになり、とくに春と秋の秘儀には、ギリシアの各地から参加者が集まるようになった。

このような秘儀が盛大になっていた背景に、死の予感がギリシア人をとらえ、彼らの心を不安にしていたということがあるのだろうか。だが、少なくとも、あの世には望んだり怖れたりする何かを見出しうる、そう思う人々がいたという兆しにはなる。かつてホメロスの英雄叙事詩のなかでは、あの世のアキレウスは亡霊のごとくさまよっていた。あの救いようもないわびしい情景とは異なり、ハデスとよばれた彼岸の世界はそれほど恐ろしくはない場所であると感じられていたのだろうか。そこには人々の心に、ある種の安心感をいだかせる余裕のようなものが生まれていたのかもしれない。

## 鳥占いを重視したヘシオドス

ところで、ギリシア人の社会においては、「暗黒時代」の闇から抜け出しつつあったにしても、神託や秘儀のような民間信仰が人々の意識の底流にひそんでいた。そのことは、当時の開明的な詩人であるヘシオドスの詩句にも散見される。

あれこれと人生訓を述べるなかで、「男は女の使った湯水で肌を洗ってはならぬ」と忠告する。理由は定かではないが、やがて厳しい神罰が下るというのだから、おだやかではない。おそらく、女をなんらかの穢れものと見なしている意識がにじみ出ているのではないだろうか。

このような穢れの観念は、縁起の悪い葬儀から帰ったあとで男女の交わりをするなという警告にも表れている。そこでは肉体の腐敗が伝染するかのような共通の理解があったのだろう。それにしても、かつてホメロスの叙事詩では遺体は美しいものと見なされることさえあったのだから、ギリシア人の固定観念ではなかった。このような遺体への感じ方がポリスの成立期にめばえていたというのは興味深い。というのも、ポリスが形を整えていくにつれ、遺体の埋葬が市域内では禁止されつつあったからだ。

さらにまた、女を妻として迎える場合にも、縁起のいい日があり、毎月四日がいいという。この嫁を娶(めと)るという行事には、一番縁起のいい鳥の卦(け)の吉凶を考慮して判断するように促す。逆に、五日は残酷で恐ろしい日であるから、これを避けよと警告する。なにしろ、怨霊が出まわる日であるらしいのだ。

そのほかにも、人々が思い思いに吉日と見なす日があるが、真実を知る者は少ないという。日々の吉兆について、すべてをわきまえ、とりわけ鳥の示す前兆をよく判断して、神々を裏切らず、人の道に違うことなく仕事に励むのであれば、ことさら恵まれた者になると人々に唱えるのだった。

ヘシオドスは鳥占いにはかくべつに関心が深かったらしく、今日には伝わらないが、「鳥占いの詩」があったことは確かなことだったという。不確かな将来について、なんとか手探りで指針を得ようと思うのは、人間の自然な営みかもしれない。そうであれば、時代を切り開く先鋭的な詩人であったからこそ、日々の生活に追われて生きる凡俗の庶民の心の底にある思念をくみとり、教訓詩に託して彼らの願望に形をあたえなければならなかったのであろう。

それにしても、ヘシオドスのなかには、神々が人間になぞらえられて語られる民間信仰の通念が色濃く出ている。すべての出来事が人間的な神々の行為によってひきおこされるのだ。それにとどまらず、ホメロスもヘシオドスも、人間を神々のイメージにまで高めて讃えるようなところがある。そこには、人間が自分をはっきりと意識するようになり、自分に自信をもち、自分の能力が制約されないという思いがあったにちがいない。それは、人類史のなかで前例のない人間讃美の素朴な祖型であったと言えるのではないだろうか。

## 2　軍国主義の覇者・スパルタ

### 農耕市民の戦士共同体

ところで、ギリシア人の心のなかで、ポリスはどのように意識されていたのだろうか。元をたどれば、おそらく「暗黒時代」のなかにも村落社会があり、そのなかで豪族のようなバシレウスと民衆たるデーモスとが協調しながら共存する間柄だったらしい。そのような村落集団があちらこちら散らばっており、やがて集住して中心市を築き、周辺地域をふくむ都市国家としてのポリスができあがったのだろう。

いうまでもなく、ポリスの担い手は市民であり、その市民とはなによりも農耕にたずさわる人々であった。彼らを中核にして国家防衛の戦士団が組織されるようになる。そもそもポリスとは「農耕市民の戦士共同体」であり、その共同体のなかでは市民は平等であることが建て前であった。しかし、外部に対しては、そのようなもの分かりのよさを示す必要はなく、閉鎖的であってもかまわないのだ。

ポリス社会の担い手たる市民は、国家を防衛する戦士であり、武具・武器を自弁しなければならなかった。そのためには、まずは武具自弁の財力をもつのは当然であった。このようにして、有事には国家防衛の戦士であり、それによって平時には国政に参加し発言力をもつことになるのだった。

叙事詩や壺絵から判断すれば、古来の戦闘は軽装の貴族戦士が一騎打ちで対決するのが花形だったらしい。革製の兜をかぶり、胸当てをつけ、楯をもちながら、長剣と二本の投槍をふるう勇士たち。兵卒たちの集団戦もあったが、雄々しい勇士たちの一騎打ちが、その場全体の戦いの雌雄を決するのだった。
やがて、これらの貴族戦士たちの武具が物々しくなっていく。青銅製の重厚な兜をかぶり、鎧と脛当てをつけ、青銅製の直径一メートルほどの丸楯(ホプロン)を手にもち、長くて太い鉄製の突槍をふりまわすのだ。これらの武具が変われば、それに応じて戦術にも変化が現れる。それは大きな丸楯を中心に組み立てられており、数列の密集隊(ファランクス)で活動する戦術であった。この隊列の数は徐々に増加して厚みをふくらませ、前五世紀の古典期には、八列にまでなったという。

当初にあっては、密集軍団の戦術が確立していくにしても、重装備の武具を自弁できるのはそれなりに富裕な人々であっただろう。「農耕市民の戦士共同体」という建て前からすれば、武具自弁の財力のない者は戦争でも重要な役割を果たせず、そのため国政への発言力をもたないことになる。そもそも「農耕市民の戦士共同体」というあり方からすれば、市民は平等であったはずであるが、現実には平等であることは未完のままでしかなかったのだ。

### 集団による戦闘形態で優位に

ところが、前七世紀半ば頃から、ほとんどのポリスにおいて、武具を自弁して、兵役勤務に就くことができる階層が増えていた。ポリスが徐々に国力を増大したからであり、彼らこそが重装歩兵による密集軍団に大きな比重を占めるようになった。

新しい戦術として取り入れられたのだから、重装歩兵たちは心構えを引き締めなければならない。同時代の詩人は重装歩兵たちを鼓舞して声高に歌う。

……ともあれ、めいめいが足を開き、両足で大地を踏みしめ、しっかと踏み留まれ、唇を歯でかみしめ、／腿と脚と、胸と肩とを円い大盾の胴で覆って。／右手に強靱な槍をふりかざし、頭上の恐しげな兜の羽毛飾りを揺り動かせ。豪胆に振舞って戦の仕方を学び、投槍の届かぬところに盾を持って立ってはならぬ。めいめい、白兵戦の場に迫り行け、長槍を手に、／あるいは剣で手傷を負わせ敵を討ち取れ。／足並み揃え、盾をうち並べ、飾毛には飾毛を、兜には兜を／そしてまた胸には胸をひしめかし、敵と戦え、剣の柄はたまた長槍を握りしめて。（『西洋古代史料集〔第2版〕』古山正人他編訳）

走る重装歩兵の絵。陶板。アクロポリス博物館蔵

これらの重装歩兵たちのかたわらには、軽装兵たちも大きな石と磨きあげた槍を投げて援護していたらしい。重装歩兵も一人一人には悲惨な戦いの性格をよくわきまえなければならず、軍団全体では均質の統制ある行動が求められることになる。隊列を乱さずに戦うことが、なによりも重んじられたのである。一団となって突撃に成功すれば、その後の接近戦でも敵を圧倒することができたのである。

このようにして集団による戦闘形態を生み出したこと

で、その後の数世紀間の地中海世界において、ギリシア軍は優位な立場にのし上がっていった。もはや戦場にあっては兵力の問題だけが大事なのではなく、戦術と訓練が重んじられる時代になっていくのである。そうした事情がたび重なり、やがて平民層が軍の主力となるにつれ、ポリス社会にあって民主的な心情をもつ市民兵士団の勢いが増大するのだった。

## スパルタの軍事力

ポリスの内実が「農耕市民の戦士共同体」であり、それがより優れたものとして結実したのが重装歩兵の密集隊戦術（ファランクス）であった。なかでも、その軍事力をいかんなく発揮したのがラケダイモン人のスパルタであった。

しばしば、「スパルタ教育」は厳しい訓練や躾（しつけ）の代名詞のごとく口の端にのぼるが、もちろんスパルタの地で、幼少期から少年たちは集団生活をするのだった。これらの少年たちを役人が事細かく目配りし、衣食住は質素にしながら、強壮な身体を鍛えあげるように監督した。集団生活は三〇歳までつづけられ、その後も毎日の共同食事でお互いの絆を深めたというから、その結束力は凄まじいものがあった。

前二千年紀末、ドーリア人の一派がペロポネソス半島南部に侵入し、征服者として集住したのがスパルタである。ポリスとしてのスパルタには、スパルタ人（市民）、ペリオイコイ（劣格市民）、ヘイロータイ（隷属民）の三つの身分があった。スパルタ人はみずからを平等者（ホモイオイ）と称し、その仲間団の結束が固いことを誇りにしていたという。この市民にペリオイコイを加えてラケダイモン人とよばれたが、ペリオイコイには従軍義務はあっても政治参加は認められていなかった。

スパルタが強力な軍事力をもっていたからといって、対外戦争を目的としていただけではない。スパルタ人はなによりも先住ギリシア人を征服した人々であり、その地を永久に占領する運命を決断したのである。そのためには、服属した先住民をヘイロータイとよばれる隷属民に仕立てあげ、農奴のごとく働かせなければならないのであった。すなわち、占領下のヘイロータイは永遠に内なる敵として厄介な勢力であったのである。スパルタが絶えざる軍事訓練を怠ることがなかったのは、そのような常備軍をもつことを余儀なくされていたというしかない。すべてのギリシア人のなかで、戦争に備えて遅い時期まで軍事訓練を実施していたのは、スパルタだけだったのだ。

スパルタにとって大切なのは言葉ではなく行動だった。そのせいで、スパルタについての文書史料は極端なほど少ない。スパルタ人の文字嫌いはかなり徹底しており、法律も成文に記されることもな

スパルタ戦士の像。J. M. Roberts, *Eastern Asia and Classical Greece, the Illustrated History of the World vol. 2,* Oxford University Press, 1999より

く、墓石にも、わずかな例外を除いて、故人の名前が刻まれることはなかった。その例外の一つが、戦死した兵士の名前であり、英雄的な兵士が特例となるのはスパルタ国家の軍事的性格をなによりも物語っている。

これほど軍事訓練を怠らなかったのも、隷属民の反乱に備えなければならなかったからである。先住ギリシア人もまたみずからの自由を重んじる人々であり、それは生得の権利として意識されていた。先住民の隷属とは彼らから自由を奪うことであり、それはほとんど極悪非道な剝奪であった。隷属民は自由人としての自覚をもちつづけているのであり、不当なあつかいがあれば、生得の自由を回復するために蜂起することもためらわなかったのである。

じっさい、前七世紀半ば、征服から二世代後に大規模な反乱がおきている。これはスパルタが外部勢力に大敗したことを知って、隷属民が鼓舞されたものだろう。この反乱は多勢をまきこんだばかりでなく、鎮圧するのに長い年月を経なければならなかった。

このようなスパルタ社会であれば、外部にある諸ポリスのみならず、国内にひそむ敵を抑えこむために、みずからの力で改革を進めなければならなかった。それは一種の革命ともいえる国制の大転換であり、それによってスパルタは独特な形の国家組織に姿を変えることになっていくのだ。

現在のスパルタを訪れると、こぢんまりとした田舎町でしかなく、古代の遺風はほとんど感じられない。何事にも慎ましく、身なりも住居も質素であり、壮麗な建物などまったく縁がなかったのだ。それでもアクロポリスの丘は街の北部にあり、そこから壮麗な山並みを望むことができる。丘の東の近くにはエウロタス川が流れており、丘の麓(ふもと)には古き時代にさかのぼるアルテミスの聖域がある。今では礎石が残っているにすぎないが、ここで少年たちの厳しい訓練が行われ、鞭打たれる少年たちの光景をながめようとして群衆が集まってきたという。

## 支配を維持するリュクルゴス体制

ところで、スパルタ教育に象徴されるようなスパルタの特異な国家組織は、リュクルゴス体制とよばれることもある。というのも、スパルタの大転換をもたらした一連の改革はリュクルゴスなる人物の手で成しとげられたと伝えられているからである。ところが古代の人々にとってすら、リュクルゴスはすこぶる古い時代の立法者であると知るだけで、あらゆることが言い争いの種になっているという。彼の生年も、家柄も、数回の旅も、その最期も分からないことだらけで、肝心の法律や政策についても、伝えられるところはまちまちであるらしい。そのせいで、そもそも実在しなかったとか、数人の改革者がリュクルゴスなる一人の偉人に帰せられているとか、諸説さまざまである。あれこれの伝承の辻褄を合わせようとする伝承史の謎解きにかくべつに興味がある奇特な読者ならともかく、ここではあまり深入りしないことにしよう。

スパルタのアルテミス神殿跡。永山浩庸撮影

このような改革が行われるには、スパルタ人の勢力が周辺の地域のなかで突出していく時代に目を向けておくべきだろう。ペロ

ポネソス半島南部には二つの大きな農耕地帯があり、その間には長い山脈の絶壁と峡谷がほとんど切れ間なくつづき遮断している。東がスパルタのあるラコニアであり、西がメッセニアとよばれていた。

この天然の障害物があるにもかかわらず、前八世紀末以降、ラコニアとメッセニアの大部分はラコニアの一大村落スパルタによって支配されていた。スパルタ史を語るとき、このメッセニアの併合が大きな旋律を奏でているのだ。その発端をなすのが、第一次と第二次に分かれるメッセニア戦争である。とりわけ第二次メッセニア戦争後、メッセニアが完全に征服されたことは、スパルタ側にも大きな課題を突きつけたのである。自分たちの支配体制を維持していくために、国制をより強固なものにしていくことを余儀なくされたのである。このようにしてリュクルゴス体制は長期にわたって形成されたものと思われる。

## 二人の王と二八人の長老

それをめぐって、いくつかの伝承を下地としながら、ローマ帝政期のギリシア人作家プルタルコスは、『対比列伝』(『英雄伝』)の「リュクルゴス伝」のなかで、改革の概要を示唆してくれる。

統治形態を定めるにしても、それが正当なものと認められるためには、デルフォイからの神託が物をいうのだった。改革に熱意を燃やすリュクルゴスは神託を持ち帰り、人々はその神託をレトラとよぶようになったという。レトラとはもともと口頭での取り決めであったが、スパルタでは憲法のごときものと周知されたらしい。それは以下のような文言だった。

ゼウス・シュラニオスとアテナ・シュラニアの神殿を建て、人々を部族と集落(オバイ)に分ち、王たち(アルカゲタイ)を含め三〇人をもって長老会を設置し、その時々にバビッカとクナキオンの間でアペッラを開催し、解散すべし、民衆に反対意見表明権と主権あるべし。

文言はいかにも神託らしく謎めいた言葉がちりばめられている。だから、さまざまな解釈が出てきても不思議ではない。

それでも、リュクルゴスの改革のなかで、最初にしてなによりも重視されたのは長老会であったらしい。そもそもスパルタでは、二人の王たちと二八人の長老たちがおり、国制がどっちつかずの状態だった。長老たちが動揺していたので、ときには僭主(せんしゅ)になりそうな王がいたり、ときには民衆が無定見に暴走しそうになったりしたのだ。そこで、権威ある長老の権力を中央において確立し、均衡を保ち、秩序と安定を実現しようとしたのだろう。

しかし、スパルタの支配体制を盤石なものにするには、それだけでは足りない。「アペッラを開催する」とは民会を開催することだという。もともと国制はアポロン神に帰されるからであり、バビッカは橋、クナキオンは川であり、その中間で民会が開かれたらしい。だが民衆には議案の提出は許されず、ただ長老と王によって提起された議案を採決することはできたのであった。

さらに、寡頭政(かとうせい)としての長老会が抑制されず増長することもたび重なったので、前六世紀には、それを統轄すべくエフォロイという最高位の役職が設けられた。民会で選ばれた一年任期の五人同僚制であり、監督役とよぶにふさわしい。このエフォロイはまさしく教育あるいは教練の場面で指導するにあたり、七歳から一八歳までの少年たちの監督役の立場であった。

このエフォロイの集団が、前六世紀半ばになると、スパルタの行政組織のなかでもっとも重要な部分として目立ってくる。それというのも、前五五六年にキロンがエフォロイの一人に就任したからである。彼はすべてのスパルタ人のなかでもっとも賢いと言われており、ときとして七賢人の一人に数えられることもある。

たしかに、このころからエフォロイの活動について語られているという。だが、そこにはエフォロイという役職がもつ勢威があったはずである。民会で選出され、その資格にはなんらの公式の制約はなかったのだ。おそらく王や貴族に対する民衆の抵抗が凝縮されており、エフォロイはその矢面に立つ武器であったのだろう。

要するに、このころからエフォロイが恒常的な役割を果たすようになっていたにちがいない。このときキロンが衆目の認めるような影響力をもったと見なすことができるのではないだろうか。彼が七賢人の一人とよばれるのも訳がないことではない。そのころから古来の征服計画よりも巧妙な外交戦略を重んじるようになり、半世紀も経たないうちに、スパルタはギリシアの強国として指導力を発揮するようになったという。

### 三〇歳まで兵舎で共同生活

ところで、スパルタに征服されたメッセニアの人々が敵意をいだかないはずはなかった。

一説によると、スパルタ人はメッセニア人に対して一〇分の一以下の住民人口にすぎなかったという。征服された人々は隷属民（ヘイロータイ）として働かされるだけだったから、圧倒的多数が敵意をひそめているのを感じるとき、覇者であるべきスパルタ人にとっての脅威は一方ならぬものであったにちがいない。ひとたび隷属民が一致団結して反乱をおこせば、スパルタ人の軍事力でどれだけ持ち堪えられたかは分からないのだ。下手をすれば国家崩壊にいたりかねない。

もっぱら軍事訓練だけが重んじられたスパルタでは、文芸の素養は軽視され、文武両道を良きたしなみと見なすこともなかった。だから、あるアテナイ人が「スパルタ人は無学だ」とからかったとき、王位にあったスパルタ人は「おっしゃるとおりだ。われわれだけがあなた方から悪習を学ばなかったですからな」と皮肉を言ったという。文芸には少しも関心を示さなかったスパルタ人だが、優雅さのただようピリリと鋭い言葉を用いることについては、子供たちに教えていたという。スパルタ王の皮肉な応答はいかにも機敏な武人の面目躍如（めんぼくやくじょ）たる姿を思い浮かべさせるのではないだろうか。

スパルタ人自身の覇権を堅固なものにするために築かれてきたリュクルゴス体制だが、なんといっても根幹をなすのは平等者（ホモイオイ）の集団のたえまない結束であった。そのためには、生まれたばかりの新生児は丈夫に育つ見こみがなければ、公定の審査で山に捨てられ、それが当然なことと見なされていたほどである。逆に、丈夫であれば、男児は強健な兵士になり、女児は優良児の母親になると期待されていたのだ。

五体満足で健康な男児であれば、七歳になると親もとを離れ、国家管理下の集団生活に入る。威厳ある監督に指導される集団教育があり、年齢別の編成もあり、年齢を考慮せずに編成される共同生活もあった。なによりも心身ともに苦難に耐える優れた兵士を養成するための集団訓練の日々であった。教育係の総監のような役人ばかりではなく、市民の誰もが青少年の訓育に目を光らせているのだから凄まじい。その訓育とは、純真な少年がだんだん残酷になり、残忍な人間として自分を磨きあげていくことだった。その過程で、頑強で忍耐強く規律に従うことが叩きこまれたのである。

二〇歳になると、市民の資格をもらい、民会にも出席し、結婚することもできたという。だが、三〇歳までは兵舎での共同生活がつづくのだから、結婚生活がはじまったばかりの新郎は、兵舎を抜け出してそそくさと、新婦のもとにはせ参じるしかなかったという。

軍国主義ポリスのスパルタであれば、男性は兵士として祖国のために出征するのは当然のことだった。国内にいても、毎夕、夫は共同食事で家庭の食卓にはいなかったし、そこで連帯感と仲間意識を確認し合うことは国制の骨子をなすことであったという。女性たちもまた、妻としても母としても、家庭よりも祖国が優先することをなんら疑うことはなかったのだろう。

## 女性に求められたのは兵士を産むことだけ

ギリシア人の女性なら、まずもって機織りが婦徳のかなめとされていたが、ことスパルタに関しては、それは劣格市民のペリオイコイがなすべきことだったという。だから、家事と育児を中心にして家庭のきりもりがスパルタ女に求められたことだったらしい。育児といっても男児は七歳になると母の手を離れるのだから、女児の世話が母親の務めであった。これも身体を強健にするために体育が重んじられたというが、それも胎児の成育と良好な出産のためだったというから、「軍国の母」たるべき宿命を担っていたと言うしかない。

五人の息子が戦場で亡くなったという母親が、祖国が勝利したと知らされると、「息子たちの死を喜んで受け入れるわ」と言ったという。また、命拾いをして敵の手を逃れた息子について悪い噂が出まわったとき、ある母親は「この噂を打ち消すか、お前の命を絶ちなさい」と迫ったというから、現代人の常識からすれば言葉を失くすとしか言いようがない。

そうであるにしても、広くギリシア人の世界を見渡したときに、スパルタ女は女性の役割と地位においてかなり解放されていたとおぼしき面があった。たとえば、自分自身の権利で土地を所有し処分することができたのである。あえて言えば、兵士を産むことだけが女性に求められたのであり、その他のふるまいには規制が少なく、それだけに勝手気ままであってもよかったと言えなくもないのだ。そのせいで、後世には、スパルタ女は放縦だとの噂が出まわったというが、まんざら根拠のない評判でもあるまい。

武勇を良しとし、文事を軟弱と見なして平然としていたほどだから、スパルタ人が鎖国主義をかかげたことは自然の成り行きだった。もちろん、市民が国外に出て行くこともできず、外国人がスパルタ国内に入国しても速やかに退去させられた。前六世紀の半ばには、外国からの工芸品が持ちこまれなくなったらしい。ギリシア世界全体では、貨幣を介する交易活動が拡大していた時期にもかかわらず、貴金属貨幣の流通を禁じ、重たい鉄串や鉄板を交換手段としていたのだから、交易・商業活動が盛んになるわけがなかった。おそらく市民の平等をなによりも重んじた社会であるから、貧富の対立が生まれることをことさら怖れていたのであろう。

## 不満な社会層は海外に追い出す

広大で肥沃な平野を征服しメッセニアの先住民を隷属民としていたために、スパルタは食糧を自給することができたという。これが鎖国主義を貫ける前提であった。だが、ポリスの乱立するギリシア世界にあっては、諸ポリスが近隣のポリスと競い合い、それが戦争にいたることは避けて通れない道であった。

スパルタも例外ではなく、周りの諸勢力との激しい戦いがくりかえされた。そればかりか、スパルタではなによりも戦死を名誉にしていたから、これらの精鋭なる軍勢はますます国威を高めていく。前六世紀を通じて上昇しつづけ、世紀末に近づくにつれてその頂点をきわめた。そのとき、スパルタはギリシア第一のポリスとしてにらみを利かせる勢力になっていたという。だが、皮肉にも、強大な国家になったことで、もはや孤立主義の立場を保ちつづけることは困難になりつつあったのだ。

このようにしてみると、レトラを仰ぐリュクルゴス体制の下で、スパルタは一枚岩とも盤石ともよべる絆で結ばれたポリスであるかのように見える。だが、そもそも前八世紀末までさかのぼれば、スパルタ人の世界で、大きな内紛がおきていることは隠しようがない。その痕跡は、このころ、スパルタから南イタリアのタレントゥム（タラス）に植民団が送り出されていることにある。

植民者たちは「未婚の母の子供たち」とよばれ、どこか胡散臭い（うさんくさ）雰囲気がただよっている。現実の舞台においては、国内の政治紛争で意見を異にする人々であり、スパルタ人として認められないというレッテルをはられたのであろう。おそらく父母ともにスパルタ人でありながら、その種の者たちを排除しようとする勢力が権威をもっていたのである。その背後には、「持てる者」と「持たざる者」

の差異が目立つようになり、それが市民権をめぐる問題として明らかになったのであろう。そこには資産の核となる土地があり、その所有地が多いか少ないかに応じて、地位にも高い低いが生まれていたのであり、その変動が争点になるのだった。

植民団を派遣することは、このような内紛にあっては、ある種の根本的な解決策になることだった。スパルタは不満な社会層を海外に追い出すという形で、その後のリュクルゴス体制を築く革新にいたるのである。その長期にわたる革新のなかで形成された軍事力を重んじる社会がスパルタ躍進の土台となるのだった。

## 3　交易の都市、哲学の都市

### 繁栄する交易ポリス――コリントス

前七世紀から前六世紀にかけてのギリシア人の世界にあって、いわば軍国主義社会として台頭したのがスパルタであった。これに比べて、商業交易を重視し経済力で大国になったのがコリントスである。アテナイ人の住むアッティカから西進すると、コリントスはペロポネソス半島の入り口に位置する。イオニア海に通じるコリントス湾に面する港町であり、エーゲ海に通じるサロニコス湾の港町イストミアとの間の地峡は八キロメートルほどしかないという。コリントス湾の東部はデルフォイ湾ともよばれることがあり、コリントスから神託で名高いデルフォイまでは船で容易に往来できたとい

コリントス遺跡。永山浩庸撮影

う。市街地の南には高さ五〇〇メートルを超える険しい岩山アクロコリントスが迫っている。

すでに前二千年紀末には、ドーリア系のギリシア人がコリントス周辺に移住しており、新しい移住者のなかには船で来る人々もいた。このころからギリシア人は海に向かって勢力を広げていたらしい。なかでも、コリントス人は後の古典期に普及する船の構造にほぼ近いものに革新した最初のギリシア人であったという。さらに、最初の三段櫓船（やぐらぶね）を建造したのもコリントス人であったと伝えられているし、サモス人のために四艘の船を造ったのもコリントスの造船家であったという。

前八世紀半ば頃から、コリントスの神域ではオリエントなどの海外から到来した物品が増え始めていた。おそらく海外交易がくりかえし行われていたのだろう。東西および南北の交通の要衝になっていたこともあって、前七世紀頃には、海陸の両面で商業交易を営む一大中心地となっていたようだ。まさしくギリシア世界にあって、もっとも賑やかで繁栄したポリスであった。古の詩人たちから公然と「豊かなる（アフネイオス）」という形容詞で讃えられるにふさわしかった。

それを裏づけるのが、コリントスのすぐれた工芸技術であり、なによりも工芸職人がほかの地方においてよりも大きな敬意でむかえられたという。ここでは先進地域であるオリエントの文様をとり入

コリントス様式の陶器。ロドス島出土の猟犬文杯コテュレ(右)と幾何学動物文の水注コテュレ(左、出土地不詳)。いずれも大英博物館蔵

れた土器・陶器が量産されていたのだ。前時代の幾何学文様とはまったく異なるオリエント風の装飾であり、幻想のなかの動物などの陶器が盛んに製造された。それらの陶器や土器はほかのポリスに先駆けて数多く製造され、東部や西部のギリシア人の定住地やシリア沿岸地域にまで輸出されていたという。ギリシアといえば、しばしばスパルタとアテナイがもち出されるが、前六世紀後半まではコリントスの華やかさが目立っており、地中海沿岸各地の博物館を訪れると、この当

幻想の動物が描かれたコリントス式の陶器。前6世紀前半。オックスフォードアシュモリアン美術館蔵。N・スパイヴィ『岩波　世界の美術　ギリシア美術』福部信敏訳、岩波書店、2000年より

きる。

時のコリントス産の陶器・土器を数多く見ることがで

このような繁栄する「豊かなる」コリントスを率いていたのは、意外にも、僭主(せんしゅ)とよばれる独裁者であった。そのような僭主の一人にペリアンドロスなる人物がいる。前七世紀後半に四〇年間も僭主の地位にあったというが、残忍だったとも賢人だったとも伝えられている。コリントス地峡に運河を造ろうとの野望をもっていたらしい。だが、当時の技術では実現しそうもなかったので、代わりに陸上で船を運ぶため、車付きの船架を走らせる舗装道路を造成したという。その道路はディオルコスとよばれていた。

ペリアンドロスの胸像。ヴァチカン美術館蔵

こうしてみると、ペリアンドロスは、少なくとも、独裁者たる人間の心構えを教唆しようとしていたことはわかる。そのためか、次のような言葉を残しているのは興味深い。

僭主の地位にあって安全でいようとする者は、護衛兵の武器によってではなく、その忠誠心によって守られねばならない（ディオゲネス・ラエルティオス『ギリシア哲学者列伝』加来彰俊訳）

ここには賢人としての洞察力とともに、権力で屈服させる独裁者の無力さも吐露されているかのようだ。後世のアリストテレスはペリアンドロスを賢者の一人としているが、プラトンはこれを認めていないという。

### 新天地を求めて次々と植民市を創設

コリントスがギリシア世界にきわだつポリスとなったころ、強国には遠心力が生まれるかのごとく植民者を送り出す動きが目立つようになる。そもそも住民が増加していて、住民の大半は、狭い農地を所有するか耕作するしかなかった。耐えがたいほど窮屈であると感じられたばかりでなく、ギリシア古来の分割相続の風習のせいで、遺産はますます小規模になるしかなかった。嫡出の息子全員が平等に相続にあずかるのだから、複数の息子があれば、次男より下の息子は狭苦しい農耕地にはしがみつかなかった。好機到来とばかり新天地を求めて新しい植民団に参加するのだった。

かつて小さな植民団が西方のイタカ島に定着していたように、勢いは西方にたなびいていく。前七三四年にはコルフ（ケルキュラ／ケルキラ）島に入植者集団が移住し、翌年にはシチリア島のシュラクサイが創建されている。そもそも遠方への危険な海上活動は、豊富な航海経験ばかりか造船技術の習熟も必要とされたのだった。こうしてみれば、後にヨーロッパとよばれる世界で、造船技術を身につけた最初の人々がコリントス人であったことは偶然ではなかった。

さらに西ギリシア世界として知られる、イタリア南部のマグナ・グラエキア（大ギリシア）、シチリア島、フランス南岸のギリシア人居住地域は、妬（ねた）ましさの念をこめて「黄金のギリシア」ともよばれていた。ギリシア本土の農民と家族は、生産性の低い狭い土地にかぎられており、その古いギリシアに比べれば、広大で肥沃な空間が横たわっていたのだ。

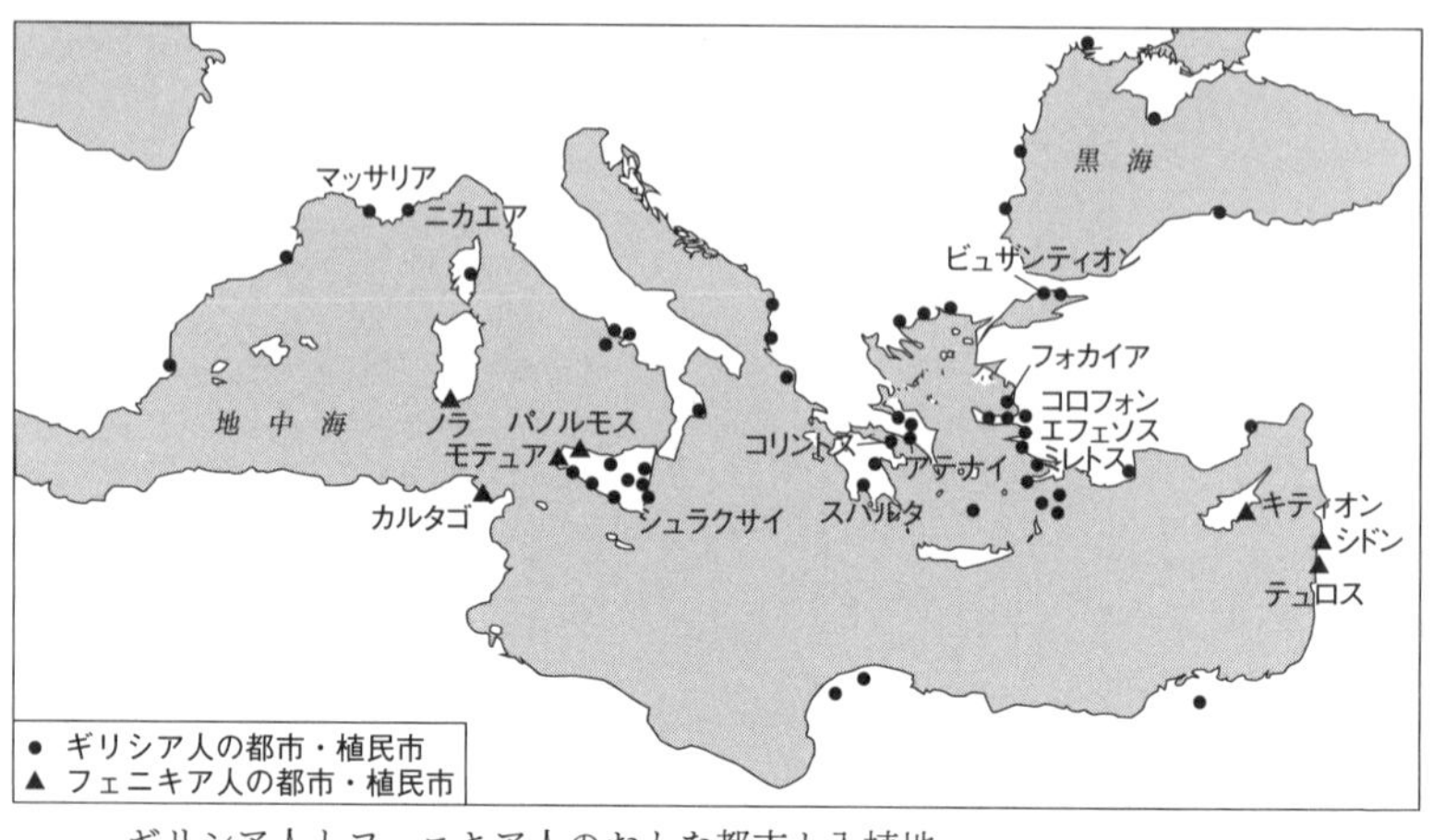


ギリシア人とフェニキア人のおもな都市と入植地

たとえば、イオニア地方のギリシア都市フォカイアはマッサリア（現マルセイユ）を創建し、そのマッサリア人はニカエア（現ニース）に入植者を送り出している。このような植民活動の勢いのなかで、コリントス人がシチリア島の東南岸にシュラクサイを創建したことは特筆される。というのも、前八世紀後半以降、西方への移民のなかでもっとも好まれていたのは、ほかならぬシチリア島であったという。

シュラクサイの沖合にはオルテュギアとよばれる小島があり、そこには清水が湧き出る泉があったらしい。ここには最初の入植者が住んでいた家屋の土台らしき痕跡も残されているというから、新天地を見出した者の喜びが残されているかのようである。後に、シュラクサイはシチリア島のなかで最大にして最強の富裕なポリスとなったし、ギリシア世界全体を見わたしても、スパルタに次ぐ広い領土を支配したのである。

さらに興味深いのは、コリントス人もドーリア系の人々であったためか、先住民との関わりが同じドーリア系のスパルタ人と類似していることである。

ギリシア人の到着以前、シチリア島には、東南部にシケロス人（シチリアの名の由来）、中央部にシカノス人、北西部にエリュモス人がおり、さらに西方部にフェニキア人が入植していた。シュラクサイに来住したドーリア系の人々は、先住民であるシケロス人をキュリュリオイ（キリキュリオイ／カリキュリオイ）という名の隷属農民として耕作労働に従事させていた。これは、スパルタ人が先住民あるいは服属民をヘイロータイとよんで、隷属させていたのに酷似しているのではないだろうか。

**交易の拡大が染料や織物業を盛んに**

ところで、コリントスにとって、これらの植民市が点在すれば、商業交易の機会がたび重なることになる。コリントス領には、二つの港があり、北の港はコリントス湾を通じて西方世界と結びつき、南の港はサロニコス湾を渡って東方世界と連なっていたのだ。東方に行った船は香油や香水を運んできて、コリントスで調合加工し芳香な瓶につめると、西方に航行して売りさばくのである。今日に残る遺品の事例をながめれば、瓶や壺の図柄は、それまでの幾何学文様が用いられなくなり、オリエント風の鳥や動物をあしらった装飾が好まれるようになっていくのだった。

このように商業交易が盛んになるにつれ、紫染料工場や織物職人も栄える。コリントス製の陶芸品や銅器が地中海世界の各地に広まっていった。コリントスの街は、船員たち、商人たち、遊興人たちでむせかえり、ギリシア全土から集まった得体の知れない人々の巣窟（そうくつ）になっていたという。そこにある雰囲気は、はなはだいかがわしいが、すこぶる魅惑に満ちた市街地であったのだろう。

コリントスは、ほかの地域よりも早い時期に僭主による統治が始まっていた。それらの僭主のなかには、美術や文芸の支援を惜しまない者も少なくなかったという。また、前六世紀には、アポロン神殿が建てられており、ギリシアに残る神殿のなかでは最古のものの一つである。神殿の上の切り妻屋根のタイル張りはコリントスの建築家が発明したという。ギリシア建築は、柱の様式によって、重厚なドーリア式、優美なイオニア式、華麗なコリント式などに分類されるが、今日コリントスのアポロン神殿の円柱は、三八本中の七本が残っており、それらはドーリア式である。

前八世紀以降の前古典期――理知的な古典期に先立つ「拙い時代」として「古拙期」ともよばれる時代にあって、一大強国になったコリントスは、とりわけ前七世紀には最盛期にあった。植民市の建設、商業交易網の拡充、造船技術の開発、海軍力の強化に支えられ、その繁栄ぶりは、当時のコリントス産の陶器・土器が、今日でも数多く、ギリシア各地の博物館で見られることからも偲ばれる。

## 知を愛する文化都市――ミレトス

現トルコ領のアナトリアは古代には小アジアとよばれていた。イオニア地方はその西部に位置し、エーゲ海に隣接している。そのうえ、ギリシア人の世界にあっては、先進文明の伝統をもつオリエントにもっとも近い地域であった。メソポタミア、シリア、エジプトなどのオリエント世界の諸文明は、前一千年紀前半にあって、すでに二〇〇〇年以上の文化的蓄積を重ねていたのだ。

この時期の西アジアでは、前八~前七世紀にはアッシリア帝国が大いなる覇権を握り、次いで前六世紀にはペルシア帝国が君臨していた。これら有史以来最初の世界帝国の下で育まれてきた世界観は、たぶん陰に陽に、隣接するギリシア人に影響をおよぼしていたにちがいない。なかでも、もっとも接触することの多いイオニア地方の人々のなかから、いち早く新しい気運が生まれてきたのは、自然の成り行きだった。

このような気運の最たるものが、後世の人々が「イオニア自然哲学」と称した「知を愛する」活動である。とりわけ、「知を愛する（philosophia）」という語源にさかのぼる哲学は、イオニアの諸都市の一つミレトスで始まっている。

ミレトス遺跡の遠景（上）と、ヘレニズム期の神殿跡。永山浩庸撮影

叙情詩『ホメロス讃歌』の唱える「海辺のすばらしい町ミレトス」はエーゲ海沿岸地域のほぼ中央に位置している。創建された当初から、ミレトスには少なくとも四つの港があり、海に目を向け、きわめて繁栄した都市であった。

前六世紀の初期、このミレトスには、西洋世界で最初の知識人といわれるタレスが登場する。彼を筆頭とする自然哲学者は、それまでホメロスやヘシオドスに見られるような神話にもとづく表象を用いて物事を説明するわけではなかった。そのような神々の世界に結びつく伝来の表現法によらずに、万物の根源あるいは不滅の実体そのものを直接に追究するのだった。万物とは、この世にある多種多様な諸々の存在するものであるが、それらが相互にいかなるつながりもなく無秩序にあるのではなく、単純であり不滅である実体がさまざまな形に変容していると考えるのだ。ここには、不滅の実体をめぐって、できるかぎり単純なものへと還元する合理化思考がめばえていたのであり、これこそ哲学の誕生と言えるものである。

ある意味で「哲学の父」であるタレスは、万物の源は水である、と語ったという。そこには、まず素材というものに原因を求める姿勢があり、その始まりらしきものがあった。万物が生きているかぎり、生命にとって不可欠なものは水にほかならない。そこで、生命の源としての「生ける自然」の元になるものがあれば、水はそれにふさわしいと言えるのであった。

このように自然を原理的に考える方法を身につけたせいか、タレスは前五八五年五月二八日の皆既日食を予言したという。また、一年に四季の区別を見出し、一年を三六五日に分けたとも伝えられている。

タレスの弟子にして継承者であったのが、アナクシマンドロスであるが、彼もまたミレトスの人であった。彼は自然について考察し、「無限なるもの」が万物の根源あるいは原理であると見なした。というのも、万物の全体にあっては、相反するものの間に勢力の均衡が保たれ、秩序が維持されているからであるという。さらにまた、日時計や地図なども考案したらしい。

アナクシマンドロスの弟子であるアナクシメネスもまたミレトスの人であった。彼は師のような抽象化された思考法をとらず、経験できる具体物を根源となる実体として立てている。なにはともあれ、万物の根源を「空気」とし、その濃淡の差異に応じて万物が生成すると考えたのである。事物の質としての差異を量の差異に還元する説明は理解しやすく、まさしく合理的思考法が出現したのである。

## 哲学者群像から歴史家の元祖まで輩出

タレス、アナクシマンドロス、アナクシメネスとつづいたミレトス学派は、哲学という精神の営みの先鞭（せんべん）をつけたのであり、それは人類にとって画期的な出来事であった。やがて、その潮流は周辺のイオニア地方にもおよんでいる。ミレトスのわずか北方にあるコロフォンからはクセノファネスが登場し、さらに、コロフォンとミレトスの近くにあるエフェソス出身のヘラクレイトスも哲学の舞台に姿を見せている。

クセノファネスは、成人すると南イタリアに渡って放浪生活をおくったが、ホメロスやヘシオドスの擬人的神観を鋭く批判したという。その思考の背景には、ミレトス学派の自然哲学の影響が色濃く刻まれている。彼は「神はなんら弄することなく理性の働きによって万物を揺り動かす」と語っている。ミレトスに始まった理性主義は、神という観念をも純化することにもなったのだ。

ヘラクレイトスの生まれたエフェソスは、今に残る大規模な遺跡から古代の繁栄ぶりを偲ぶことができる。ヘラクレイトスはその地の王族の出と言われているが、あるとき子供たちとのサイコロ遊びに興じながら、それを訝（いぶか）しげにとり巻く大人たちに「君たちと政治をしているよりもましだ」と言い放ったという。彼にとって「創造の戯れ」のためには「子供の戯れ」が必要だったのだ。「万物流転」

を唱えたことで名高いヘラクレイトスだが、その基本思想は近代の哲学者ニーチェの「永劫回帰（えいごうかいき）」にも受け継がれているという。

さらにまた、伝説につつまれた哲学者ピュタゴラスもミレトスに近いサモス島の出身であり、イオニア自然哲学の流派にさらされていた。前六世紀に南イタリアがイオニアから多数の移民を受け入れたとき、その地にピュタゴラスも移住した。彼は驚くべき博識の人であったらしいが、魂の輪廻転生（りんねてんしょう）を説いたことでも名高い。この見方はそれまでのギリシア人にはなかった新しい霊魂観であった。それとともに、ピュタゴラスは「認識されるものは、すべて数をもっている」と唱えて、「数」を万物の基本原理としたという。これもイオニア自然哲学の一つの帰結でもあっただろう。

エフェソス遺跡の円形劇場とアルカディア通り。永山浩庸撮影

これらの哲学者群像に加えて、「歴史家の元祖」ともいえるヘカタイオスもミレトスの出身であったことも忘れるべきではない。「歴史の父」ヘロドトスが、先人であるヘカタイオスの著作を大いに利用したことは疑う余地もないという。

このような文化面におけるミレトスの先進的かつ冒険的な活動の背景には、この都市が前古典期にあって、もっとも繁栄したポリスの一つだったことがある。前六世紀末には、六万人の住民人口があったし、すでにこの地から数多くの植民者を送り出していた。植民市は黒海沿岸方面と地中海沿岸方面の各地におよんでいたらしい。なかでも、南方ではナイル河のデルタ地帯にナウクラティスを建設したといわれ、エジプトとの交流の交易拠点にし、そこで守護神アポロンに神殿を献じている。ギリシア人を始めとする地中海の西方世界の人々がピラミッドやオベリスクの名を耳にしたのは、おそらくこのナウクラティスを通じてのことだったらしい。

## 4　大国アテナイの僭主と賢人

### 文明社会の大国――アテナイ

野生の動物は、森に生まれ、森に生き、森に死ぬ。人間は森を離れながら、文明の道を歩んできた。すでに古代にあって、プラトンは、民主政を率いたペリクレスの支配を不幸なことと見なし、アテナイを中心市とするアッティカの森が丸裸になった責任は、彼の大建設事業にあると信じて疑わなかったらしい。そのせいだろうか、二〇世紀の名高い歴史家A・トインビーも、アッティカの森が消えたことが、アテナイの建築家たちに木材に代えて石で建築物を造らせるきっかけになったという。

おおざっぱに言えば、ユーラシアの東部では照葉樹林文化であり、稲作が生まれ、ユーラシアの西部では硬葉樹林文化であり、麦作が行われるという。冬雨区域の地中海沿岸では硬葉樫（こうようがし）の森が生態系の中核をなしており、それを背景とする文化があった。

麦作を手に入れた人々は、豆類やオリーヴ、イチジク、ピスタチオなどの果樹も栽培するようになる。さらに、羊や山羊などの家畜を飼いならし、ミルクを飲み、バターやチーズを作り、肉を食べ、毛皮を利用する。このライフスタイルはきわめて生産性の高いものだった。

あえて単純化すると、主に肉とミルクを口にする人々は森を破壊し、自然を支配する文明を築いていき、魚を食べる人々は、森を守り、自然と共存していく文明を育むということになる。ギリシアも、広い意味では、硬葉樹林文化に属し、自然を支配する文明であった。

しかしながら、同じ硬葉樹林文化でくくれるにしても、地中海沿岸の東南岸地域と西北岸地域とではかなり様相が異なる。前者のオリエントの古代文明は「大麦とナツメヤシとゴマの文化」であるのに対して、後者のヨーロッパの古代文明は「小麦とブドウとオリーヴの文化」とでも言えるのだ。

## 合理的な土地の利用方法

大まかな見通しはそれぐらいにして、アッティカの地に集住による都市国家（ポリス）が形成される以前の世界を思い描いてみよう。といっても、なんらかの手掛かりとなる根拠がないわけではない。

ひとつは、ホメロスの叙事詩『オデュッセイア』の示唆する地中海沿岸の架空のスケリア島の風景である。宮殿に連れていかれるオデュッセウスは途中で野原や田畑を通りながら歩くと、果樹園が目に留まった。

……広大な果樹園があり、両側に垣がめぐらされている。ここにはさまざまな果樹が丈高く勢いよく繁茂している——見事な実をつける梨、石榴、林檎、甘い無花果に繁り栄えるオリーヴなど。これらの樹々の果実は、一年を通じて実り、夏冬を問わず傷みもせず尽れることもない。吹き寄せる西風が、あるいは生長を促し、あるいは成熟を助けるので、梨も林檎も葡萄も無花果も、それぞれ次々に熟して絶えることがない。……ここにはまた、葡萄園の端の列とならんで、さまざまな野菜が整然と栽培されており、一年を通じて青々と茂っている。(『オデュッセイア』)

これは果樹園の風景だから、人間の手が加わったものである。だが、これらの果実や野菜の多くは野生種にさかのぼることができるという。ブドウやオリーヴはいうまでもなく、キャベツも野生の一種のブラシカ・クレティカであれば、エーゲ海沿岸地域を原産地とするらしい。しかも、岩壁の間に生えていたというから驚きである。肥沃な大地に生育すると想像しがちであるが、人間の都合で考え出された肥沃な土地は、植物にとっては栄養過多で肥満させられているにすぎないのかもしれない。ある意味で、原産地の土地がその植物にとってもっとも快適ということになる。アテナイのアクロポリスでも、黄色い野生の菜の花が咲いていたとも報告されている。

それればかりか、人類にとって、食糧の根幹をなしてきた小麦ですら、収穫量なら栽培小麦がはるかにまさっているが、品質については、野生小麦が高いという。これも、やせた原野の方が小麦にとっては適地だということになる。どうやら、野生種にとっての最適地とは、人間の都合のおよばない次元にあるのかもしれない。

もうひとつは、現代の農村部の民族学的調査の示唆するところである。アテナイの正南方アルゴリス半島にあるフルニ谷は東西に約八キロメートルの長さ、南北に約一キロメートルの幅があり、西端は海岸にいたるという。ここには三九〇人が定住する村落があり、オリーヴ栽培を中心に果樹や穀物の栽培、牧羊（山羊）、漁労などの仕事が営まれている。

この土地の自然植生をみれば、松林、マーキ（灌木の散生）、群生する草本の開地、草原の四域に分けられる。マーキが全面積の半分近くあり、松林が伐採・燃焼した後の草原にとって代わり、また放棄された耕作地もマーキに覆われるようになるが、マーキはオリーヴ栽培には欠かせない存在らしい。というのも、マーキには野生種のオリーヴが自生しており、その野生種に栽培種のオリーヴを接ぎ木する必要があるからだという。

耕作地は、オリーヴ畑、穀物畑、果樹園、ブドウ畑からなっているが、大半はオリーヴ畑と穀物畑で占められる。だいたいにおいて、丘陵斜面ではオリーヴが主流であり、平坦になるほどに穀物畑が開けてくるという。

このようなフルニ谷の自然景観は、南部ギリシア本土の乾燥地域には大枠としては普遍的に見てとれるものと考えられるという（周藤芳幸『古代ギリシア　地中海への展開』）。ギリシアでは、土地の分散保有と多種栽培は、古代ばかりでなく、現代でも広く見られるが、生態学の観点からすれば、きわめて合理的な土地利用の仕方であったと言えるようだ。

## 混作農業と交易活動が集住を促進

地中海沿岸部に住む人々は多様な種族からなっていたが、これらの人々の生活する自然環境にははっきりとした共通点がある。沿岸部はほとんど平地が狭く、周りは山々に囲まれており、さらに川の流れで浸食された谷によって隣接地と分断されていた。前八世紀頃のアッティカも例外ではなく、おそらく硬葉樹林の地域にあり、松林や樫林が所々に生い茂っていたにちがいない。もっとも、アクロポリスの高い丘にはすでにミュケナイ時代に宮殿があった形跡があるが、数百年の暗黒時代の混乱のなかでは、もはや覇権をふるう勢力ではありえなかった。

とはいえ、王権が分断され、軍事、行政、祭祀を担う王侯貴族がいたと見なせる伝承もないわけではない。そのような古い祖先にさかのぼる「生え抜き」らしい住民がいたというが、それは後の世代が住民の結束感を高めるために創作した神話のようなものだったのではないだろうか。そうであっても、前一千年紀初頭の原幾何学様式や幾何学様式の陶器に注目すれば、アッティカ産のものが質量において、他のものを凌いでいることは明らかである。数世紀後の前六世紀後半になると、アテナイの国力が盛り返してくるのも、古来の底力がひそんでいたからかもしれない。しかし、ミュケナイ時代の大いなる王権の記憶など、ほとんど忘れ去られていたにちがいない。

アッティカの田園地帯は岩山や丘に囲まれた狭い平野部であり、乾燥地農耕がなされていた。樹林の散在する耕作地では、小麦、オリーヴ、ブドウが栽培されており、それらに隣接して村落が散在していた。

これらの村落のいくつかが結びつきながら自立した勢力をなしていたことは想像に難くない。得体の知れない外敵の脅威はいつも感じられており、気の休まるときはほとんどなかっただろう。これらの勢力は、たとえば、アッティカ中西部のエレウシスがみずからの王をいただいて独自の勢力をなしていたように、東岸のマラトン、ブラウロン、トリコスなども王族あるいは豪族に率いられた勢力として自立していた気配がないわけではない。

前八世紀半ばになると、これらの局地勢力はそれぞれの生計の基盤を保持しつつ、アッティカの有力貴族として、アテナイの王権の下にまとまっていくようになる。このような政治的連合が姿を現すのであり、それが古伝にある集住(シュノイキスモス)であり、アテナイというポリス国家の実現であった。

おそらく大筋の流れとしてはそうであっても、アテナイという中心市が形成されたという問題だけではないだろう。それまでの局地勢力とは異なる段階にいたったのであり、統一国家という新しい秩序が生まれ出たのである。これは同時に、アッティカ全土を同一の単体としてそこに生きる人々が自覚することになるのであった。それとともに、アッティカ全域における社会秩序が形成されなければならなかった。

アッティカにかぎられたわけではないが、ギリシアではオリーヴとブドウの農産物を加工して製品とするのが通常であった。それほど肥沃な土地ではなかったアッティカでは、穀物輸入を当てにしなければならなかったが、穀物輸入は必ずしも安定していなかった。そのために、オリーヴ樹の間に小麦や大麦を間作する工夫がなされたという。この混作農業は、交易活動にともないながら社会・経済が活性化していた時期に、いっそう重要になっていったようである。

このような好況の波に押されて、中心市アテナイとその近郊では、住民人口がますます増加していたらしい。それは集住(シュノイキスモス)の動きにともなっており、たんなる自然増ではなくアッティカ全土がアテナイの国家領域としてまとまることだった。

## ポリスでこそより良き生活ができる

このような集住（シュノイキスモス）がおこる背景には、おそらく地方に分散していた豪族・貴族たちが自分たちの支配下にある平民たちを強く把握しようとしていたことがある。そのためには、中心市アテナイに移住し、豪族・貴族たち相互の結びつきを確実なものにしなければならなかった。同時に、移住にともなって土地争奪の争いがおこりうるのであり、貴族も平民も土地所有が保証され安定していることを望んでいた。だが、現実にあっては、土地所有をめぐる問題はくりかえし緊迫した混乱の火種になるのだった。

さらに、集住（シュノイキスモス）によって出現した新国家であれば、足元もおぼつかなく、なおさら外敵の脅威はますます高まっていただろう。その防衛のためには市民団の組織そのものを編成していかなければならなくなる。

そもそも、後世の哲学者アリストテレスによれば、「人間は都市に集まって住み、良き生活をおくる」という。ギリシア人の大多数は、前八世紀以降、ポリスとよばれる集落でこそより良き生活ができると信じていた。ポリスという言葉は、もともと「防備された場所」を示唆しただけだが、ほどなく「中心市とその周辺地域」を意味する都市国家になったらしい。

これらの都市国家は、すでにオリエント地域でも共通に見られる集落形態であったが、ギリシア人のポリスは、ポリス成立初期からの植民活動によって、地中海沿岸地域に長期間にわたって広く知られ、比類がないものであった。ある時期にあっては、地中海沿岸地域に一〇〇〇を下らないほどのポリスがあり、池のまわりにたむろするカエルになぞらえることがある。

これらのポリスは、成人男子の市民団は数百人から数千人の規模であり、住民人口ならその五〜六倍であった。前五世紀のアテナイであれば総人口は二五万〜三〇万人前後になるというが、前八世紀のポリス成立初期には数万人足らずにすぎなかったろう。

いずれのポリスもそれぞれが自立していたからには、互いに競合・対立することも少なくなかった。アテナイもまた外敵の脅威にさらされており、外敵から守るための、市民はまずもって部族（フュレー）ごとに編成されたという。

伝説によれば、古拙期（前古典期）には四つの部族があったというが、具体的に確かめられるわけではない。いずれにせよ、軍事領域での活動を担って、部族に準じて軍隊が徴集されたらしい。

それとともに、この部族はその下部単位としてフラトリア（兄弟団あるいは胞族）に分けられており、市民はフラトリア成員として兵役に就く義務を担っていた。また、祭礼を営む集会でもあり、主神ゼウスや守護女神アテナの祭礼を行っていたらしい。さらに、係争ごとが生じたとき、フラトリアの仲間を援助することにもなったという。

## 王権が縮小され貴族政へ

ところで、いわゆる「暗黒時代」のなかで、アテナイはかろうじてドーリア系移民の侵入を防いでいた。おそらくミュケナイ時代以来の王国の伝統がどこかで余力をもたらしていたのかもしれない。この時期のアテナイにあって、なんらかの王権が存続していた形跡があるが、同時に、王権が縮小され分化していく兆しもあったらしい。

この経過は、王政から貴族政へという流れで思い浮かべると、分かりやすいのではないだろうか。おそらく古来の王権に結びつく王族が残っており、王権が縮小・分化しつつあっても、王族系の一族がこれらの高位の役職を手中に握っていたのであろう。任期も一〇年あるいは終身とも伝えられているから、貴族政への移行がすんなりと進んだわけではないにちがいない。

王権の分化は、古来の王は祭祀を司る王、軍事大権を握るポレマルコス、政務の実権を手中にするアルコンの三つの大権として形を整えている。このような王権の分化が、広義の高官としてのアルコン職による分担、さらにアルコン就任者の枠の拡大という道筋をたどったことはまずもって疑いないだろう。それにともなって、地方にかまえていた豪族・貴族たちがアクロポリスのある中心市に移住してきたのである。

前述したように、古代ギリシア語の表記で、ミュケナイ時代の線文字Bまでさかのぼれば、「王」は「ウァナカ」という名称である。王国の宮廷にあって、絶大な権力をもった絶対君主のような王であった。線文字Bの文書には、王国の支配下に多くの村落があり、そこには王から任命された役人の姿がある。これらの役人には、しばしば「クァシレウ」とよばれる在地の豪族ごときの有力者があてられていたという。

これらの在地の有力者の登場は何を物語っていたのだろうか。とりもなおさず、王が君臨したとはいえ、その支配力は個々の村落の内部にまでは行き届いていなかったということになる。これらの村落には村人たちの共同体があり、線文字B文書では、その人々は「ダーモ」とよばれていたらしい。

そこから、きわめて興味深い出来事が浮かび上がる。というのも、村落の民衆が「ダーモ」であり、その村人たちを率いていた有力者が「クァシレウ」であるという構図である。つまり、民衆「ダーモ」と直接にふれあい親しい間柄であった有力者「クァシレウ」がいたのである。これは暗黒時代以前の線文字Bの文書に見られる言葉であるが、これらの言葉は古典期のギリシア語では、「ダーモ」は「デーモス」になり、「クァシレウ」は「バシレウス」になっているのだ。古典期のギリシア語では、「デーモス」は「民衆」のままであるが、「バシレウス」はなんと「王」の意味を帯びてくるのである。

## 王と民衆との親しみやすい関係が民主政へ

前述したように、ポリス成立初期は、王政から貴族政への移行期であり、それとともに地方の貴族たちが配下の人々を率いて中心市に集住(シュノイキスモス)したという。この話の主役になる貴族とは、かつて「クァシレウ」とよばれ、前八世紀頃には「バシレウス」とよばれた局地的な指導者層の実態が明白になってくるのではないだろうか。しかも、その「バシレウス」がこのころには「王」とよばれていたところに、「暗黒時代」の混乱をくぐりぬけたポリス成立初期の実情があざやかになる。「王」という意味をもつ「バシレウス」は、もはや村落から隔絶した絶大な権力をもつ王ではなく、民衆「デーモス」にもっと身近で気安い王であったのだろう。そのような王と民衆との親しみやすい関係があればこそ、アテナイにおける民主政が生まれ育つ土壌をなしていくのだ。

ポリス成立期には、おそらくこれらの「バシレウス」たちが貴族層の中核をなしていたのである。

彼らは、やがてアテナイの高官職を交互に務めるようになり、前七世紀初めには、任期一年という体制が固まりつつあった。さらに、祭祀長官、軍事長官、政務長官の三役のほかにも、法と裁きを責務とするテスモテタイの六名が高官職に加えられている。なお、狭義にはアルコンは政務長官を意味するが、広義ではこれら九名の高官職にある公職者をもアルコンとよんでいる。そのために、本来の政務長官たるアルコンは「筆頭アルコン（アルコン・エポニュモス）」と称し、「何某が（筆頭）アルコンの年」という言い方で年代が記されるようになった。

しかしながら、九名のアルコンたちは任期一年の同僚制という枠組みに縛られており、彼らの権能と活動にはかなりの制約があった。このような制度上の事情があったことから、国政の中心に座して絶えず配慮する集団が求められ、アレオパゴス評議会が設けられている。アクロポリスの西方にあるアレスの丘に集会の地があることにその名は由来するという。この評議会の成員は広義のアルコン職経験者であり、終身その任にあり、まさしくアテナイ貴族の牙城にほかならない。なにしろアルコンたちを選任し、国政を監督し、裁判権も握っていたのだから、まぎれもなく貴族政アテナイの推進力であった。

**貴族と平民の対立を調停するドラコン**

前七世紀は、アテナイにかぎらずギリシア人の社会に緊張が高まった危機の時代だった。一つには、重装歩兵戦術による集団戦が主流になり、武具を自弁できる富裕な貴族層が主導権を握っていたが、富裕な平民層も台頭し、貴族支配も動揺しつつあった。もう一つは、地中海沿岸や黒海沿岸に数多くの植民市が建設され、海上交易が盛んになったために、富裕な貴族がますます土地経営に関心を示しだしたことである。富裕になるにつれ、経営を拡張し土地を併呑（へいどん）するなかで、中小農民を圧迫するばかりか、国有地や神殿領すらも蚕食（さんしょく）する有り様だったという。

このような危機の混乱期には、武力支配に物をいわせる独裁政が生じやすい。ギリシア世界では、僭主が登場して、ポリスに君臨する場合も少なくなかった。アテナイでも、前七世紀後半には、僭主政樹立のクーデターがあったが、アッティカ各地の農民たちが反発して一味を屈服させたという。

混乱の内実には、貴族と平民との対立がひそんでいた。不和あり、反目あり、あるいは内戦にまでいたる場合もあり、このような国内の内紛は「スタシス」という言葉でしばしば語られている。アテナイでは、前六二〇年頃になると、ドラコンという名の調停者が現れ、政情不安を取り締まろうと試みている。この「ドラコンの立法」はアテナイ最古の法といわれ、同時代の人々には「血で書かれた」と信じられていたという。というのも、ほとんどの犯罪に死刑が科せられたというほど厳しい刑罰が待ちうけていたらしい。英語で「ドラコニアン（draconian）」という表現があるが、これは「苛酷（かこく）な」を意味するというから、「ドラコンの立法」の衝撃が偲（しの）ばれる。

あまりにも苛酷な規定であったせいだろうか、一世代後に、殺人をめぐる法を除いて廃止されたために、法文の内容はほとんど伝わらなかったらしい。伝承として残存している部分は、私的な血讐の禁止である。自分や自分の親族に対して危害を加えた人に対して復讐することは、前近代社会にはしばしば見られるが、この私的な血讐を禁止するのである。それとともにこの法を告示する公権力が民間人の争いに介入し規制することが行われたのであろう。ただしこれは、のちの時代になってドラコンなる人物に帰したものであり、捏造されたのだと考える学者もいる。
断片的な内容しか明らかではないが、たしかにアテナイにおける最初の成文法であった。それまでは貴族たちが都合のいいように解釈すればよかったのだが、平民をふくむ市民全体に広く知らしめるべく明文化されたのである。これによって、政治や司法の分野における貴族の専断を規制する道が開けたのだった。この背景に考えられるのは、とりわけ裁判権を握る貴族への平民層の不満・批判が無視できないものになっていたことだろう。

### 多くの貧農が少数の富豪に隷属

じっさい、前七世紀末のアテナイ社会は、民衆の不満が鬱積(うっせき)していた。国制の仕組みは貴族政であったが、平民のなかでも貧しい人々は、自分のみならず妻も子供も富豪に隷属していたのである。ギリシア世界全体で交易が盛んになるにつれて、貴族・富豪たちは農産物の余剰を国外に売りさばくことに利を見出すようになったらしい。下層民に穀物を貸与するにも、かつてより高い利子を要求するようになり、上層民は寛大さを失い、貪欲になっていたという。ポリスはまさしく危機の時代にあり、ここでは貧者にふりかかる運命が語られている。

貧しい人々は隣人(ペラタイ)とか六分の一(ヘクテモロイ)と呼ばれていた。というのも、この割合の地代でこの者たちが富豪の田畑を耕していたからだ。土地はいずれも少数の富豪の手中にあり、もし地代を支払わないことでもあれば、貧者は本人であれ子供であれ、その身体を拘束された。（アリストテレス『ア

テナイ人の国制』第二章)

この危機の原因となる「六分の一(ヘクテモロイ)」をめぐっては、その身分がどうであったのか、今なお決着の見えない難問がある。一方では、自由農民が借財によって隷属農民に落ちたとする説があり、他方では、古くからの隷属民であるとする説がある。文字通りなら、収穫の「六分の一」を支払うことになるが、自由市民なら自営農民であったはずだが、すでに地代を払っていた者たちも少なくなかったという。それを支払えない貧者たちがおり、借財者当人が家族ともども奴隷身分に落とされる憂き目にあっていたことになる。

このようなアテナイ社会の混乱は貨幣経済が浸透したゆがみによって生じた、と言われてもいたが、今では否定されているらしい。というのも、貨幣がギリシア世界に導入されるのは前六世紀半ば頃だったからだ。だが、このころ、アテナイに隣接するコリントスやアイギナでは貨幣が打刻されていたというから、その影響がアッティカにおよんでいたとしても不思議ではない。ともあれ、考古学や古銭学の示唆する知見であっても、新しい発見によって塗り替えられることは珍しくないのだ。

いずれにしろ、前六〇〇年前後のアテナイ社会では、数多くの貧農たちが少数の富豪に隷属していた。ほどなく、民衆は貴族たちに対して立ち上がり、対立は激しくなるだけだった。長期にわたる抗争がつづく混乱期だった。

## 貧民の負債を帳消しにしたソロンの改革

このとき、賢人の誉れ高いソロンという人物（後に七賢人の一人と讃えられた）が現れている。もともと王家の末裔であったらしいが、それほど裕福とはいえなかったという。若くして海上交易に精を出しながら、詩人としての才覚にも恵まれていた。このために、アテナイ最古の詩人としても知られている。

ソロンの抒情詩の多くは、自らのポリス国家の理念を求めるものであったらしい。富裕者の貪欲さと民衆の欲求の過度さを戒め、下記のような詩を遺している。

多数の悪者連中は豊かに栄えるばかり、善人たちは苦しく働くばかり。
でも、われわれは徳をこれらの連中の富と交換などしない、
徳はつねにぶれることなく、
財宝は次から次へと所有者が替わるのだから。

ソロンの胸像。ナポリ国立考古学博物館蔵。©Saiko CC BY-SA 3.0

身についた徳は一生ものであるが、財宝は人から人へと移りかわるにすぎないのだ。また、なによりも「度を過ごすなかれ」を重んじていたという。神託で名高いデルフォイのアポロン神殿に「汝自身を知れ」という訓告があったことは周知だが、それとともに「度を過ごすなかれ」もあったことは、あまり知られ

ていない。だが、情報過多の現代にあっても、「度を過ごすなかれ（メーデン・アガン）」とは、含蓄の深い訓告である。

さらにまた、独裁政を排し、正義と中庸をともなう秩序と繁栄こそが、ポリスの理想だと唱えていたらしい。このような言動で信頼をいだかれたソロンは、前五九四年、筆頭アルコンに満場一致で選ばれたという。彼の知恵と義を重んじる態度において誰からも尊敬されていたからこそ、アテナイ市民の主導で選ばれたのであり、まさしく先例のない選出法であった。だからこそ、貴族・富者と平民・貧者の「調停者」として、全権を委ねられたのである。ここには、ギリシア人がいかにして独創的な行動をとったかということの鮮明な事例があるように思われる。

ソロンは、ポリス存亡の危機を打開するために、思い切った改革を断行する。背景にはなによりも土地の再分配を要求する平民と既得権益を守ろうとする貴族の対立があった。そのために、土地の再分配こそ回避したが、ソロンは負債の帳消しを断行した。債務者の土地に立つ抵当標を撤去することを明示し、借財も収穫の六分の一の支払いも隷属身分からも、零落した農民たちは一挙に解放された。ふたたび自由農民にたちかえったのだから、人々は「重荷おろし」とよんで喜んだ。さらに、債務のために奴隷として国外に売られていたアテナイ市民をも祖国に呼び戻したという。彼らのなかには、長く祖国を離れていたせいで、アテナイの言葉をしゃべれない者もいたらしい。

## 身体を抵当としての借財を禁止

さらに、借財問題がくりかえされないように、問題の禍根（かこん）を断つことも敢行する。市民が自らの身体を抵当に入れて借財することが長い間に慣行になっていたのだ。この慣行を禁止することこそ問題の根絶になるなら、それは急を要することだった。自由な市民はもはや奴隷身分に転落すべきではないという明白な決意である。

この断固たる決意表明は、結果として、自由市民と奴隷との身分差を白日の下にさらすということになる。古代社会にあって、自由身分であることがいかに重要であるか、また、自由人としてポリスの市民共同体の一員であること、これこそが、かけがえのない足場であることを意識させるのだった。

それとともに、ソロンは国制の改革に着手した。農産物の収穫高あるいは土地所有の大きさの順に、五百石級、騎士級、農民級、労働者級の四つの等級に分け、重要な役職には上位の等級の者だけが就けるように定めたという。だが、労働者級の下層市民にも民会と民衆法廷に参与できるようにしたことは新機軸であった。また、貴族支配の牙城であったアレオパゴス評議会のかたわらに、四〇〇人からなる評議会を設け、民会の議案を準備する権限が与えられたという。

ほかにも、多くの法を制定して、改革を実現する。まずは、手厳しい「ドラコンの法」をめぐって、殺人に関する法をのぞき不要なものとした。また、度量衡を改め、オリーヴ油をのぞく農産物の輸出を禁止し、移住してきた亡命者と手工業者に市民権を付与したという。さらに、実子のない者には遺言の自由を容認し、その保護下にある女子たちを家父が売却することを禁止し、結婚や女子相続人についても規定した。

これらの改革を断行して国制を確かなものにしたことについて、後世の哲人アリストテレスは以下のように総括している。

ソロンの国制では、以下の三つの点がひときわ民主制にかなっていたようである。第一に、なによりも重要なことは、身体を抵当として金を貸すことの禁止であり、第二に、望むなら何人も不当な目にあっている人のために告訴できることであり、第三は、これによって大衆が最大の勢力になりえたと言われるが、法廷への審理を順に回すようにしたことである。というのも、民衆が投票の最多勢となるのであり、そのとき国制の主となるからである。(『アテナイ人の国制』第六章)

### 財力が軍事貢献度に直結

このような一連の「ソロンの改革」にまつわる伝承を整理したとき、どことなく違和感があるのではないだろうか。あまりにも民主政への道のりが鮮やかであり、後世の歴史などあずかり知らない同時代の人々がどれだけ「ソロンの改革」に民主政への彩りを意識していたかなど分かりようもないのだ。さらに、われわれ現代人は、史料が書かれた時代の制約を被っていることなど当然だとする近代歴史学の洗礼を受けている。ギリシア史の研究者ならずとも、一連の「ソロンの改革」にはどれだけ真実があるかを疑いたくなるだろう。その背景には、「民主政創始者としてのソロン像」ができあがっていく時代の雰囲気の歴史があるにちがいない。

しかしながら、市民が国政に参加する基準について考え直したことは、とてつもない変革であったのではないだろうか。家柄や門地においては貴族に劣るけれども、平民のなかには財力をたくわえ、その点では貴族に勝るとも劣らない人々が登場していた。そこで、財産に応じた政治参加を行うべく、四等級の財産級制度を実施することになるのだ。門地よりも財力、つまり市民の義務を履行する能力に応じて政治的権利にあずからせるわけである。

「重荷おろし」によって中小農民を救済するとともに、国家防衛の戦士としての義務を担う人々こそ国政の発言力をもつことが目論（もくろ）まれたのである。それはポリス市民たることの本来のあり方を確かなものにしようとしたのである。なにしろ、武具はすべて個人の負担であるというのがポリスの軍制の鉄則であった。市民それぞれの財力が国家への軍事貢献度につながるのだ。まして重装歩兵戦術が確立しつつあったのだから、財力に応じた制度はふさわしいものであった。

不思議なことに、ソロンは改革の作業を終えると、アテナイを離れ、一〇年間ほど帰国しなかったという。その潔さの真意はどこにあるのだろうか。新法の撤回を避けるためとも言われるが、まるで立法者本人がいるところで、周りの人々は自由なふるまいができないだろうと配慮していたかのようである。

このあたりになると、想像を加味して、推察するよりほかにない。管見（かんけん）では、なによりも中庸を旨としたソロンには、改革後のアテナイ社会の動揺が見えていたのではないだろうか。一方で、立法による新制度を厳正に重んじようとする勢力があり、他方では新制度をなおざりにして古来の秩序を重んじていく勢力があるにちがいないと。その分裂を社会全体の力でいかに制御していくことに将来がかかわってくるのだ。立法者としては厳正に重んじる立場に肩入れしたいだろうが、「満場一致」で「調停者」に選出されていたソロンにはそのいずれにも加担したくなかったのではないだろうか。ただ、帰国後の言動からも窺われることだが、独善的な僭主の出現はなんとしても許してはならないと思っていたのだろう。

## 絶えなかった党派の対立抗争

立法者ソロンが祖国を離れた後の出来事に目を向けると、貴族と平民の間の対立抗争は絶えなかった。たしかに、ソロンの改革は政治参加の足場を旧来の家柄から所有財産に変えたのであり、それによって貴族政は否定されたのである。ソロンはその詩のひとつで「自分は充分と思えるほどの特権を平民に与えた」と自負している。だが、それにともなって、市民大衆に国政の担い手としての自覚が生まれるか、それは誰にもわからなかった。そこが、制度改革の眼目であったとすれば、ソロンの改革は実効としては成功したとは言えないのではないだろうか。

現実のアテナイ社会におこったことは、まさしくスタシスとよばれる出来事である。かつてスタシスは「内紛」（一二六頁参照）と訳されたが、このソロンの改革後のそれは、「党争」と訳するのが実情に合っている。

その内情に迫れば、貴族と平民との対立抗争というよりも、むしろさまざまな要求をもつ平民層を従えた有力貴族たちの勢力争いであった。前六世紀前半には、これらの諸勢力あるいは党派が対立抗争をくりかえすことになる。

周知のように、アテナイの年はその年の筆頭アルコン（アルコン・エポニュモス）役に就いた者の名でよばれていた。それだけ、もっとも重要な役職であった。ソロンの改革後の混乱が生じたのは、この役をめぐる争奪戦がくりかえされたことによる。

そもそも九人のアルコン選出は、ソロンの改革以降、それまでのアレオパゴス評議会から民会に移されていたという。貴族に独占されていた政治権力が打破され、富裕な農民や商工業者が上位の等級に属するようになっていた。これらの富裕な平民たちは国政を担うアルコンに就任できるという道筋が明らかになったのである。彼らのなかから民会の権限の下で選出されたのだから、もはやアルコン選出の意味合いはまったく異質なものになっていたのだ。このような変更があったがために、とりわけ筆頭アルコンの選出をめぐる混乱がおきやすい政治風土になっていたのである。

前六世紀前半には、これらの混乱をきわだたせるような異常な出来事がいくつか例示される。ソロンの改革後、五年ごとに二度にわたってアナルキア（アルコンなし）の窮地に陥ったという。もちろん党争（スタシス）のために、アルコンが選出されない事態になったのである。このアナルキア発生は、背景に貴族の有力者たちの勢力争いがあるが、いずれにしろ、国政の主導権を握るには、絶えず民衆の支持がなければならないことを明らかにしたのだ。余談だが、英語のアナーキー（anarchy）が「無政府状態」を意味するのは、この「アルコンなし」に由来するという。つまり、アルコンが選べず、まったくの無秩序な社会が生じてしまったのである。

## 増大する民衆の発言力

次に混乱を象徴するのは、ダマシアスなる人物が出て、二年二ヵ月の間、アルコンとして在職したという出来事である。一年交替であったから違法もはなはだしいのである。やがて、彼は反感をかい追放されたが、当然のことだった。長期政権となると僭主の危険を感じさせたにちがいないからだ。
さらに、この追放後の前五八〇年には、一〇人のアルコンが選ばれて支配するという異常事態が現出したという。その構成は、五名の貴族、三名の農民、二名の職人からなっていたと伝えられている。このアルコン一〇名とは、筆頭アルコン（アルコン・エポニュモス）の代理であって、彼らが委員会の形で、一〇ヵ月間、その職務を果たしたらしい。

さらにまた、この時期には、党争（スタシス）がきわめて激しかったというが、なにしろ同時代史料が乏しいので、あやふやな出来事も少なくない。それでも、その様相を示唆する後世の伝承として残されたものもある。

それによれば、前六世紀半ばにいたる時期に、アテナイ社会には三つの党派があったという。一つは「海岸の人々」の党であり、もう一つは「平野の人々」の党であり、最後に「山地の人々」の党があった。このような海岸党・平野党・山地党と分ければ、あたかも地域別の対立があり、それが同時に階層集団の対立であったかのように見える。じっさい、かつては額面どおりに、そのような三つの地域の対立は、平民（商人）・貴族・農民という階層による対立抗争と解釈されていた。

ところが、近年では、この通説を斥（しりぞ）ける見方が大方の賛同をえるようになっている。それによれば、これらの党争（スタシス）は、指導的な有力貴族の対立抗争であり、これらがそれぞれの民衆を率いていたと見なすことになる。しかも、三つの地域の住民構成を見ても、ほとんど差異は認められず、地域差は三つの有力貴族たちが拠点とする所在地の違いにすぎないという。つまるところ、地域差から、階層の対立や政治主張の対立を読みとろうとしても、無駄だということになる。

このような実情からすれば、おそらく背景には、平民層の力が向上していたことが感知される。貴族たちも平民層の動きを無視できなくなり、ときには彼らの支持を当てにしなければならなくなっていた。この平民層あるいは民衆の発言力が増大しつつあったことは、アテナイの歴史をたどるとき見過ごしてはならないことである。

### 貴族の抗争から僭主が出現

ところで、英語でタイラント（tyrant）という言葉は、暴君とか圧制者という意味であり、ひいては傍若無人（ぼうじゃくぶじん）な者をも指すことがある。語源をたどれば、古代ギリシア語のトュランノス（turannos）に行きつき、さらにはオリエント系のリュディア語にさかのぼるともいう。もともとは主人あるいは首長であり、後に僭主の意で用いられている。古代の文脈ではあくまで独裁者であり、あえていえば非合法な手段で独裁者の地位に就いたのであり、そこには善悪の価値判断はなかった。これは古代ギリシア史を公平な立場でながめるとき、心に留めておくべきことである。

前七世紀以降のギリシア人の歴史を見ると、僭主は各地に出現している。とりわけ、前述したように、いち早く繁栄していたコリントスのキュプセロスとペリアンドロスの父子の事例が名高い。息子のペリアンドロスは残虐とも賢者とも伝えられており、僭主というものが功罪の両面をもっており、いわくいい難い複雑な性格であったことが示唆されている。

古代ギリシア史を通じて見ると、僭主政は例外などではなく、ほとんど途切れなくつづいていた国家のあり方だった。その実情については後に述べることにして、歴史の舞台をアテナイにかぎれば、僭主政というものは異例な事態であったかもしれない。そもそも「満場一致」で調停者になったソロンが、ある意味では僭主と言えないこともない。彼自身にその意思はまったくないどころか、そのような独裁者の出現を危惧していたのだが、ある意味ではソロンは公然と黙認された僭主であったとも言えなくもない。だからこそ、彼は調停者の役割を終えるやいなや、その僭主のごとき地位を去り祖国を離れたのである。その意味でも、まさしく賢人とよばれるにふさわしい人物であった。

それはともあれ、賢人ソロンがアテナイを去った後、そこには必ずしも安定した秩序があったわけではなかった。相対立する貴族たちの抗争は絶えることなく、そこから僭主とおぼしき強力な実力者が登場するかもしれないのだ。ソロンは合法的な調停者であったが、党争(スタシス)が長びけば、非合法ではあっても衆目を納得させる指導者が現れ出てもまったくおかしくなかった。

## 民衆の人気とりで僭主をめざす

このような混迷のなかで、絶大なる統率者としての僭主をめざす人物が姿を見せても不思議ではない。じっさい、僭主を警戒していたアテナイ社会ですら、それらしき人物が表舞台に登場するのだった。ともあれ、貴族政の横暴を排斥して、民衆の合意を重んじるアテナイ社会である。そのような雰囲気のなかで、僭主が衆目の前に登場するのはかんたんではなかった。

じっさい、僭主たらんとする者はひときわ民衆に心を配り、彼らの人気を得ることが大事だった。それには上に立つ者として恩恵をほどこすのがなによりだっただろう。アテナイでも、名門貴族出のペイシストラトスなる人物が登場し、僭主たらんと画策していた。彼には息子が数人おり、これら息子たちの手助けもあって、なにやら企みを試みるのだった。

自分の手で自分の身体と騾馬を傷つけておきながら、市民が集まるアゴラに車を乗り入れ、敵に襲撃され、その手を逃れたばかりだと訴えた。彼は、かつて隣国メガラとの戦いなどで武勲をあげていたので、護衛をつけて欲しいと申し出た。民衆はペイシストラトスの策略にはまって要求を聞き入れたが、これらの護衛たちは、ほどなく僭主の脇をかためて擁立の支えとなった。

しかし、ペイシストラトスの支配は安定せず、二度も敵対勢力の反撃にあって失敗している。彼は退散するのも思い切りよく、ふたたび態勢を立て直すのだった。ギリシア北方のトラキアで金山の採掘で富を築き、傭兵を集め、反抗の機が熟するのを待った。ここでも息子たちが手助けをし、やがて、ほかのポリスの僭主容認派の協力をも得たという。ほどなく敵対勢力をアッティカ中央部で打ち破り、安定した僭主政の確立に成功する。明確な年代ははっきりしないが、おそらく前五四六年のことだったらしい。

僭主の台頭の背景には、平民層の不満がつのっていたことも忘れてはならない。そのために、ペイシストラトスは民衆の合意を大切にする態勢をとりつづけた。なによりも心にかけたのは中小農民の待遇であった。アテナイ社会の大半をなす農耕市民を保護育成することは、ソロンの改革以前から背負わされた歴史的課題であったのだ。

そのためには、党争（スタシス）の元凶になっている地主貴族たちの力をできるだけ抑えなければならない。まがりなりにも内紛の少ない安定した社会を実現すること、それは僭主に課せられた使命であった。資財と傭兵の軍事力に支えられていたとはいえ、ペイシストラトスの支配は合法であるという体面をもっているべきだった。

## 勧農政策を進めたペイシストラトス

なるほど僭主政は、一人支配という意味では、独裁政にちがいない。だが、なによりも大衆の人気を得ることに支えられていたことも確かであろう。ペイシストラトスという個人に注目すれば、なにがなんでも手練手管を用い、どこに真意があるのか分からないような動機で僭主を志していたかに見える。せんじ詰めれば、ただやみくもに僭主になりたかったのではないかと思いたくもなる。

ギリシア世界にあって、後世の人々は、しばしば僭主政の専制支配を非難したのだが、僭主ペイシストラトスの統治については、讃えることはあっても、悪しざまにあげつらうことはほとんどなかったという。だから、哲人アリストテレスですら「平素彼は万事法に従って治めて行き、決して自己の利益を計ることがなかった」(『アテナイ人の国制』第一六章 村川堅太郎訳)と語るのをためらわなかった。それがどれほど事実に即していたかどうか、それはそのままには信じ難いが、同時代の人々の多くがそれを疑わなかったのだろう。

ペイシストラトスが僭主になろうとした動機がどうあれ、彼の為政者としての行動を見れば、彼がある見取り図を描いていたことは想像に難くない。それは、かの賢人ソロンの改革路線の道にそって人々を率いることであった。じっさい、ペイシストラトスは、アテナイの国制に手をつけることはなかったが、ただ自分の一族や支持者が国政の要職に就くように配慮することにはぬかりなかったという。その点では僭主政の独善的性格はまぬがれないが、合法的な手続きを経ていたからか、民衆も納得していたのだろう。

概して言えば、ペイシストラトスの統治は恵み深いものだったという。なによりも勧農政策を進めるなかで、田園に住む農耕市民たちに牧草地にオリーヴやブドウを植えることを推奨し、とくに貧困市民のために農業資金を貸し付けしたとも伝えられる。また、自らは貴族身分の出であったが、貴族の側に立って農民を圧迫することなどきっぱりと拒んだという。さらに、土地をめぐって農民が自立する立場を獲得するようになったのも、彼の配慮のたまものだった。

ソロンの改革以後であっても、アテナイ社会は安定していたわけではなく、その混乱の主たる要因の一つは中小農民の不満にあっただろう。このようにしてみると、「調停者」ソロンがなしえなかったことに注目して、「僭主」ペイシストラトスは民衆の側に立って達成できたと言えなくもない。

このなかで、市民間の内紛が少なくなり、貴族一門の公職独占が破られつつあったし、少なくともかつて自分たちに都合のいいように気ままに権力をふりかざしていた世は過ぎ去っていた。公職者といえども法の権限下にあり、ある意味では公僕のごときものになっていたのかもしれない。その反面で、貴族と平民の差異が縮まり、民衆が負債や党派の束縛を受けない自由な人間として自分の足で地を踏めるような時代が訪れつつあった。

## 国力が充実し貨幣も流通

文化・宗教面に目をやると、まず建築事業が浮かび上がってくる。アクロポリスの丘上に守護女神アテナの神殿を建造して装飾をほどこしたとかつては見なされていたが、近年ではもう少し後代の建

女神アテナの像。アテネ国立考古学博物館蔵

造とする説が有力である。このように史料も考古遺品も少ない僭主政時代の建築事業は、おそらく主として中心市に神殿建築や神域整備があっただろうが、はなはだ分かりにくいところがある。

また、祝祭にもひとかたならぬ熱意を示している。守護女神アテナの誕生を祝うパンアテナイア祭は国をあげての祭儀に高められ、ここで体育、演奏、吟唱などの競技会も加わり、ギリシア各地から人々が集まってきた。伝来の口誦叙事詩だった『イリアス』『オデュッセイア』が文字に書き記され今日に伝わるのは、この競技会からだったらしい。また、もともと地方で行われていたディオニュシア祭を中心市アテナイに移動したのも、ペイシストラトスの命によるという。この大ディオニュシア祭に合わせて、悲劇や喜劇が上演されるようになり、不朽の名声とともに今日に伝わっている。

さらに、平穏になったアテナイでは、やっとのこと国力も充実し、陶器の生産がことさら盛んになった。それまでコリントス陶器が広く輸出されていたが、それに代わって、黒絵式のアッティカ陶器がギリシア世界に広範に行き渡るようになり、さらにほどなく、それを凌(しの)いで華麗な赤絵式のアッティカ陶器が出まわるようになった。

さらにまた、アッティカ固有の貨幣が打刻され、本格化するのもペイシストラトスの治世であった。貨幣が広く出まわれば、市場も出現したはずであり、商工業者が台頭してきたであろう。彼らが僭主政の土台を支えたという見解もあるほどである。

**財源確保のため農民に租税を課す**

「調停者」の精神を「僭主」の力が実現したという意味では、ペイシストラトスは善政として讃えられても不思議ではない。だが、そもそもポリスが「農耕市民の戦士共同体」であったという建て前からすれば、そこから逸脱して反ポリス的な面も露(あらわ)になっている。僭主政にありがちな独裁者の顔もちらほら見ることができるのだ。

なによりも、農民たちには、収穫の一〇分の一（別伝では二〇の一）が租税として課せられたという。それまでギリシアの農民は貢租の義務がないという史上稀(まれ)にして特異な地位にあったのだが、貢租は僭主の財源確保になるのだから、そこに勧農政策の狙いがあったと言えなくもない。

もっとも農民の側からすれば、貴族政下における負債の重荷から解放されていたのだから、新しい貢租への不満は少なかったのかもしれない。それに加えて、村の裁判役を任命して巡回させるとともに、ペイシストラトス自ら田園に出向いて視察して回ったというほどの気の入れようだったらしい。

ペイシストラトスの僭主政は、独裁者としての力量を示唆しながら、なお民衆を重んじる民主政への道を切り開いた点で特異であったと言えるかもしれない。彼の治世が高く評価されるとすれば、ひとえに彼の聡明さが抜きん出ていたためではないだろうか。彼は自分が背負った任務をよく心得ていたし、法を重んじながら事態に対応する政治術にすぐれた人物であったのだろう。

ここには、独裁政と民主政が必ずしも相対立するものではないという典型的な事例がある。世界史の大きな流れを見るとき、悪しき独裁政と善き民主政と見る傾きがあるが、その見方もまた一つの歴史的産物であるかもしれない。じっさい、古代ギリシアにおいても、スパルタやアテナイでよく知られるように民主政が発展していくのだが、少なくとも数百はあったギリシア人のポリス全体に目を向ければ、僭主政をくりかえすポリスも少なくなかった。その問題については後述することにするが、シチリア島のポリスの事例はギリシアにおける別の典型としてあげることになるだろう。

### 追放された圧制者ヒッピアス

それはひとまずおくとして、政治家としての資質に恵まれた聡明なペイシストラトスであってこそ成り立ったことでも、僭主にすぐれた人物を得ないとき、僭主政の独善的性格が露(あらわ)になり、崩壊への道のりは長くない。

前五二八／五二七年、ペイシストラトスが病死すると、それまでも父親を支援してきた息子たちが僭主の地位を継いだ。長子ヒッピアスと次子ヒッパルコスが共同で統治する。父親の善政を見ていたせいだろうか、二人でたずさわっていたときは、それなりに穏当な政治だったらしい。ヒッピアスは穏健な人物であり、ヒッパルコスも学芸に熱心であった。パンアテナイア祭にホメロスの叙事詩の朗読を導入したのも、ヒッパルコスの尽力が大きかったという。また、赤絵式の陶器が興隆したのも彼の奨励するところだった。二人はほかの貴族たちとも協調を図り、敵対する貴族との融和を心がけたらしい。中心市と田園を問わず、石造の神殿や公共施設が建設され、公共の祭祀が前面に出てきたのも、アテナイ市民団の協調をひときわ意図していたのだろう。

しかしながら、前五一四年のパンアテナイア祭の日に、弟のヒッパルコスが暗殺されてしまう。古代ギリシアでは同性愛はめずらしいことではなかったが、美青年をめぐる三角関係のもつれのせいだった。兄のヒッピアスは態度を硬化させたので、対立貴族たちは亡命してしまう。市民に対しても警戒をつのらせ、圧制者として君臨する。独裁者としての暴政がむき出しになると、敵対勢力の策動はますます勢いづく。亡命貴族のなかから名門家系のクレイステネスは帰国しており、反僭主運動の中心をなしていたスパルタの支援の下で、ヒッピアス一味を追いつめ、追放した。ここにペイシストラトス家の僭主政支配は崩れ去った。

パンアテナイア祭の行列。パルテノン神殿北側壁面。アクロポリス博物館蔵

**古拙期ギリシアにおけるポリスのときめき**

前四世紀の喜劇詩人メナンドロスによれば、ギリシア世界の都市国家は一〇〇〇ほどあったらしい。それにならえば、前八～前六世紀の古拙期あるいは前古典期のギリシア世界には、少なくとも数百のポリスがあ

ったことだろう。それらのなかから、とくに大国のごとくときめいていた都市を四つほどとりあげて、本章では語ってきた。

軍事大国スパルタ、経済大国コリントス、文化大国ミレトスがあり、そして軍事・経済・文化を結び合わせたような文明社会の大国アテナイが歴史の舞台に登場している。スパルタやアテナイばかりに焦点が当てられがちだが、歴史の大きな流れをこのように理解するのも一つの試みとしてあるのではないだろうか。

この時期の歴史は同時代の文書史料が少ないために、後世の文書のなかの言及から推察される出来事も少なくない。だから、そこには史実が反映されているというよりも、後世の人々の思惑がひそんでおり、むしろ「歴史が創られている」という一面もあるのだ。それを念頭におきながら、歴史を想像していただければ幸いである。

第三章

# 熱意と思索の結晶

1920 年代にアルテミシオン岬の沖で発見されたポセイドン像。前 460 ～前 450 年頃。高さ 209cm。アテネ国立考古学博物館蔵

## 1　クレイステネスの民主政

### ギリシア人とは何か

今日、ギリシアとよばれる地域はバルカン半島の南部にある。そこには、前二千年紀以来、印欧語系の人々が押しよせる波のごとく、いく度も移住してきた。移住というよりも侵攻してきたという方が実情だろう。そこは気候こそ温暖であっても、決して豊かであるとはいえない風土だった。

後世には、ドーリア系、イオニア系、アイオリス系などといわれる人々が、どのようにギリシア人としての同胞あるいは仲間の意識をもつことができたのだろうか。ギリシア人の歴史が、世界史のなかで、ひときわ特異であるだけでなく、ことさら普遍的なものをもたらしたという意味でも、興味深いところがある。

前六世紀末頃のギリシア世界を見渡せば、ギリシア本土だけではなく、東は小アジア、北は黒海沿岸地域、西はイタリア半島南部のマグナ・グラエキアとよばれる地域やシチリア島、南仏沿岸部のマッサリア（現マルセイユ）など、さらに南はエジプトやリビアの沿岸部におよぶ広大な地中海沿岸の範囲をふくんでいた。このようなギリシア世界は多種多彩な姿をしていたことは忘れるべきではない。

これらのギリシア人が、仲間とよべるような同胞意識をなぜいだけるのか、それについては、早くも前五世紀に「歴史叙述の父」ヘロドトスが自問している。ペルシア人との戦いにのぞんで、みな「ギリシア人同胞」として行動できる理由はどこにあるのだろうか。

まずは先祖を同じとして血のつながりがあること、次に言語を同一にすること、また神々を祀る場所も祭礼も共通であること、さらに生活習慣が同じであること、これら四つがあげられるという。こうしたことから、ギリシア人たちは地中海沿岸を旅しても、訪れる都市がどこであれ、くつろいでいられたのだろう。

しかしながら、都市の領土や人口規模に注目すれば、多様でまちまちであった。標準的なポリスの領土は一〇〇平方キロメートル未満だったが、アテナイの領域であるアッティカ地域は二四〇〇平方キロメートルもあり、ギリシア世界全体の三番目の広さであった。ちなみに上位の二つは、ペロポネソス半島のスパルタとシチリア島のシュラクサイである。住民人口については、一〇〇〇人を下まわる都市も少なくなかったが、理想的な人口規模としては成人男性市民一万人ほどと考えられていた。そこから、ポリスには数万人の住民がいるぐらいがふさわしかっただろう。

例外的な規模のアテナイの住民人口は、成人男性市民が五万人だったところから、およそ二〇万人と見積もられる。これに奴隷や在留外人を加えると、住民の総人口は三〇万人ということになる。アッティカは市壁で囲まれた中心地域は狭く、田園部の周辺領域が広大であったので、中心市街地には人口の四分の一も住んでいなかったらしい。

ところで、前八世紀の集住(シュノイキスモス)によってポリスが成立したといえば、誤解されやすいかもしれない。もちろんアッティカの田園部に居住する人々もおり、その数は徐々に増えつつあったという。ペイシストラトスの僭主政時代には、市民を市街地から遠ざける政策すらとられていたらしい。田園部には数多くの大小の村落が散在しており、おそらく村落ごとに墓地が隣接していた。

## 民主政と自由平等の理念

前六世紀後半のペイシストラトス家の僭主支配下でも、アテナイ社会の背後には、反僭主派の勢力と寡頭政派の勢力との確執がひそんでいたという。前五一〇年、スパルタ軍の支援で僭主政が転覆され、ヒッピアスが追い出されたとき、反僭主派を率いていたのが名門貴族のクレイステネスであった。だが、寡頭政樹立をめざす一派の頭目イサゴラスが筆頭アルコンになるやいなや、反僭主派は劣勢に立たされた。

前五〇八年、クレイステネスは、さらなる民衆の信頼を得るために、窮余の策に出る。民衆の国制上の地位を強化する法案を民会に提出して成立させたのだ。それまでの貴族中心の四部族制に代えて、一〇部族からなる民衆に重きをなす制度の改革案だった。

虚をつかれたイサゴラス派だったが、ふたたびスパルタ王に武力介入を求め、クレイステネス派は国外に逃れた。だが、民衆はこれを不服として武装蜂起し、イサゴラス派とスパルタ軍をアクロポリスに追いつめ、国外に退去させた。

ただちにクレイステネスは帰国し、すでに通過していた法案にもとづいて、史上を画する改革事業に着手する。改革の主軸をなすのは、なにより十部族制の創設であった。旧来の有力貴族たちの地盤は血縁関係の結びつきの強い部族だった。その地盤が分断され、異なる一〇組の部族編成がなされることになる。

それには、ひとかどの工夫がほどこされなければならなかった。アッティカ全土を市街域、沿岸域、内陸域の三つの地域に分けて、それぞれ一〇の区域に細分する。市街域の一〇区域、沿岸域の一〇区域、内陸域の一〇区域のそれぞれから一区域を選んで、三区域を組み合わせて一部族とするのだ。こうすると部族には、市街域の一区域と沿岸域の一区域と内陸域の一区域がふくまれ、それぞれの部族の構成員の多様な職種や階層も均質化されることになる。

さらに、もっとも基本的ともいえる改革があり、ほかならぬ区（デーモス）の創設である。デーモスという語はもともと村落あるいは民衆を指すが、このデーモスを市民団編成の単位としようとした。おそらく、市街域にあっては街区を設けて分割し、田園部の沿岸域と内陸域では、大きな村落はそのまま一区（デーモス）をなし、小さな村落は隣りあう数村落をひとまとめにして一区（デーモス）をつくることになっただろう。このようにして、それぞれの区（デーモス）の規模を同様なものにしながら、ポリスの政治組織のもっとも基本になる単位を創出しようとしたのだ。この区（デーモス）は現在のところ一三九の区名が知られている。

市民の身になれば、彼らが現実に住んでいるのは通常は区（デーモス）である。彼らは市民である前に区民であり、そこに彼らの家の原籍地があり、それぞれの区（デーモス）に登録されることによってアテナイ市民として公認されることになる。そもそも登録の許可がデーモス構成員の総会における投票で決定されるという物々しさだった。それだけアテナイ市民となるかどうかは、デーモスが決定権をにぎっていたことになる。クレイステネスの改革以後の国政が、民主政（デーモクラティア）といわれる所以（ゆえん）である。

このようにして、旧部族が血縁原理によって結びついていたのに対し、新部族は地縁原理によって組織された集合体であった。これらの部族のなかでは、もはや貴族たちがこれまでのように勢威をふるえないような仕組みができていた。

このような国制ができあがるなかで、デーモスの構成員たちはなにかと責任を感じることがあったにちがいない。もともと建て前としては、最高決定機関は市民総会である民会であったが、日々の行政においていちいち市民全員が集まるわけにはいかない。そこで日常における国家運営の話し合いのためには、五百人評議会が設けられ、各部族からそれぞれ五〇人が出るようにされた。これらの評議員の選出にはデーモス単位で住民数に応じた人数が選出されたという。

さらにまた、十部族制にならって、さまざまな公職にも十人同僚制が採用されている。なかでも、一〇人の将軍（ストラテゴス）が設けられ、軍事力の要になったことが注目される。英語で戦略のことをストラテジー（strategy）というが、そこにはこの要職が軍事活動全体の用兵攻略の要をなしていた名残が偲ばれる。

戦士団もまた十部族制にのっとって編成されている。各部族の軍団を率いる首長が将軍であり、この一〇人の要職は市民総会である民会で選ばれるようになったので、ますます重みをなすようになったという。というのも、クレイステネスの改革後の前五世紀になると、アルコンなどのほとんどの公職が籤（くじ）びきで選ばれるようになったから、それらの公職の重厚さが薄れつつあったのである。それに比べて、将軍（ストラテゴス）の職は、挙手による選挙で公選されたし、再任が認められ在任期間にかぎりがなかったから、アテナイの最盛期にはアルコンを超える最重要な公職になったらしい。

## 政争の道具になった陶片追放

ところで、クレイステネスの改革を史上に名高くしているのは、陶片追放（オストラキスモス）である。陶器の破片（オストラコン）に僭主になりそうな懸念のある人物の名前を書き、その記名数が六〇〇〇を超す場合、その人物を国外に追放するというもの。このオストラキスモスは民主政の輝く代名詞のように知られるが、現実には政権争いの道具として使われるようになってしまった。いち早く有力な政敵を葬るために敵対勢力がその政敵の指導者の名前を記すことになる。およそ民主政の防波堤として役立ったわけではないという。ここにも、どこか歴史の皮肉のようなものがひそんでいる。人間が制度を改革したからといって、そのまま期待したところを実現できるわけではないのだ。

もっとも、貴族の率いる諸勢力間の政争の手段というよりも、非エリート階層が穏健な形で国外追放の手段を手に入れたとする別の見方もある。前五世紀の古典期の間に、陶片追放を受けた者はわずか一〇人しかいなかったから、民主政の支柱のひとつとしては役割をもっており、重要だったということもできる。今日の現代人から見れば、アテナイにおける民主政（デーモクラティア）の主張は当たり前のごとく思われるが、当時の古代人にとっては先行きの見えない暗中模索の感があったにちがいない。

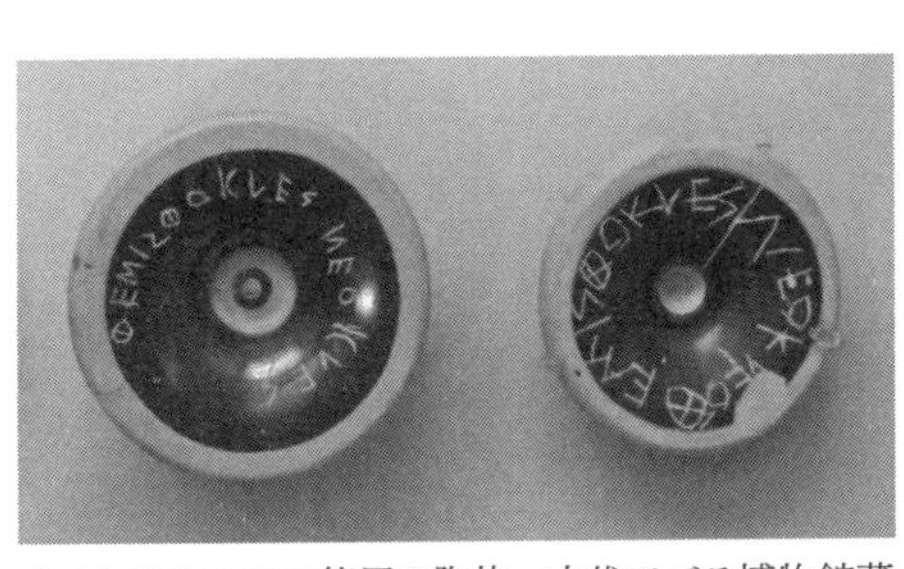

オストラキスモス使用の陶片。古代アゴラ博物館蔵

ともあれ、たしかに、これら一連の改革によって、アテナイ民主政の制度としての枠組みは創出されただろう。しかし、制度ができたから、すぐに人々がそれに従って行動するわけではない。そもそも民主政が成り立つには、前もって市民が平等だという感慨をもつことが大切である。そこに参加する人々つまり民衆が、みずから共に国政に参加するという意識をしっかりと身につけていなければならないのだ。

ギリシアのポリスでは、その成立期において、民衆あるいは平民のなかでも富裕な人々であれば重装歩兵として戦争に従軍する機会があった。そのために、彼らは平時にも国政の担い手として政治的な発言力をもち、国家運営について高い関心をもっていた。しかし、下層民は、重装歩兵の武具自弁原則からすれば、軍事力の一端も担えず、戦場でたいした役割を果たすわけではなかった。それとともに、国政にもほとんど参加できないのである。このような下層民が国家の運営に確たる意識をもつことなどできなかった。だからこそ、これらの下層民が国家のあり方にいくらかでも意を用いるようになる時が訪れるならば、それは画期的な出来事になるのであり、そのときこそ民主政がこの世に根づいていくことになるのだ。それとともに、国防に対する熱意をも高めることにもなるのだから、まさしく「共同幻想国家」ともいえる国家が出現することにもなる。はたしてそのような歴史を画する出来事がなされえるのだろうか。

ところで、このクレイステネスについて、大改革の実施者でありながら、名門家系の貴族であることよりほかに、その人物像はほとんど知られていない。そもそも民主政のための制度の土台を築くという大偉業をなしながら、「調停者」ソロンや「僭主」ペイシストラトスのような権威も権限もなかったとしたら、どのようにして改革に着手し制度の形にすることができたのだろうか。それだけでも疑問は深い。

ただし、この改革の二年後の前五〇六年、はたしてふたたび軍事大国スパルタの武力介入が避けられない情勢になる。おそらく寡頭政派がスパルタ王に要請したはずだが、スパルタにとってはアテナイ民主政を新芽のうちに摘みとっておきたかったのだろう。このスパルタの武力介入の危機を察知したクレイステネス勢力は、東方に君臨するペルシア帝国との同盟締結すら画策したらしい。だが、このクレイステネスの試みは、民衆の反感をかい、クレイステネスは失脚せざるをえなかったという。なによりも国防を重視したクレイステネスの意図は理解されなかったのだろう。それほどまでに、軍備の強化は焦眉(しょうび)の課題となっていたのだ。だが、ここでクレイステネスの足跡は消失してしまう。

## 強さの秘密は自由平等の意識に

ともあれ、南からスパルタ王の率いるペロポネソス同盟軍が迫り、北からはそれに同調するボイオティア軍とカルキス軍が脅威となった。ところが、二名いるスパルタ王が互いに反目し、ペロポネソス同盟軍の足並みもそろわなかった。アテナイにとって、敵軍の不調和に助けられただけでなく、ほどなくボイオティア軍をも撃破し、カルキス領まで進撃して、その一部を占領したという。そこには屯田兵としてアテナイ市民四〇〇〇人を入植させたのであった。

このようなアテナイの快進撃と勝利はめざましいものがあり、それを回顧して歴史家ヘロドトスは述懐する。

かくてアテナイは強大となったのであるが、自由平等(イセゴリア)ということが、単に一つの点のみならずあらゆる点において、いかに重要なものであるか、ということを実証したのであった。というのも、アテナイが独裁下にあったときは、近隣のどの国をも戦力で凌ぐことができなかったが、独裁者から解放されるや、断然他を圧して最強国となったからである。(『歴史』五・七八　松平千秋訳)

なんという自由平等（イセゴリア）への讃歌であろうか。この述懐につづいて、歴史家のもらす感慨は意味深長である。

これによって見るに、圧政下にあったときは、独裁者のために働くのだというので、故意に卑怯な振舞いをしていたのであるが、自由になってからは、各人がそれぞれ自分自身のために働く意欲を燃やしたことが明らかだからである。（上掲書）

歴史家は、アテナイの強大さの秘密が自由平等の意識にあることを見抜く。この洞察は世界史上に燦然（さんぜん）と輝くものではないだろうか。市民一人一人がみずから国家に対する責任と義務を自覚するということであり、その根源となる姿勢が自由平等の思念を共有することだと誇らしげに語られたのである。

## 民主的であることの軍事的威力

それにしても、前六世紀末に、スパルタがアテナイに侵攻したのは、なぜか解せないところがある。もしアテナイの民主政への動きを熟さないうちに潰そうとしていたとしたら、スパルタ国家の在り方への疑問を抑え切れないからだ。

スパルタは古来の家系から二名の王がいたとはいえ、軍事大国の中核をなすのは市民の戦士共同体であった。その市民共同体は平等者（ホモイオイ）の集まりであり、ある意味で徹底した民主主義が実現した国制であった。それにもかかわらず、なぜ民主政国家として興隆しつつあるアテナイに軍事力を派遣したのだろうか。分かりやすくいえば、古参の民主国家が新参の民主国家に牙をむいたという図式が思い描けないわけでもないのだ。

さらに想像力をはばたかせれば、古参の民主国家は強大な軍事力の秘密を知っていたから、新参の民主国家が軍事大国になることを怖れていたという図式も成り立つ。ここで思い浮かべるのが、かつて一九世紀末のアフリカ戦線を一兵卒として体験したW・チャーチルが二〇世紀の戦争について予見した言葉である。この今なお英国民に敬愛される勇相は「来るべき国民の戦争は、これまでの国王の戦争よりも恐ろしいものになる」というのである。国民が一団となって祖国防衛の戦いに参加すれば、それは強大な兵力になり、それだけ悲惨な戦争になるという予見である。

ここでも、ふたたび歴史の皮肉に出会う気がする。いわゆる民主的であることが、成員全体の平等をなによりも大切なものとするのであれば、すでにスパルタはいずこにも劣らず平等であったはずだ。もちろん幼少期から集団をなして厳しく訓練されたがために、軍事大国として勢威を示していたことも異論がない。だが、成員全体が団結して戦いに挑むことが、とりわけ肝要であるとスパルタ人は自覚していたのかもしれない。そうであるとすれば、彼らは民主的であることの軍事的威力にも気づいていたことになる。それゆえ、スパルタは民主アテナイの興隆をことさら危惧（きぐ）していたとも推察される。事によると的外れな拙い議論かもしれないが、この点についてはギリシア史研究者の間でそれほど問題視されていないように思われるのだ。

## 2　先進国ペルシアとの戦争

### 「歴史叙述の父」ヘロドトス

アナトリア半島西南端にあるハリカルナソス（現ボドルム）は、ロドス島の北方にあるコス島を遠望する港町で海上交易の要地であった。その地の水中考古学博物館では、ロドス産をはじめとするさまざまな産地のアンフォラ（両取っ手付き壺）が見られるという。この地の出身者として名高い人物として歴史家ヘロドトスがいる。

前五世紀初頭に生まれ、東西の初対決といわれるペルシア戦争を主題とする長大な『歴史（ヒストリアイ）』を書いたことから、ヘロドトスは後にローマの文人政治家キケロから「歴史の父」と讃えられた。その『歴史』の冒頭の序で、次のように語っている。

　本書はハリカルナッソス出身のヘロドトスが、人間界の出来事が時の移ろうとともに忘れ去られ、ギリシア人や異邦人（バルバロイ）の果した偉大な驚嘆すべき事蹟の数々――とりわけて両者がいかなる原因から戦いを交えるに至ったかの事情――も、やがて世の人に知られなくなるのを恐れて、自ら研究調査したところを書き述べたものである。

ここで「調査研究する」という言葉が、ギリシア語では「ヒストレオ」にあたるところから『歴史（ヒストリアイ）』

という過去にさかのぼる知の営みが生まれたのである。そのために、ヘロドトスは、エジプトやフェニキアおよびメソポタミアの各地を旅して見聞を広め、やがてアテナイに来住したらしい。その後は南イタリアへの植民に加わって、その地で生涯を終えている。ある意味で、東地中海をとりまく世界にあって国際人のはしりでもあったと言えなくもない。

　ところで、古代オリエントには王名表や年代記はあっても、過去の出来事を探究する歴史家は現れなかった。また、それまでのギリシアでも、古来の伝承や故事来歴をたどる記録作家のような事例はあったが、ギリシア人の生態の背景をなすオリエント世界の諸事情から説き起こし、専制対自由という理念を自覚しつつ、過去の出来事を説明するという作家は生まれなかった。つまり、ヘロドトスにあっては、世界史のごとき広大な視野があり、そのなかで、さらに傲慢（ヒュブリス）と報い（ネメシス）という神々の摂理が作用しているかのような独特な史観をもって語ること――それはまさしく歴史叙述であり、ヘロドトスが最初の作家であったと言える。その意味で「歴史の父」であったのだ。

ヘロドトス

　ヘロドトスはペルシア戦争の歴史を語るにあたって、そこにいたる膨大な前史から説き起こす。自分が見聞したことを素材として、ギリシア人をとりまく諸世界を次々にとりあげて話題にしている。第一巻は小アジアのリュディア、第二巻はエジプト、第三巻がメディア人からペルシア人にいたる覇権の拡大に注目し、全九巻の第七巻になってやっと「ヘラス」とよばれるギリシアの地にペルシア人が侵攻して来るのだった。

ヘロドトスは、古来しばしば、説話作家として重んじられてきた。「歴史の父」と讃えたキケロですら、かたわらでは「無数ある作り話でうずめられているが」と揶揄しているほどである。時代としても地域としても広大な範囲にわたっているのだから、どうして知ることができたのかという疑問はつきまとう。

だが、日常の人間は、事実らしき出来事を物語として理解するものではないだろうか。そういう見方をすれば、ヘロドトスの歴史叙述は、ありのままの人間の理解力によびかけるのであって、「作り話」として斥けるのはいささか酷な気がするのだが。

じっさい近代における古代史周辺の諸学は新しい発見と解明を積み重ねており、ヘロドトスの歴史叙述が虚偽ではないことを裏づけているかのようである。つまり、文献学・碑文学・パピルス学・古銭学・考古学などの示唆するところでは、それまでの通念とは異なり、ヘロドトスは意外なくらい正確な事実を伝えているという。

## 先進文明としてのオリエント

ところで、われわれ現代人は、前五〇〇年前後にあって、東のペルシア人と西のギリシア人とが対立を深め、やがてペルシア戦争にいたったことを知っている。今日でこそその名称でよびならわされているが、それは西洋側からの見方であって、正確にはペルシア・ギリシア戦争とよぶべきであろう。

それにちなんで、ペルシア人であれギリシア人であれ、往時の人々がお互いにどれだけ相手側を知っていたのだろうという疑問がわく。およそ情報交換などほとんどできない時世であるから、相互理解などとは心もとない時代であっただろう。

ペルシア人の見方については、歴史家ヘロドトスの示唆するところが興味深い。それによれば、ペルシア人は自分たちがいかなる点でもかくべつに最優秀な民族であり、ほかの民族は自分たちから離れるほどに長所を失っていき、最も遠方にある人々は最も劣等であると考えているという。

その反面で、歴史家はさらに驚くべきことを指摘している。というのも、最も優秀であるはずのペルシア人だが、彼らほど外国の風習をとり入れる民族はいないらしい。美しい衣装を着る人々をまねてそれを着用し、戦争の武具として有用な胸当てがあればそれを身につけるのである。また、あらゆる類の享楽も習い覚えて耽溺（たんでき）するし、その好例がギリシア人に倣（なら）って少年愛にひたることだという。さらにまた、誰でも多数の正妻を娶り、多数の妾を買うというから、男性にとっては快適きわまりない生活だったにちがいない。

ギリシア人の見方については、英語のバーバリアン（ズ）の語源にあたるバルバロイというギリシア語が示唆的である。もともとは「訳の分からない言葉をしゃべる人々」という意味であるが、この非ギリシア語系の人々はしばしば「野蛮人（バーバリアン）」と訳されている。前五世紀初頭において、二〇〇〇年以上も前からの古来のオリエント文明の累積を受容していたペルシア人であるから、彼らは新興のギリシア人よりもはるかに文明人であったはずだが、そのペルシア人も野蛮人ということになる。もっとも、語源にさかのぼって「訳の分からない言葉をしゃべる人々」の意に解せば、ペルシア人もその部類に入るにちがいないのだ。

そもそもこのように異邦人をめぐって、ペルシア人は自国からの距離で文明生活を推しはかり、ギリシア人は言語の差異で内外を区別するらしい。それにしても、ギリシアは狭いばかりか資源に恵まれるとはいえない地域であったのだから、東方のオリエントをさげすむことなどできなかったはずだ。せいぜい大文明の西方辺境に生成した独特な小文明として発展していくほかはなかっただろう。

そのせいか、ギリシア人の目は、古来、東方に注がれていたのであり、その深層にあってしばしばオリエントにつらなっていたのではないだろうか。アルファベット文字、測量技術、あるいは美術様式などの事例を見れば、充分に納得できることである。オリエントは、ギリシア人がより良い生活をおくるための知識をもたらす模範となる地域であっただろう。だが、このようなオリエント、ここではとりわけペルシアの優越性が、どれほどギリシア人の庶民生活のなかで感知されていたかとなると、はなはだ心もとない気がする。

## イオニア反乱

このような雰囲気がただよう前五〇〇年前後の東地中海世界だが、そもそも小アジア西岸のギリシア人は、ギリシア本土に住む人々とは異なる国際環境にあった。この地には、古来、アイオリス方言、イオニア方言、さらにドーリア方言の人々が移民してきて定住していた。前一二世紀におけるヒッタイト王国の壊滅後、覇権なき空白地帯であったので、ギリシア人の植民市は外圧もなく独自の道を歩んでいた。

このような事態が変わるのは、前七世紀になってからである。騎馬遊牧民がアナトリア半島に侵入し、その混乱のなかで、サルディスを拠点とするリュディア王国が強大になった。やがて、イオニア地方のギリシア人植民市は次々とリュディアの勢力下に呑みこまれていった。もちろん、リュディア王国は服属したギリシア人に貢納を義務づけたが、内陸部のリュディアにとって、船を保有するギリシア人は海上交易に慣れ親しんでいたから、なにかと頼りがいがあったらしい。逆に言えば、ギリシア人にとっては、リュディアは内陸の交易活動に通じていたから、両者は通商交易の面で相互に補い合う間柄にあり、友好的な関係にあったという。

しかしながら、前六世紀半ばになると、さらに東方から、嵐のごとき勢いをもつ強大な軍団が迫ってきた。西アジアに覇をとなえるペルシア帝国が姿を現し、その圧倒的な軍勢を前にして、リュディア王国はあえなく壊滅する。イオニア地方のギリシア人植民市もことごとくペルシアの軍門にくだった。といっても、ペルシアはギリシア人の自治は認めており、恭順の姿勢を示しながら、ペルシアに忠実な僭主を立てることを求めたのである。ペルシア帝国の国政に類似する僭主を通して、ギリシア人のポリスの内政に干渉しようとしたのだった。

この傀儡（かいらい）の独裁者である僭主を擁立させる政策は、見事なほど成功したと言ってよい。たとえば、前六世紀末に、ペルシア帝国はダレイオス大王が率いる軍団をもって騎馬遊牧民スキタイに遠征することになった。このときイオニアの有力都市ミレトスの僭主は、ペルシア人の軍団がスキタイに遠征して帰還してきたときも、船橋（せんきょう）を守りつづけてペルシア軍の帰国を実現させている。このためにミレトスはことのほかペルシア王の覚えがよかったという。

だが、それから一〇年余りが経ち、前五世紀初めになると、ペルシア支配に対するイオニア人の反乱がおこっている。しかも、僭主が代替わりしたとはいえ、ペルシアにことさら忠実であったはずのミレトスが反乱の音頭をとったから、どこか皮肉である。ペルシア帝国の治下でなによりも甘い汁を吸って「イオニアの華」と讃えられ繁栄していたはずのミレトスであったから、ペルシアにとっては理不尽であったにちがいない。もっとも、ミレトスでは、僭主政がすたれつつあり、ギリシア人の自由を掲げる動きもあったという。おそらくイオニアのギリシア人の間では、傀儡僭主がはびこっていたことに嫌気がさしており、人々が反感をいだくようになっていたのだろう。

ペルシアに対する反乱の主導権をにぎったミレトスは、ともあれイオニア諸ポリスの傀儡僭主を一網打尽(いちもうだじん)にして、それぞれの身柄を各ポリスに引き渡し、僭主政を壊滅させた。さらに、ギリシア本土のアテナイとエレトリアは、イオニア反乱を支援し、援軍を派遣していたから、反乱の炎は広がりつつあったらしい。

しかしながら、ペルシアも手をこまねいて見ていたわけではない。ほどなく、帝国の反撃が本腰を入れたものになり、やがて反乱の拠点であったミレトスが陥落され、イオニア反乱は鎮圧されてしまうのだった。とはいえ、さすがのペルシア帝国も僭主擁立をイオニアで推進することはできなくなったという。

## ペルシア軍侵攻

ところで、かつてアテナイの僭主であったヒッピアスを思い出していただきたい。僭主としては名君だったペイシストラトスの長子であり、自身も僭主となり、当初はよかった。だが、弟ヒッパルコスの暗殺後、猜疑心が強くなり暴虐な為政者に転じて、やがてアテナイを追われてしまった。

このヒッピアスは、こともあろうにペルシアに亡命しており、早くからアテナイの支配者に返り咲くことを熱望していたという。ペルシアの宮廷に迎え入れられていたとはいえ、もはや老いの身の上でありながら政権奪回を夢みていたのだから、不憫（ふびん）であると言えなくもない。

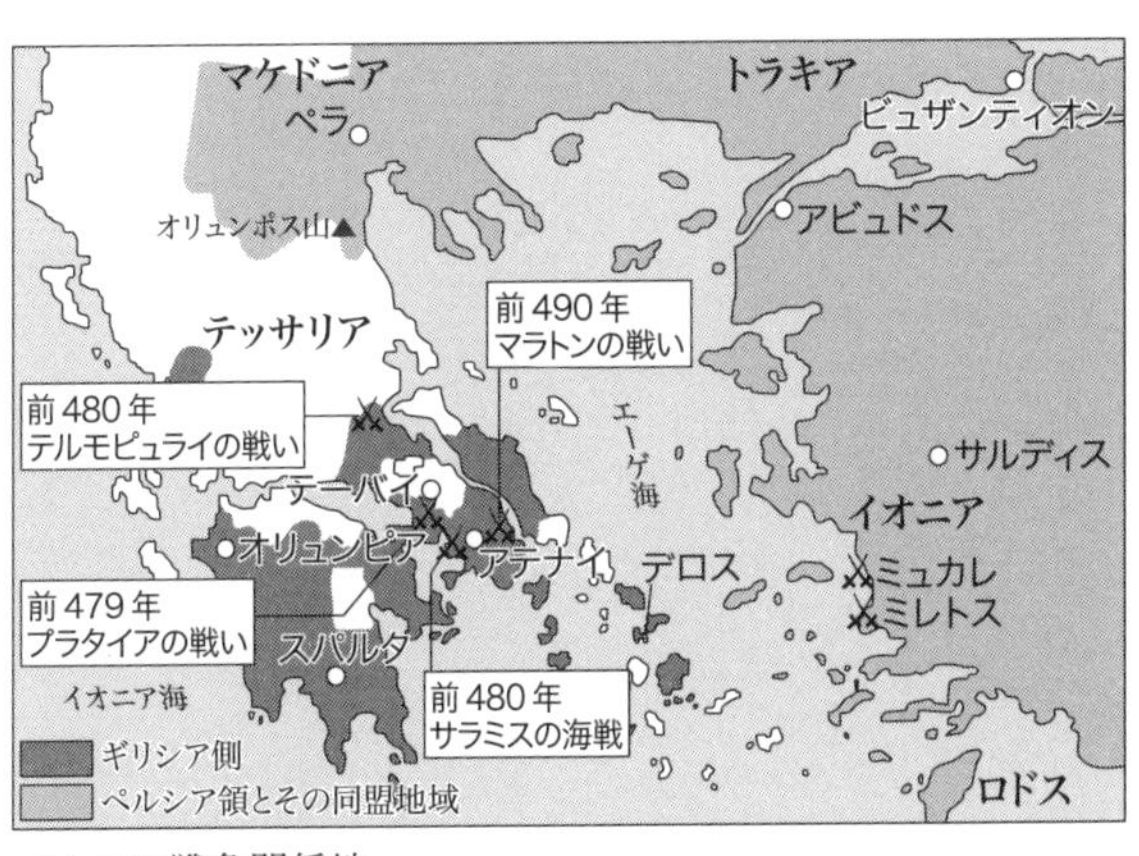

ペルシア戦争関係地

前四九〇年、ペルシア帝国の船隊がエーゲ海を西に進んでいた。イオニア反乱を支援したアテナイとエウボイア島のエレトリアに報復するためだったという。これはペルシアに滞在していたヒッピアスには絶好の機会であった。彼はこの遠征軍に同行し、案内役を務めていたらしい。

ヒッピアスは、ペルシア軍をマラトンの地に上陸させるつもりだった。この地はアッティカ東岸にあり、中心市から三〇キロメートルも離れていたが、なにしろペイシストラトス家の勢力地盤であった。ここに踏みこめば、ヒッピアスは多くの同志を集めることができると読んでいたという。それによって、アテナイの内部分裂を引きおこし、自分が支配者になれるという目論見（もくろみ）だった。

ところが、上陸しても同志は集まらなかった。それどころか、アテナイの重装歩兵軍は迅速に行動し、マラトン平野東南端に陣取って、ペルシア軍を迎え撃つ。さらに、隣国プラタイアの援軍もあり、ギリシア軍とペルシア軍のにらみ合いが数日間つづいた。ほどなく、将軍ミルティアデスの指揮下で、アテナイ軍は突撃し、駆け足戦術や包囲戦術がめざましく功を奏して、ペルシア軍を敗走させた。ミルティアデスはアテナイの名門貴族であったが、やがてイオニア都市の僭主でありながらも、反乱の指導者の一人になり、敗北して、すでにアテナイに帰国していた。

マラトンの戦士団はすばやく行動し、翌日にはアテナイ近郊で臨戦態勢にあったので、ペルシア軍はなす術もなく、アジアの本国に引き返すしかなかったのだ。歴史家ヘロドトスによれば、この戦闘での戦死者は、アテナイ側一九二名、ペルシア側六四〇〇名だったという。だが、ペルシア軍の船隊は七隻を残して海上に脱出することができたらしい。

**ふたたびペルシア軍は侵攻する**

近現代の国民国家の時代でも、スパイのように敵味方の間で暗躍する者もいる。まして、古代であれば、どれほど内外の区別がはっきりしていたのか分かったものではない。アテナイの僭主ヒッピアスも国を追われると、ペルシア帝国に亡命し、そこから祖国の政権の座に復帰しようとするのだから、およそ現代の常識では通用しないことも少なくない。

マラトンの戦いの後も、アテナイ人の内通者がペルシア船隊をアテナイの喉元に向かわせようと合図を送っていたらしい。アテナイ戦士団の対応が迅速であったので、事なきをえたのだった。このような事例が暗示するように、ペルシア帝国になびこうとする人々もかくれていた。いったん引き揚げたペルシア軍がふたたび襲来するかもしれないという脅威があったから、それはアテナイの国内政治に大きな影を落としていたのだ。

ところで、ギリシア最大の軍事大国スパルタは、援軍派遣に応じたもののマラトンの戦いには間に合わなかった。皮肉なことに、スパルタの支援なしでペルシアの大軍を撃退したことで、アテナイの評価はますます高まったという。

脅威と期待が渦巻くなかで、アテナイではテミストクレスなる人物が注目をあびるようになった。この男はかの陶片追放の制度を利用して、反ペルシア路線を掲げることで民衆の支持を集めていたという。なにしろ追放すべき危険人物を記す陶片には、「ペルシア人」とか「売国奴」とか落首されたり、ペルシア兵の戯画が描いてあったりしたのだから、民衆のペルシア嫌悪感はかなりのものだったにちがいない。それとともに、反テミストクレス派もおり、彼らの工作した組織票の数人の手で「ネオクレスの子テミストクレス、出て行け！」と刻まれている。

ところで、このテミストクレスは、「名誉を競う心が衆に抜きんでていた」人だったという。たとえば、マラトンの戦いで一躍英雄になったミルティアデスには、ひどく激しい嫉妬心を燃やしていたらしい。並々ならぬ功名心にあふれていたから、なんとかあの手この手を駆使してのし上がろうとしていたにちがいない。もともと名門貴族の出ではないから、伝来の威信などもちようもなかったのだ。門閥が物をいう政界で重きをなすには、まともなやり方で通用するはずがなかった。だからこそ、テミストクレスは導入されたもののまだ実施されたことのなかった陶片追放なる非常手段に訴えたのであろう。

前四八三年、アッティカ地方の東南部にあるラウレイオン銀山地区で新しい鉱床が発見された。それ以前は、銀貨が打刻され、広くエーゲ海一帯で流通していたが、余剰分は市民の間で分配する慣行だったという。

このとき、テミストクレスは市民を説得してそれを分配せずに、大規模な艦隊を創設する費用にあてて、海軍力を強化するように主張した。すでに一〇年ほど前に行政の最高職アルコンにあったときから、アテナイの外港ペイライエウス（現ピレウス）の建設工事に着手していたのだから、ペイシストラトスは海域のもつ地政学的利点に注目していたのだろう。このときも、同じ反ペルシア派でありながらペイシストラトスの海軍第一主義に反対していた有力者を陶片追放で捨て去る荒業を用いている。まことにやり手の策士とよぶにふさわしい人物だった。僭主の出現を防止するという表向きの理由があったにしろ、これほど裏工作が功を奏しやすい舞台はなかっただろう。

**軍船二〇〇隻を建造しペルシアに対抗**

ほどなく、テミストクレスの提案は民会で認められ、新銀鉱の資金で二〇〇隻にのぼる軍船が建造されている。軍船は三段櫂船（かいせん）といわれ、乗組員二〇〇名のうち一八〇名までが船の漕ぎ手であったという。後になって理解できることであるが、武具を自弁できない最下層の貧しい市民でも漕ぎ手として戦争に参加できることの意義は思いがけず大きいものだった。なによりも、戦争の担い手になり勝利することになれば、市民共同体のなかで発言力を増すことになるからである。だが、この段階では、誰にも予想できないことだったかもしれない。歴史とは歩んだ後で気がつくものだから。

ペルシア王ダレイオスが没し、即位した息子のクセルクセスは父王の遺志をついで大規模な遠征の準備を整えていた。それとともに、エジプトの反乱を鎮圧し、バビロンの乱も平定していたから、クセルクセスは自信満々だったにちがいない。

前四八〇年春、みずから陸海の大軍を率いてリュディアの旧都サルディスを出発し、ヘレスポントス（ダーダネルス海峡）を渡るために、船橋がかけられていたという。大軍は五〇〇万人を超えており、ペルシア軍が船橋を通過するのに七日七晩を要したと伝えられているが、とてつもなく誇張されているにちがいない。このような大ぼらを歴史家がまことしやかに伝えているのだから、古代人らしいと言っておけば微笑ましい。じっさいには、陸上部隊二〇万人、軍船六〇〇隻とほぼ同数の輸送船ぐらいの規模だったらしい。

ギリシアで復元された三段櫂船、オリンピアス号。2022年撮影。©Da jackson　CC BY-SA 4.0

ところで、マラトンの敗北の復讐のために、ペルシアが大々的な準備をしているという噂は、すでにギリシアにも伝わっていたという。手をこまねいて待っていたわけではない。すでにペルシア軍来寇の前年には、コリントスにギリシアの諸ポリスは代表を派遣し、対ペルシア連合を結成しようとした。だが、ギリシア側の足並みはそろわず、なかには中立を掲げたり、ペルシア側に心を寄せたりするポリスもあったというから、始末におえなかった。幸いにも、二大強国のスパルタとアテナイが固く手を結んだことは、ギリシア連合に救いだったにちがいない。

このとき、アテナイの指導者として絶頂期にあったのだから、テミストクレスはいち早く手を打っていただろう。おそらく、ギリシア連合軍が戦略を練るにあたっても主導的な役割を演じていたし、作戦指導にあたっても果敢に行動したにちがいない。まさしく類稀(たぐいまれ)な策謀家の面目躍如たるところだった。

なんといっても空前のペルシアの大遠征軍の襲来である。まずは第一次防衛線を設け、そこで海軍も陸軍も防衛を死守することである。海上においては、ギリシア本土の東に位置するエウボイア島の北端のアルテミシオン沖を定め、陸上にあっては、中部ギリシアの要衝テルモピュライを想定した。両地点は一〇〇キロも離れていなかった。

## 婦女子を友好国に避難させて決戦へ

この決戦をひかえて、アテナイは重要な決議をなし、その内容は「テミストクレスの決議」碑文として残されている。

神々。評議会と民会の決議。フレアッリオイ区の人、ネオクレスの子テミストクレスが提案した。ポリスをアテナイの守護神アテナと他のすべての神々に、彼らが国土をバルバロイから守り防ぐべく委ねるべし。アテナイ人はすべて、そしてアテナイに住む外国人は婦女子をトロイゼンに移すべし、国土の創設者（ピッテウスが守護者であるから）。老人と動産はサラミスに移す。財務官たちと女神官たちとはアクロポリスに留まり、神々の財宝を守る。残りのすべてのアテナイ人と兵役年齢の外国人とは艤装した二〇〇隻の船に乗り、彼ら自身と他のヘラス人の自由のためにラケダイモン人、コリントス人、アイギナ人そして他の危険を共にすることを欲する人々と共にバルバロイを防ぐべし。

（中略）

すべての隊が分けられ、三段櫂船に籤で割り当てられたならば、評議会と将軍たちは万能のゼウス、アテナ、ニケ、安全のポセイドンを宥めるべく犠牲を捧げてから二〇〇隻全船に乗船さすべし。軍船が乗船を完了したら、一〇〇隻をもってエウボイアのアルテミシオンに救援に赴き、一〇〇隻はサラミスと他のアッティカ周辺に投錨し、国土を守るべし。

（後略）

（Meiggs-Lewis 23）

西アジアに君臨するペルシア帝国の襲来をひかえて、迎え撃つアテナイの並々ならぬ決意のほどがにじみ出た碑文である。野蛮人（バルバロイ）とは、伝来の文明大国ペルシアであっても「訳の分からない言葉をしゃべる人々」であれば、やはりバルバロイにすぎないという敵意のほどがほとばしっている。老人婦女子をペロポネソス半島東端の友好国トロイゼンに避難させ、ヘラス人（ギリシア人）の自由のために、ラケダイモン人（スパルタ人）以下の危険を共にする人々と協力してバルバロイの襲撃に備える、その悲壮な様相がひしひしと伝わってくる碑文である。

ペルシアの大軍は陸海ともども呼応して、中部ギリシアのアルテミシオンの沖合とテルモピュライの地峡に集結するギリシア連合軍に迫っていた。ペルシア海軍はアルテミシオンの対岸にひとまず拠点をかまえたので、両軍は相互に動静をうかがうことができたらしい。ギリシア海軍の大半はアテナイの艦船であったが、表向きはスパルタの将軍が総指揮をとったという。連合諸国の強い希望があったのだが、それだけ軍事におけるスパルタの声望が高かったからであろう。だが、現実の場面になると、指揮する将軍はアテナイ人であり、まさしくテミストクレスその人にほかならなかったという。

最初の海戦はギリシア海軍が行動をおこし、不意をついてペルシア海軍を攻撃したらしい。ほどなくペルシア艦隊が反撃に出て、ギリシア艦隊を包囲しようとした。ギリシア側は陣形の中央に船尾を向けながら船首を敵に向けた布陣で抗戦し、激烈な海戦になったらしい。

やがて夜陰が深まり、戦況はおさまるしかなかった。

翌日になると、アテナイ海軍が増強され、夜が訪れるころに敵の艦隊を奇襲して、一部の艦隊を壊滅させたという。海戦の三日目、ペルシア艦隊が攻勢に出て、激戦になったが、勝敗がつかないまま夕刻をむかえていた。このときまでに、アルテミシオン沖の海戦は、ペルシア軍もギリシア軍も膠着状態だったのである。

## スパルタ兵三〇〇人が玉砕

ところで、陸上に目を向けると、事情は異なっていた。海戦も陸戦も同日に始まり、アルテミシオン沖の海戦ではアテナイを中心とするギリシア連合艦隊が迎え撃ったが、テルモピュライの地峡で待ちかまえるのはスパルタを中心とするペロポネソス同盟軍だった。

テルモピュライは「熱い門」という意味であるが、北方の敵が来襲するのに備えて、現地の先住民が築いた古い堡塁と湧き出る温水に由来するという。今日では古代とかなり地形が変わってしまったらしい。古い堡塁は、東端と西端にある関門では、道幅は車一台がやっと通れるというほどの狭さであったという。これなら少数の兵力で大軍を塞き止めるには絶好の地点であった。しかも、重装歩兵軍の強敵となる騎兵軍にいたっては、どこにも活躍の余地はなかったという。

このような陸と海との戦いが同時に進行したのは、テルモピュライの防御を成功させるためには、海軍の援護が絶対に欠かせなかったからである。アテナイの強力な海軍力は、テルモピュライ守備隊の背後にペルシア艦隊を上陸させないための全力をつくすことが求められていたのだ。

もはやテルモピュライの陸戦とアルテミシオン沖の海戦は切りはなすことのできない同一の作戦行動だった。この陸上での戦いは、ギリシア軍は、国別に軍隊を編制して交替で戦闘にあたったという。しかし、二日目の遅く、「不滅隊」とよばれるペルシア軍の実動兵力の一行が姿を現す。彼らは、ギリシア軍守備隊の背後をつくべく、地元民の案内で間道に向かって出発した。この闇夜の部隊は夜を徹して山道を進軍し、明け方、ギリシア部隊の一群に遭遇する。だが、突然の敵の出現にうろたえたギリシア兵は応戦態勢も整わないまま弓矢の猛烈な攻撃にさらされ、追われて散ってしまったという。

この「不滅隊」は深追いすることなく、ひたすら道を急いでいる。この迂回が成功したことが、ほどなくテルモピュライの地峡を守備していたスパルタにとって不幸をもたらすのだった。この逃亡の出来事は、この時点では、ほかの地所を守備するギリシア兵には知りようもなかった。

レオニダスの像。スパルタ考古学博物館蔵

とりわけ中央隘路をはさむ戦いは激烈をきわめ、数に優っているとはいえ、ペルシア側は戦死者が続出した。ペルシア軍兵士は押し合い圧し合いになり、海中に墜落する者あり、下敷きになって圧死する者ありで、悽惨をきわめたという。クセルクセス王の異母兄弟二人も戦没したらしい。

たしかにこの戦いは多勢に無勢としか言いようがないが、苦戦であっても地の利を占めたギリシア防衛軍がまだ優勢なときもあった。だが、迂回していた「不滅隊」がギリシア軍の背後に現れたとき、戦局は急転してしまう。

もはやギリシア兵たちは前後を挟み撃ちされるだけだと覚り、動揺が走った。個々人で撤退するしかないという意見が高まる。騒然とした雰囲気のなかで、スパルタ王レオニダスは決意のほどを表明した。逃げ出したい者にはそれを認めながら、自分と運命をともにしたい部下のスパルタ兵たちを結集した。スパルタ兵三〇〇人が王の下にはせ参じ、彼らとともに行動しようとする他国の兵たちも寄りそうのだった。

レオニダス王は麾下のスパルタ精兵三〇〇人とそれに同行する兵たちとともに、ペルシア軍を迎え撃つ。伝説によれば、このとき、ペルシア王クセルクセスは「武器を渡せ」との投降勧告の書簡を送ったという。それを受け取ったレオニダス王は「来りて取れ！（モローン・ラベ）」との返書を送ったらしい。投降を潔しとしない武人の決意がにじみでており、峻厳な王の勇姿が偲ばれる。今日、テルモピュライの戦跡やスパルタ市内を訪れると、武装したレオニダス王の立像を見ることができるが、その台座正面にはまさしく「モローン・ラベ」のギリシア語が刻まれているという。

　ペルシア兵の大軍に囲まれたスパルタ軍は徹底抗戦の悲壮さがただよっていた。槍が折れれば、剣を手に取り、さらには短剣までかざし、ついには素手で抵抗したり、噛みついたりもしたらしい。だが、精根つきはて、やがて豪雨のごときペルシア軍からの矢が襲いかかり、全員もろとも討ち死にして玉砕したのだ。壮絶きわまりない激戦であった。

　ペルシア戦争を描いたヘロドトスの歴史叙述のなかでも、もっとも感動をさそう場面であろう。戦場跡に建てられた墓碑には、叙情詩人シモニデスの軍歌のような詩がとりわけ心を引く。

遠国の友よ、ラケダイモンの国びとらに伝えてほしい、
御身らの命に従いて、われらがこの地に打ち果てたと。

もはや誰も生き残ってはいないのだ、通りすがりの他国の人に玉砕の知らせを伝えてほしいとの願いが悲痛である。今日でも、いく度も映画化されているのも多くの人々の心を動かすからだろう。

　このテルモピュライ守備隊の玉砕の知らせは、その日のうちにアルテミシオン沖のギリシア海軍にも届いたという。海戦はつづいていたが、陸上の防衛線が突破されたとなれば、もはや海上だけでの

防衛は無駄でしかない。ギリシア連合艦隊はさっさと撤退の挙に出て、四日後にはサラミスに戻ったらしい。

## まんまと計略にはまったペルシア王

このギリシア海軍の行動は、歴史家ヘロドトスの目には、狼狽(ろうばい)しており臆病風にふかれていたように見えたというが、はたしてそうであろうか。テルモピュライの防衛線を突破してペルシア軍は勢いづいていたにちがいない。その猛々(たけだけ)しい勢いをそがれれば、どこかで牽制されているかを怖れながら、慎重になってしまい消極的にしか出られなくなるのではないだろうか。

さらに、そればかりではなく、このアルテミシオン沖からの撤退の裏には、まさしく知将テミストクレスの先を見すえた謀略がひそんでいたにちがいない。もはやアテナイの老人婦女子は市街地を離れ、トロイゼンなどの友好国に疎開していた。ほどなく中心市はペルシア軍によって占領され、アクロポリスも陥落して、神殿は略奪され放火され、焦土と化していた。そればかりか、郊外のアッティカの田園も踏みにじられて荒れ放題になっていた。

アテナイ市民の成年男子は、在留外人ともども二〇〇隻の軍船に分乗して、連合軍の他の海上部隊とともに、サラミス島の湾岸に待機していた。アッティカの外港に拠るペルシア海軍は、狭いサラミス水道にうかつに進入するわけにはいかず、せいぜい外側に待機して海上封鎖をつづけるしかなかった。補給路が断たれれば、ギリシア海軍はたまらずにサラミス湾から漕ぎ出してくる、それを待っていたのである。

だが、知略にまさるテミストクレスは、ペルシア海軍の慎重な見通しにまさっていた。テミストクレスは、側近の召し使いの男に内命をあたえ、ペルシア軍が喜びそうな情報を伝えさせたという。ギリシア海軍は、足並みがそろわず逃走を図っており、海戦ともなれば親ペルシア陣営と反ペルシア陣営との同士打ちがおこることも懸念されており、主力のアテナイ艦隊の寝返りすらありうることを告げ知らせたのだ。

こともあろうに、ペルシア王クセルクセスは計略にまんまと引っかかってしまうのだった。情報を得た当日、その日の日没後に出動するように布告した。夜陰にまぎれてサラミス水道に進入し、その入り口あたりに浮かぶ小島に歩兵部隊を上陸させた。海戦で漂着する者がいれば、味方は救出し、敵は殺戮するつもりだったという。

サラミス島の東部にある湾岸に集結し待機していたギリシア艦隊は、ペルシア艦隊が夜通し水道奥深く進入していくのを待っていた。今や、三〇〇隻余りのギリシア海軍と四〇〇隻余りのペルシア海軍が激突しようとしているのだ。それは歴史的な海戦になりそうな予感がただよっていた。

朝日が昇り、広く陸と海を照らすころ、ギリシア艦隊は戦列を整え、全戦列がペルシア軍の視界にあざやかに浮かび上がった。不意をつかれたペルシア艦隊であったが、アテナイ艦隊の裏切りを期待していたので、しばらくは油断していたらしい。しかし、ギリシアの全艦艇がくっきりと姿を現し、戦闘開始のラッパが鳴り響いたとき、ペルシア海軍将校たちの心の内には「裏をかかれた」という恐怖が走ったという。

ギリシア艦隊は、青銅の衝角(しょうかく)を頭にして体当たりの戦法をとったのである。ペルシア海軍の有力船団であるフェニキア艦隊もこの衝角戦で船首飾りのあたりをすっかり破壊されてしまったという。船が船を狙って突撃する海戦であるから、戦列の維持は欠かせなかった。だが、長蛇のペルシア艦隊も、はじめのころは持ちこたえていたが、狭い海域に多数の船が集まってしまったせいで、ギリシア艦隊の衝角戦法で攪乱されてしまうのだった。

整然とした戦列のギリシア艦隊と戦列を乱し錯綜したペルシア艦隊では、もはや勝負はついていたと言えるかもしれない。とりわけ、主力軍勢の一角を担うフェニキア艦隊が戦意を喪失しつつあったことは、ペルシア軍にとっては敗勢の念をきわだたせるのだった。

海戦は終日つづいたというが、夜のとばりが下りるころに中断してしまう。しかし、陽が昇っても、戦闘が再開される気配はなかったという。クセルクセス王の率いるペルシア軍は、すばやく撤退してしまった。この出来事が知れたのは翌朝のこと、このとき初めてギリシア連合軍は自分たちの勝利に気づいたという。

## 敗者の豪勢な暮らしに驚く

昔から航海に秀でていたフェニキア人の艦隊はペルシア海軍の華であったが、このフェニキア艦隊がギリシア艦隊の衝角戦法で出鼻をくじかれたことで戦意を失ってしまったのだ。ペルシア軍は強大な軍事力をもっていたとはいえ、しょせん多民族国家の寄せ集めにすぎなかった。もともとペルシアの支配に不満をいだく人々も少なくなかったにちがいない。おそらく多民族集団の上に君臨する世界帝国の弱点がさらけ出されたのだった。

ところでサラミスの勝利の後、テミストクレスは、かつて嫉妬の炎を燃やしたミルティアデスを超えるほどの栄光につつまれていた。この戦争の殊勲者を選ぶというとき、指揮官たちは誰もが筆頭に自分の名前をあげたが、第二位には皆がテミストクレスの名をあげたと伝えられている。ひときわ競争心の強いギリシア人ならではのエピソードである。

サラミスの海戦後、ペルシア海軍も来襲しなかったが、ギリシア海軍も追撃しなかった。ただし、エーゲ海の島々のなかには、ペルシア側を支援した人々もいたので、懲罰として賠償金がとられている。軍資金として徴収されたというが、歴史家ヘロドトスによれば、これでテミストクレスは私腹を肥やしたと非難されている。いささか悪意のある見方であるかもしれない。

ペルシア海軍は、クセルクセス王とともに、アジアの本国に引き揚げたが、ペルシア陸軍はほとんど無傷のままギリシア北部に残留した。その地で冬を過ごし、翌年、ふたたび南に侵攻する。アッティカの北方で隣接するボイオティアにペルシア軍が入ると、アテナイの人々はふたたびサラミス島に疎開するのだった。七月になると、ペルシア軍はアッティカに侵入し、無血占領してしまう。

やっとのことで、徹底抗戦を唱えるアテナイの要請に応じて、ギリシア連合軍が結成され、スパルタの将パウサニアスを総帥として出動した。決戦の地はボイオティア南西端のプラタイアの平原であった。アッティカ占領を成しとげたのだから、さっさとボイオティアに退いて戦ってもよかったのである。しかも、ペルシア軍がかんたんに後退したので、ギリシア連合軍は罠にはまった形でプラタイアの地に誘いこまれた。

ペルシア軍は、軍事的圧迫による敵陣営の分裂を狙っており、まずは持久戦態勢をとっていた。じっさいアッティカの地を蹂躙されていたアテナイ軍は戦意旺盛であり、総帥に楯つくほどの勢いがあったという。しかしながら、ギリシア連合軍の苦境はそれどころではなかった。ペルシア騎兵隊の暗躍で補給路を断たれたり、水源の泉を破壊されたり、ほとんど崩壊寸前まで追いこまれていた。

この惨状を救ったのが勝ちを焦った敵将の不覚であった。ギリシア連合軍の混乱を戦意喪失による内部分裂と早合点するや、攻撃の機会を焦ったのである。ギリシア連合軍は戦意喪失などしていなかったし、ペルシア軍を迎え撃つ態勢に乱れはなかった。最後の段階で形勢は逆転し、ペルシア軍は敗退した。ギリシア連合軍は九死に一生を得たばかりか、大勝したと言えるほどだった。

戦いが終わって、総帥であるスパルタの将パウサニアスは、敗死した敵将の幕舎を見物している。その豪華な金銀の調度品に驚嘆し、幕舎付きの料理人を引っぱり出してペルシア料理を作らせたが、その豪勢な料理に度肝を抜かれたという。さらに自分の部下に命じてスパルタ風の料理を作らせたのだが、両者の違いがあまりにも凄まじいので、パウサニアスは笑い出すしかなかった。すぐにギリシア連合軍の将軍たちを集め、訓示をたれたのだった。

かくも豪勢な暮らしぶりのペルシア大王が、こんな貧弱な食事しかとらないギリシア人から物を奪いとろうとしてわざわざやって来たというのだから、愚の骨頂も甚だしいではないだろうか。

しばしばギリシア人はペルシア人の贅沢と怠惰を非難する。それと対比して、「貧困はギリシアの伴侶」という言葉もある。とりわけスパルタ人は質素を旨としていたというから、ここにはギリシア人の価値観が示唆された訓話があるのだろう。

一方、ギリシア人の艦隊は小アジアのイオニアに赴き、ミュカレ岬の合戦でペルシア軍に勝利した。やがて艦隊は北上してヘレスポントス海峡に向かったが、すでにペルシア軍の船橋は撤去されていた。それを確認すると、ギリシア連合軍はそれぞれに本国に戻るのだった。

## 勇者テミストクレスの光と影

このような一連の戦史をたどっていくと、あらためてテミストクレスの有能さがきわだってくる。それればかりか、彼はさらなる功績を重ねるのだった。サラミスの海戦の翌年、テミストクレスはペルシア軍によって破壊された城壁を再建するように民会に提案し、工事に着手する。ペロポネソス半島の大国スパルタは、城壁の再建はアテナイの強化になることを警戒していたので、その目を欺いておくのがよい。一計をめぐらし、みずから使節としてスパルタを訪れて、時間稼ぎを行ったという。その期間に工事を急がせたというから、老獪きわまりない策謀だった。

それにつづいて、ペイライエウス（現ピレウス）を港として要塞化するために、大々的な整備事業に着手したのだ。この地はテミストクレスの時代まで港として役目をはたしていたわけではなかった。しかし、ペイライエウスを天然の良港と見なしたのはテミストクレスの慧眼であった。かねてから海軍主義を唱えていたのだから、ここに海軍国の基盤が据えられたことになる。

ところで、ギリシア連合軍は、アテナイとスパルタの協力を中軸としていたとはいえ、ペルシア戦争にあって、軍事活動全体を統率するのはあくまで軍事大国を誇るスパルタであった。このような事態は、とりわけ海軍力にまさるアテナイの人々には、いまいましく感じられていたにちがいない。だが、意外な出来事から、ギリシア連合軍の統帥権はアテナイに転がりこむことになった。

前四七八年、プラタイアの勝利者パウサニアスを総帥とするギリシア連合軍は、ペルシアから解放されたばかりのイオニア人を同盟勢力に加えた。ほどなくキプロス島まで遠征して制圧し、その後、北上してビュザンティオン（現イスタンブル）を攻略した。だが、その地でパウサニアスは薄暗い疑惑の噂につつまれたという。事の真相は不明だが、自分勝手な独善的行動があったとかペルシアに内通しているとかの不評が立てられたという。スパルタは、すぐさま彼を本国に召還して審問したが、憂慮されたペルシア内通については無罪となったらしい。

おそらく彼の尊大な態度がギリシア連合軍の諸ポリスの反感を招いていたのだろう。パウサニアスは更迭され、後任者が派遣されたが、この人物も衆目の認めるところにはいたらなかったらしい。とりわけ新しく同盟に参加したイオニア人はパウサニアスの傲慢（ごうまん）さに嫌悪感をいだいていたという。彼らは同族の祖として親近感をいだいていたアテナイ人がギリシア連合軍を率いることを切望し、その要請に応じて、連合軍の統帥権はアテナイ人の担うところとなった。

この統帥権の交替は、前五世紀のギリシア史のなかで、きわめて大きな意味をもっている。だが、二人の歴史家の見方がいささか異なっているのは気になるところである。まずは、ほぼ同時代人だがアテナイ市民ではなかったヘロドトスは、「パウサニアスの傲慢さを口実に、アテナイ人はスパルタから統帥権（ヘゲモニア）を奪いとった」と単刀直入に切りこんでいる。だが、一世代後のアテナイ人であるトゥキュディデスは、パウサニアスの侮蔑的な態度に業を煮やしたイオニア人が同族の親しみのあるアテナイ人の指導権を切望していたので、その要請に沿って、アテナイ人はやむを得ず統帥権を引き受けたと歯切れが悪いことはなはだしい。さらに、スパルタ人の側にもペルシアとの戦いという重荷から逃れたいという安堵感への期待もないわけではなかったというのである。

同時代の歴史情勢の流れのなかでながめれば、この移行期こそアテナイが強大となり「帝国」化していく布石になる時代だった。だが、同時代に生きていれば、漠然と感じることはあっても、確証をもって断言できることではない。さまざまな立場や思惑があり、大きな流れがどこにたどり着くかなど誰にもわからなかった。

いささか歴史を先に進めれば、後世の人々は、前四三一年に始まるペロポネソス戦争について知っている。ペルシア戦争のような対外戦争ではなく、まさしくギリシア人の世界がアテナイ中心勢力とスパルタ中心勢力に分かれて戦った一種の「世界大戦」であった。そうであれば、前五世紀半ばの古典期をめぐって、ヘロドトスにはギリシア人の盟主としてのアテナイ人への期待が色濃くあり、トゥキュディデスには盟主であったがためのアテナイ人の混迷が息づいていると言えるのではないだろうか。

## アテナイ主導のデロス同盟成立

ところで、大国ペルシアは、サラミスの海戦とプラタイアの戦いで敗退し、ギリシア本土から撤退したとはいえ、その侮りがたい実力をもって、ふたたび西方に来襲する恐れがなかったわけではない。ギリシア人にとっては、そのための防御態勢は一時たりともなおざりにすることのできないものだった。ペルシアに隣接する小アジア西岸のギリシア人、およびその近辺に散在する島々に住むギリシア人にとっては、反ペルシアの同盟が強化されることはことさら切実な願望であった。

このような風潮のなかで、アテナイはギリシア防衛態勢をあらためて編制することに着手する。それはこれまでのギリシア連合軍とは内実において異なる強力な攻守同盟を結成し、恒久的に同一の敵と同胞をもつことであった。だから、時空において、ペルシアとの戦いにかぎられるものではなかった。この同盟を率いる盟主としてのアテナイは、今やペロポネソス同盟の盟主スパルタと同等な立場にあって、ギリシア人の世界でそびえ立つのであった。

諸国の加盟が、当初のところどれほどであったかは曖昧な部分が少なくないという。しかし、そもそもエーゲ海域の諸勢力を結集するものであったので、レスボス島、キオス島、サモス島などの小アジアに面する島々はことともなく参集していたが、小アジアのギリシア人の居住地域の参入については、あやふやとしか言いようがない。だが、アテナイを盟主とする攻守同盟が成立したことは、それ以後のギリシア古典期の歴史にはかり知れない影響をもたらしたことは疑いない。

とはいえ、この攻守同盟では、加盟諸国は軍船と兵員をもち出すのが原則であったらしい。そのために「アテナイ海上同盟」とよんでもいいほどだったが、弱小勢力は貢租を毎年納めることでも認められたという。

さて、このようにして発足した海上攻守同盟であるが、同盟の本部はデロス島に置かれることになった。そこにはアポロン神殿があり、ギリシア全土の人々からあがめられており、一種の宗教の中心地であった。この同盟の財政基盤となる金庫もデロス島に置かれたが、これを管理するのはアテナイ民会選出の役人であった。さらに、デロス島には、すべてを決定する同盟会議もあったが、アテナイの意向が反映するのは紛れもないことだった。

そのため、このアテナイ主導の攻守同盟は現代では「デロス同盟」とよばれている。このデロス同盟の結成において、栄誉につつまれていたテミストクレスがどれほど関わっていたか、ほとんど明らかではないという。諸々の伝えるところ、アリステイデスなる人物の活躍が知られている。

この人物は、すでにマラトンの戦いでも将軍の一人として貢献していたが、やがてテミストクレスと対立を深め、陶片追放の憂き目にあっていた。前四八〇年、アリステイデスは、ペルシア軍の脅威が迫ると大赦で帰国したが、それまでの行きがかりを捨てて、政敵だったテミストクレスに協力をおしまなかったという。そのために私心のない清廉な人柄で知られたが、生涯貧しかったらしい。常に他者に優越し名将たらんとしたテミストクレスとは対照的な人物だったようである。

そもそもアリステイデスの公正廉潔さについては、それらしき伝聞がのこされている。かつて陶片追放の憂き目にあったときのこと、無筆の男が彼とは知らず「アリステイデスと書いてくれ」と陶片を渡したので、その理由を尋ねると、「どこもかしこも〝正しい人〟という評判なので嫌になっただけだ」という答えだった。それを聴きながら、アリステイデスは黙って自分の名前を書いたという。

また、なによりも、デロス同盟成立後に、参加諸ポリスの貢納額査定を一任されたときのことだが、私腹を肥やすには絶好の立場にありながら、厳正無私の態度をくずさなかったと称讃されている。「貧乏人として出かけていき、ますます貧乏になって帰ってきた」とは、いささか皮肉な匂いもするような称讃であるが。たしかに個人としては私心なき実直な人物であったが、国益のことを考えると必ずしも公正であったとは言えない面もある。後の話だが、規約に反してデロス同盟の金庫をアテナイに移そうという提案がもちあがったとき、母国の国益に配慮して反対しなかったという。

## テミストクレスの追放とペルシアへの亡命

これほどの人物が登場していたのだから、アテナイの政界の舞台がどうなっていたかは気になるところだ。なにはともあれ、前四八〇年前後のアテナイにおいて、テミストクレスが傑出した政治家であったことは誰にも異存はない。後世の歴史家トゥキュディデスですら「テミストクレスこそアテナイの発展は海洋制覇にかかっている、と断言した最初の人物であった」と絶賛してやまないのは、それなりに納得できることである。

有事・平時にかかわらず、大事業を短期間で成しとげたテミストクレスだが、デロス同盟が成立したころから、どことなく影が薄くなっていくように思われる。そもそも、その後のアテナイ躍進の地固めになるデロス同盟に、どのように彼が関わっていたのか、不思議なほど不明である。そのせいか、デロス同盟がペルシアの再来寇に備えて結成されたことから、テミストクレスはペルシアへの関心を失くしつつあったのではないか、とも推測されている。

そのころのテミストクレスの話といえば、オリュンピア祭で観衆の拍手喝采をあびたこと、祭典で開催される劇の上演費用を負担してその劇で優勝する栄誉にあずかったこと、などがわずかに知られるだけである。おそらくまだ威信を失うほどではなかったのだろうが、なにか勢いに陰りが見られるようになったのかもしれない。

さらにまた、ペルシアへの関心を失くしたばかりか、反ペルシア意識も薄れていったようである。

それとともに、反スパルタ意識が色濃くなっていくようでもある。このテミストクレスの変身の裏には、どこか彼の強烈な個性がひそんでいるのではないだろうか。

このころ、アテナイの政界で頭角を現した人物に名門貴族出のキモンがいた。マラトンの戦いの英雄ミルティアデスの実子であり、やがて貴族派の指導者として、民主派のテミストクレスと対抗することになる。テミストクレスとの行きがかりを捨てて協力を惜しまなかったアリステイデスとともに、エーゲ海でのペルシア軍との戦いでは、すでにしばしば戦功をあげており、穏和な人柄もあって人望を集めていたらしい。前四七八年、将軍（ストラテゴス）の一人に選ばれ、軍事と政治に活躍し、デロス同盟の土台を固める一翼を担った。もともと保守的な立場にあり、頑固なほどの親スパルタ派であったという。

このようなキモンの活躍のために、テミストクレスは次第に反スパルタの意識を募らせていったという。それとともに、早い時期から、来るべきアテナイとスパルタの対立を予見していたのかもしれない。時代の趨勢としてはなお両大国の友好関係を重んじることにあったから、テミストクレスの反スパルタ的姿勢はアテナイ市民の共感をえられなかったのだろう。それればかりか、むしろ危険思想と見なされるようになっていた。

救国の英雄であったテミストクレスは、明敏で才能ゆたかな人物であったが、策略に走りやすく、権力や金銭に執着しなかったわけではない。それだけに、反感を招き、敵意をいだく者も少なくなかったにちがいない。アテナイにおける民主政確立という華々しい時代に、その政界において傑出した人物でありながら、テミストクレスへの風当たりは、ますます強いものになっていく。やがて、キモン派の圧迫もあって、ペルシア王と内通の嫌疑すらかけられるようになった。

前四七〇年頃、ついにテミストクレスは陶片追放の憂き目にあうのだった。ギリシア各地を放浪するかのように転々と亡命の旅をつづけ、あげくの果てには、かつての宿敵であったペルシア王の宮廷に逃れて救いを請うたのだった。そもそもペルシア王はテミストクレスの機略に痛めつけられての敗北だったので、彼を捕らえた者に多額の賞金を出すと約束していたという。そのせいか、「みずから出頭したのだから」とその賞金を彼に与えたというから、にわかには信じがたい話である。だが、小アジアの地に所領をあたえて厚遇したとも伝えられているから、あながち惨めな晩年だったわけではなかった。

## 3　下層市民の政治参加と教育論争

### 世界史のなかの驚異——戦争と下層市民

ところで、ペルシア戦争の勝利は、ギリシア人の世界に多大なる精神の高揚をもたらしている。とりわけ海軍力にすぐれたアテナイでは、サラミスの海戦でのように、貧しい市民でも健康であれば、軍船の漕ぎ手として参戦することになったのは大きかった。しかもペルシア海軍の撃退に貢献できたのであり、その勝利の経験は重大な結果をもたらすことになる。

二〇〇隻の三段櫂船(かいせん)に乗りこむことができたのは四万人であったが、それでも欠員が出るほどだったという。漕ぎ手の大半は下層市民であったが、不足数はアテナイ在住の外人(メトイコイ)や他国からの応援部隊で補充されたらしい。このようにして、下層市民が戦争に参加できるようになったことは、彼らが政治の世界でも発言力をもつことになるのである。

前六世紀末のクレイステネスの改革によって、民主政の制度としての枠組みはできあがっていたが、その担い手となる市民たちに国政についての関心が薄ければ、市民全体による国家の運営はおぼつかない。歴史のなかでは、ふとした出来事をきっかけにして、下層市民をも巻き込む民主政のように、アテナイ社会の大躍進が始まっている。海軍主義への転換を推進したテミストクレスが、もし世界史という大きな舞台における下層市民の政治参加の意義を自覚していたとすれば、まるで預言者のごとき軍人政治家であったと言えるかもしれない。

ところで、これらの下層市民をふくむギリシア人は、自分たちの立場をどのように感じていたのだろうか、それについて思いめぐらすとき、やはり教育の問題はなおざりにできない。

そもそも、ギリシア語で「教育」を意味する言葉は「パイデイア」である。だが、この言葉は、ホメロスの英雄叙事詩に出てくるわけではなく、前五世紀後半のペロポネソス戦争の前半期までの文献でも「教育」の意味で使われているわけではない。「パイデイア」なる言葉が出てくる最古の文書は、前四六七年の悲劇作家アイスキュロスの『テーバイ攻めの七将』であるが、そこでは、「子育て」であり、あるいはそのための苦労というほどのような含蓄でしかない。今日のわれわれが理解できるような意味での「教育」ではなかったのであり、そこでは、後の喜劇作家アリストファネスや歴史家トゥキュディデス以後の作品に登場するような意味合いはなかったという。

前四二三年に初演された喜劇作家アリストファネス作『雲』のなかで、まさしく「教育（パイデイア）」とよばれるような意味をもつ言葉が登場する。そこにあって「古い教育」の正論人と「新しい教育」の邪論人がこっけいな論争をくりひろげる場面がある。

この論争のあらかたについて語れば、旧教育は強靱な肉体と健康を重んじてその訓練を奨励するのだが、新教育はこれらの訓練を怠り、柔弱な生活を若者たちに許すのだった。旧教育は古来の音楽や詩文を教育の糧としたが、新教育は新しい音楽をとり入れ、弁論と議論の術をさずけるのである。それとともに、旧教育では神話や伝説はすなおに受け入れられたのだが、新教育では神話や伝説は批判されるどころか、頭ごなしに不信の目を向けられてはばからないのだった。さらに、旧教育は正義を尊び、恥をわきまえ、親への敬愛の念を大切にすることを良しとしたが、新教育ではそれらの道徳感を軽んじたのみか、性の解放すら唱えるのだった。また、旧教育では長幼の序を重んじ年長者には万事を譲るように諭したが、新教育の下ではもはやそれらは良風と見なされなくなったのだ。

ここで語られている旧教育の正論と新教育の邪論とは、じつに対比がきわだっており、分かりやすい。これら両者の対立が前五世紀のギリシア人の世界、とりわけアテナイ社会でおこっていたかと思えば、その社会生態の変動の様は鮮やかすぎるほどである。

### ポリスにおける良風と秩序の維持

しかし、現実の事態はそれほど図式のごとく単純であろうか。喜劇作家にありがちな誇張や歪曲(わいきょく)がまじえられているにしろ、ここでは古い「教育」理念と新しい「教育」理念とが対立していて、それぞれを推進していた教育者たちがいたかのように思われる。時あたかも、ソフィア(知)を教える者としての職業教師ソフィストが登場してきた時代でもあった。市民の誰もが公の議論に参加することが当たり前になりつつあったのだから、議論の相手をいかに説得するか、それが人々の関心の的であったのだろう。そのような風潮のなかで、「人間は万物の尺度である」と主張したプロタゴラスはソフィストの典型であった。

しかしながら、前五世紀半ばにソフィストたちが台頭してきた出来事とからめて、マラトンの戦士たちを誇った旧教育と自由を勝ちとった今風の新教育とが対立拮抗していたと考えていいのだろうか。喜劇作家の立場になれば、手っ取り早く観客を笑わせるために場面を仕組むのが力量の見せどころであるはずだ。そこから生まれる印象だけで、その当時の実情が反映されていると考えるのは、なんとも早計である。

そもそも、前五世紀の庶民社会において、教育制度のごときものがあったわけではない。たしかに、音楽教師、体育教師、読み書き教師などを生業（なりわい）とする者たちがいたことは知られている。だが、これらの教師たちはごく初歩的な訓練を子供たちにほどこしていたにすぎない。そこには、ソフィストとよばれるような大学者が活動していたのとはいささかの関わりもなく、子供たちを指導していただけなのだ。

何歳頃から訓練するかの定めもあったわけではなく、幼児期だけの教育であり、少年期にはもう終了していたと考えられる。少年少女になれば大人の仕事の手伝いができるのだから、貧しい家庭ならそれが自然の成り行きだったにちがいない。裕福な家庭であれば、教育熱心な親ならさらに高度な技芸を訓練してもらうことや特別な教師を雇うこともあったかもしれない。だから、初等レベルの教育では、街角の塾で古来の音楽や詩文を素材とする素朴な訓練が依然として営まれていただけだろう。それとは別の年齢層については、ごく少数の裕福な家庭で、勉学好きの青少年を相手にする教師がいた。しかも外国から来た学者が多く、講話をしたり、質疑応答をしたりするのだった。このようにして庶民階層と富裕階層があり、年齢層も異なる教育があったというのが実情に近いのではないだろうか。

例外があるとすれば、強力な戦士集団を育成し維持することを国是(こくぜ)としていたスパルタであろう。幼時から老年までの一貫した組織的教育があったというのが半ば伝説化されているが、あくまで戦士共同体としてのポリスの理想が投影されているだけかもしれない。

数百を数えるギリシア人の諸ポリスを見渡すかぎり、ごく幼年期の子供たちを相手として音曲と読み書きの教育がなされていた、その点は認めることができる。だが、それよりほかに、教師と生徒が向かい合っての知育教育があり、それが社会の習俗となっている気配はどこにもない。というよりも、教育(パイデイア)に期待されているのは、あくまでも良俗の躾であり、知育や学習という類の訓練ではなかったのである。ポリス社会における良風と秩序の維持が教育の狙いであったとすれば、それは社会全体の営みであるはずだった。そこでは、その目標に合致するような価値観を市民の一人一人が身につけるように計らうのが肝要であった。

このようにしてみると、教育者であるかどうかは問題ではない。むしろギリシア文化に寄与した詩人、作家、歴史家、芸術家の名匠たちにはいずれも、称讃すべきものと非難すべきものを明らかにし、そうあってほしいと考えられる人間の姿をさまざまに描き示すことが望まれた。

## デルフォイの箴言は知恵のエッセンス

『イリアス』や『オデュッセイア』は人々を楽しませる物語であったが、親友を失った痛恨のアキレウスの話や帰郷して家族秩序を回復するために辛苦に耐えるオデュッセウスの話などは、叙事詩の英雄たちの言動を通して、人々が生き方を学ぶ機会でもあった。あるいはスパルタの勇将レオニダス王の戦士像などはポリス市民として求められているものは何かを示唆していた。

このようにソフィストが出現する以前の時代であっても、詩人、歴史家、造形芸術家は、すでに多様な人間の姿を刻み残していた。これらの人々は、作品のなかで、後世の教育にあっても談論の基礎となり、前提となるものだったであろう。

これらの人々に関連して、「七賢人」とよばれる最高の知者たちがいた。アテナイのソロンやミレトスのタレスなどがふくまれていたが、後代の人々によれば、彼らはデルフォイのアポロン神を自分たちの知恵の共通の後ろ楯と仰いでいたという。さらにまた、賢人たちはアポロン神を奉ずる同信結社のごとく互いに親交を結んでいたとも信じられていたらしい。

あるとき、七賢人たちは連れだって、デルフォイのアポロン神殿に詣でたという。そのおりに彼らの知恵の精髄について簡潔にまとめた箴言（しんげん）を供え物として奉納したと伝えられている。それらの箴言は、神殿の入り口の左右に刻銘されていたという。あたかもそこを通って神殿に入る参詣者たちに神々がよびかけているかのようであったのだ。

それらをあげれば、

「汝自身を知れ」
「何ごとにも、度を過ごすな」
「保証はやがて、身の破滅」

の三つであり、それについて古代の作家たちが証言している。

名高い「汝自身を知れ」は、古来さまざまな意味に解釈されてきたが、おおよそのところ「卓越した力をもつ神々に比べて、自分が何者であるかをよくわきまえよ」と訓告したものであろう。

また、「何ごとにも、度を過ごすな」とは、単純なようでなかなか意味深な訓告である。自分が何者かを忘れ、人間の分際を越えて行動してはならないという戒めであろうが、どこまでが限度であるかを見きわめることは難しいのだという警告でもある。

さらに、「保証はやがて、身の破滅」とは、金銭の問題だけではない。神々と異なり、人間には将来を予知する能力などないから、身のほど知らずに不可知の将来にまでわたって、約束したり誓ったりしてはならないということだろう。

三者三様の心構えについての戒めであるが、要は「身のほどをわきまえて、傲慢になるな」という人間の生き方への戒めである。教育の基本は、知育や学習ではなく、良俗の躾であったのだから、デルフォイの箴言は教育の要諦をなしていたにちがいない。くりかえしくりかえし見たり聞いたりすることで規範を身につけるのであるから、デルフォイの箴言にはギリシア人の知恵のエッセンスがひそんでいた。

**脇役になる軍事教育**

ところで、ギリシア人の教育は、ポリス成立の初期には戦士として身につけるべき教養が中心だった。スパルタのような極端な事例ではなくても、「柔弱」だと揶揄(やゆ)されたイオニア人にあってすら外敵の侵入による祖国の危機には、前七世紀の詩人は以下のような言葉で人々を鼓舞している。

おのが祖国、おのが子供たち、乙女として娶ったおのが妻を敵に対して守ることは、男の栄光であり本懐だ。運命の定めならば死もいとわず。ただ何よりも、おのおのが闘いの開始とともに剣をふりあげ、楯のもと高鳴る心をもって先陣を切ることこそ……他界する勇者は民こぞっての悲しみを呼び、生あれば神にも似てあがめられん。（カリノス、fr. I, 六－一一、一八－一九）

しかし、このような愛国心と軍事教育を重んじる教育は、少なくとも貴族や富裕市民の間では心を配るべきことだった。その外にいる下層市民には、武具を備える余裕はなく、原則として重装歩兵(ホプリテス)としての活動は期待されなかった。とはいえ、やはりポリスがそもそも「農耕市民の戦士共同体」であるからには、市民に戦闘員としての未来の任務を心得させることはなおざりにはされなかった。

そこでは、青少年期には知育よりも体育が重視され、それが教育の中心をなしていた。主として、ルールをわきまえて運動競技の試合ができるようにする訓練であり、徒競走、円盤投げ、槍投げ、幅跳び、レスリング、ボクシングなどであった。複雑で微妙な技であれば、腕の確かな教師の訓練を受ける必要があったという。

だが、前六世紀末になるころから、事情は変わっていく。時を経るにつれ、もはや軍務への配慮が若者の教練のなかで重んじられなくなったらしい。前五世紀半ばのギリシア人のポリスでは、アテナイの教育に見られるように、軍務に配慮した教練がほとんど脇役でしかなくなっていたという。

さて、ここで注目しているのは、いわゆる「ソフィスト以前」とよばれる時代の教育である。しかし、喜劇作家アリストファネスが単純化して描いたように、「古き良き時代」とばかり想像するのはいかがなものだろうか。前五世紀後半の喜劇作家は、最近の世にはびこるソフィストたちのせいで古き良き習俗が破壊されたと放言して観客を笑わせようとしているのではないだろうか。そのような一面も忘れずにおいて、無批判に信ずるべきではない。

かっちりとした学校制度などなかった古代社会において、教育がどのようになされたかについて、かなり不明な点が少なくない。とりわけ、庶民あるいは下層民となると、教師のごとき人物がいたかどうかさえもはっきりしない。おそらく教育熱心な大人がいたり、勉学好きの子供がいたりすれば、自ずから教える者と学ぶ者との人間の結びつきが生まれたり、かたわらでは消えたりしていたのではないだろうか。

近現代人には当たり前のような学校という仕組みができあがっていくには、それを認知する人々がどこにでもいるような雰囲気が必要であろう。それには、知識を身につけ情報に通じることが、どれほど利得になるかが広く知られていなければならないのだ。そこにいたるまでには永い歳月を経なければならなかっただろう。前近代社会では、貴族層や富裕層の一部を例外として、そのような学校組織は形成されなかった。

## 4　ペリクレスの黄金時代

**親分肌のキモン**

ところで、サラミスの英雄テミストクレスは、やがて陶片追放の不運にあって、ペルシアに亡命したが、後代の歴史家トゥキュディデスの評価はすこぶる高い。

　かれの洞察力は独自のものであり、たんなる学識とか経験によって蓄えられたものではなかった。焦眉（しょうび）の急に直面すれば、瞬時の思考によって最高の決断を下しえたし、未来の問題については限りなく遥（はる）かまで見渡す展望のもとに、秀逸無比（しゅういつむひ）なる予測を立てる人物であった。……総じてかれこそは、天賦の明敏さと俊敏な習得力とによって、必要な対策を臨機応変に講じうる類（たぐい）まれなる力の持主であった。（『戦史』一・一三八　久保正彰訳）

名門貴族の出でもないテミストクレスは、政治家として恵まれた条件にはなかったが、その「類まれなる力」によってアテナイの政界に台頭したのである。

そのテミストクレスの勢いがふるわなくなるにつれ、がぜん活躍するようになったのが、先にも少し紹介した名門貴族のキモンである。マラトンの英雄ミルティアデスの息子であり、父がわずか四年しかアテナイの政界で生きることができなかったのと異なり、息子は息の長い指導者としてアテナイ市民の信望を得ることになった。その背景には、婚姻関係などを介して当時の名門貴族の門閥連合ができあがり、時の偉人テミストクレスに対抗して手を結んでいたことがある。

その門閥連合の頂点に立つのが中年男のキモンであった。軍人としての才能を遺憾なく発揮し、たびたび遠征でも成功を重ねて、アテナイの勢力範囲を拡大していたのだから、人々の信望は厚かった。

このような趨勢のなかで、キモンは足場を固め、前四七八年初めて将軍（ストラテゴス）の一人に選出され、以後九回も将軍を務め、数々の武勲を重ねていくのだった。しかし、栄誉に輝く実力者にありがちなことだが、前四六一年、キモンもまた陶片追放の不運を免れなかったのである。

ペルシア戦争の勝利からペロポネソス戦争勃発にいたる半世紀は、「五十年史（ペンテコンタエティアム）」とよばれることがある。アテナイがめざましい興隆をなした時期だが、その前半は、キモンの華々しい戦勝で彩られており、アテナイの国力増強をめぐる立て役者であった。

これらの戦歴のなかでも、とくに輝かしいのは、前四六〇年代半ばの小アジア南部における対ペルシア戦での大勝利であった。なにしろペルシアは大国であったから、ひとたび撤退したとはいえ、ギリシア世界にとって陰にも陽にも脅威であった。この大勝利のおかげで、エーゲ海世界におけるペルシア帝国の脅威はほとんど消失してしまったという。このために、ペルシアの三度目の襲来に備えていた対ペルシア攻守同盟としてのデロス同盟のあり方に大きな影響をおよぼすことになる。

デロス同盟は、最盛期にはギリシア人の諸ポリス二〇〇近くが加盟していたが、発足当初からもともとアテナイ主導の同盟だった。だが、すでに前四六〇年代には、同盟からの離脱を企てた二、三のポリスがアテナイの武力で制圧され、アテナイに隷属する地位に落とされるほどになっていたという。このようなアテナイ主導が露骨になっていったのも、小アジア南部における対ペルシア戦での大勝利が、ペルシアへの脅威を拭(ぬぐ)い去ったことによるものだったのである。

このようなアテナイの統率力が上昇していく背景にあるものは何だったのだろうか。ある意味でアテナイの政治力学が変質したのであり、そこには人望を集めた指導者がいたことが想像される。その人物はおそらくキモンだったであろうか、いや、きっとそうだったにちがいない。

ギリシア史の全体を見渡したとき、キモンという人物は特異なところがあるのではないだろうか。数百年後の作家プルタルコス「キモン伝」(『英雄伝』)の筆はキモンを絶賛しているのだから、ただならないものがある。

## 「人間を超えた人物」と称讃されて

若い頃のキモンは、大酒飲みでふしだらなところがあったらしく、しかも女ったらしだったという。そんな話題は偉人伝にはありふれたこととしても、大人になってからのキモンは申し分のない指導者として理想的に描かれている。

なにしろ「性格は気高く感嘆すべきものであり、勇気にかけては実父ミルティアデスに劣らず、知恵にかけては知将テミストクレスに劣らず、しかもこの両人よりも正義心が豊かだった」と伝えられ

キモンの像は、彼の最期の地、キプロス島ラルナカの海辺に立つ。

ている。さらに、戦略においても、マラトンの英雄にもサラミスの英雄にも遜色がないほどであったというから、その人々の信頼のほどが偲ばれる。さらにまた、経験の乏しい若い頃から政治の手腕にすぐれており、しかも裏での賄賂に汚されることもなく、何ごとにも無報酬で潔白に行動したとあれば、もはや言葉にならないと言いたくなる。じっさい、キモンは公共奉仕に熱意を示し、私財や戦利品を用いて、諸々の建築事業を実施した。これらの活動への称讃を重ねた後、列伝作家は「まったく人間を超えた人物だった」と結んでいる。

このような公平無私な人物として描かれたキモンに注目すれば、ギリシア人を考えるうえで、きわめて特異な人間であるかの感がある。公共奉仕や建築活動ばかりでなく、周りにいる不特定多数の市民たちにも盛んに散財したといわれ、所有する農園や果樹園を市民たちに開放して、自由に収穫させたらしい。さらに、貧民たちには常々自宅で食事を提供したり、金銭や衣類を施したり、至れり尽くせりだったという。長身で容姿端麗なうえに親分肌だったから、市民たちの間で圧倒的な人気を得ていたのも当然だった。

キモンの人間像を考えるうえで、地中海世界で見られるパトロネジとよばれる人間関係のことが思い浮かぶ。富裕な有力者とそれに従属する人々との私的な結びつきであり、平たく言えば、親分子分関係である。このパトロネジ関係は、とりわけ西方のローマ人の社会できわだっており、ギリシア人の間では少なくともアテナイにおいてはそれほど重きをなしてはいなかったという。

## 公共奉仕と無償の贈与

ローマ社会では、このパトロネジ関係はクリエンテラとよばれ、政治的にも社会的にも大きな役割をはたしていたことが知られている。そこでは実力者である保護者（パトロヌス）と弱者である被保護者（クリエンテス）とが信義によって結ばれていたという。保護者は金銭での援助や裁判での弁護などで配下の者たちの面倒をみるのであり、配下の被保護者は保護者の日常に随行したり、選挙の折には支持したり、それらの奉仕をなすのだった。強者と弱者が信義によって結ばれ、恩恵と奉仕とを互いに与えあうというクリエンテラ関係は、ローマ社会の政治活動の重要な基盤であった。

たしかに、キモンが行っていた貧民や弱者への恩恵行為は、ローマのクリエンテラ関係に似ているところもある。しかし、つぶさに見れば、ローマ社会では保護者の近辺の人々であったのであるが、アテナイ社会のキモンは、不特定多数あるいは市民団全員に目を向けていた点でかなり異なるものだったのではないだろうか。キモンの施しは、あくまで公共奉仕であり、クリエンテラのような親分子分関係が目立つものではなかった。そこには、ローマ人に比べて、ギリシア人の社会では市民相互の間での主従関係は稀薄であったように思われる。

パトロネジ関係の視点からすれば、キモンの気前のよさは、一見、人心掌握のために私財をばらまいた政治活動のように見えなくもない。だが、キモンが市民たちから見返りを望んでいたという打算があったとは思えない。むしろ、古来の名望貴族たちが美徳と考えていた無償の贈与をなしただけだと言えなくもない。

時代はアテナイにおける民主政が確かなものになりつつあったころである。そもそも市民の平等を前提とする民主政は、パトロネジの親分子分関係とは相いれないものがある。だから、キモンのような親分肌の人物は、不特定の人々に、見返りを求めず、惜しみなく施すことにある種の生き甲斐を感じていたのかもしれない。それは古来の貴族が心得ていた捨て身の美徳のようなものであった。近代風に言えば、ノブレス・オブリジ（noblesse oblige）のようなものだったのかもしれない。

デロス同盟の発展に尽力してアテナイの覇権を確かなものにし、英雄テーセウスの遺骨を祖国に持ち帰ったころ、もはやキモンは政界の第一人者の観があったという。しかしながら、貴族派に対立する民主派勢力の攻勢にさらされるようになっていく。

## 史上にきらめく名将ペリクレス

前四六二年、スパルタの要請に応えて、キモンが支援の遠征に出陣すると、アテナイ国内で一種のクーデターのようなものがおこった。貴族派の牙城であったアレオパゴス評議会や高官の司法権を骨抜きにして、民会と民衆裁判所の権威と権限を高めようとするものだった。推進した民主派の首領の名から「エフィアルテスの改革」とよばれているが、これに協力したのが、かのペリクレスであった。アテナイ民主政を代表する政治家のごとく語られるペリクレスであるが、はたしてどうであったのだろうか。

両親とも名家の出であり、若くして民主派の指導者として頭角を現し、知友キモンが保守貴族派の代表であったことから、これと対立し、すでにキモン弾劾で名をあげていた。民主派の改革後、エフィアルテスが政敵に暗殺され、劣勢になっていたキモンも陶片追放にあったがために、もはやアテナイの政界でペリクレスに並ぶ者はいなくなったという。伝聞のなかには、エフィアルテスの名声に嫉妬したペリクレスが盟友を葬ったという噂もあったらしい。もし、何らかの形で加担していたとするなら、暗澹たる気分にさせられるが、おそらくペリクレスの政敵が流した裏情報だったのだろう。

富裕な名門貴族のキモンは気前のいいことで人気が高かったので、同じ名門貴族でもそれほど余裕のないペリクレスは別の形で民心を得ようとした。民衆裁判所の陪審員に日当を支給したり、筆頭アルコンへの就任資格を拡大したり、民主政を徹底する路線を明確にした。それとともに、東方の反ペルシア戦線に加えて、西方の反スパルタ路線を鮮明にして両面対立のなかでアテナイの覇権を高めようとした。

ペリクレスの胸像。ヴァチカン美術館蔵

このころ、すでにテミストクレスによって着手されていたが、中心市アテナイと外港ペイライエウスとを結ぶ長城がペリクレスの手で完成されている。アテナイはデロス同盟への参加国も増えつづけたが、アテナイは同盟市の動きにも警戒を怠るわけにはいかなかった。とくにイオニアの諸都市には、ペルシア帝国は大きな影を落としていた。

イオニアの諸ポリスには、ペルシアを後ろ楯とする僭主が出現する動きがあり、それはアテナイの覇権主義（帝国化）に対する反発が強まれば強まるほど、ますます現実味をおびていた。この前五世紀半ばにあっては、イオニアの諸ポリスの国内情勢は、アテナイとペルシアの狭間で揺れ動きつづけていたのだ。

というのも、ペルシア戦争におけるアテナイの「ギリシアの救世主」のごとき役割が讃えられればそれだけ、それを認めたがらない人々も少なくなかった。かつての自由の戦士のごとく誇らしげなアテナイ人が、今や独裁者であり、抑圧者となっていたかのようだったからだ。

なにはともあれ、前四五四年、エジプト反乱軍を支援したアテナイと同盟軍がペルシア軍によって壊滅させられている。これを機に、アテナイを中心としたデロス同盟の金庫が、デロス島からアテナイに移されてしまった。そのなかで、同盟諸国が納める年貢の六〇分の一が初穂（はつほ）としてアテナイの守護神アテナ女神に捧げられるという事態になった。同盟諸国から貢租を徴収するというアテナイの姿勢が露（あらわ）になったのだ。それはもはや対ペルシアとの攻守同盟という内実が失われることでもあった。

じっさい、前四四九年には、「カリアスの和約」が結ばれて、ペルシア戦争が正式に終わっている。だが、アテナイが同盟諸国を力でねじ伏せようとする方針は変わらず、貢租納入国も増えつつあったが、それは同盟圏が拡大していたというだけではなかった。むしろ、それまで軍船と兵員を出していただけで独立を保っていた諸国の自立が脅かされるという意味合いもあった。それらの諸国もつぎつぎと武装解除され、貢租を納める隷属国になり下がっていたのだ。

## 貢租を資金にパルテノン神殿建設

このころから、アテナイは同盟諸国の不穏な動きや離反に立ち向かうことを余儀なくされたらしい。同盟市の内政に干渉し自治権を制限しようとした決議碑文が散見されている。そこでは、アテナイの民衆裁判所に従うこと、アテナイに忠誠であること、民主政体堅持を誓約することなどが配慮されている。

やがて、前四四〇年代前半には、「度量衡貨幣統一令」がアテナイ民会で決議され、アテナイ打刻貨幣（銀貨）のみをデロス同盟圏の唯一の通貨とし、同盟諸国の貨幣鋳造権を拒絶した。このような法令下にあるかぎり、表面では独立を保っているかのようであっても、アテナイの側からすればもはや隷属国にほかならなかった。

さらに、前四四七年から着工されたパルテノン神殿などの建設は、貢租を資金としてアテナイの壮麗化を進めるのであるから、同盟諸国の市民たちに反感をまねく火種になった。アテナイ国内にすら批判的な人々もいたらしい。

なにやら物々しい雰囲気のなかで、政界の実力者ペリクレスは堂々と表舞台に出て国民に教示して語っている。

われわれは同盟民のために戦いペルシア勢をしりぞけているのであるから、なにも同盟民に資金〔出納〕の明細を示す義務はないのだ。彼らは馬一匹、船一隻、重装歩兵（ホプリテス）一名すら提供するわけではなく、ただ醵金（きょきん）するだけである。だからその金は出した人々のものではなく、代償さえ与えれば受け取った側のものだ。（プルタルコス『英雄伝』「ペリクレス伝」馬場恵二訳、『プルタルコス英雄伝』村川堅太郎編所収）

まるでうそぶくかのようなペリクレスには、なんの悪びれるところもなく、むしろ自負心すら感じられる。すぐれた哲学者たちから高邁な精神と雄弁を学び、若くして民主派の指導者として頭角を現していたのだから、ひときわ物怖じするところがなかったのだろう。

ペリクレスといえば、その彫像から眉目秀麗（びもくしゅうれい）な顔立ちが偲ばれるが、いずれも兜を被った姿で表されている。どうやら頭だけが不釣り合いに長かったせいだという。それに、ほとんど笑顔をみせなかったともいうから、かなり生真面目な人物だったのかもしれない。

前四四三年、ペリクレスは、実力者の政敵を陶片追放によって国外に退去させ、みずからは将軍に選任された。以後一五年間その死にいたるまで、将軍に選ばれつづけたから、強大な権力者になった。「名は民主政だが、実は第一人者による単独支配」とか「地上のゼウス」とかささやかれていたらしい。いわゆる「ペリクレス時代」の到来である。

そのペリクレスだが、若い頃はとてつもなく民衆を敬遠していたという。富裕で家柄にも恵まれ、快い声で弁舌さわやかだったから、政治に巻きこまれるのをためらっていたかもしれない。賢い人物だったから、たとえ有力な政治家になっても陶片追放の餌食になるのを怖れていた。政治活動はいっさいしなかったというが、軍人としては危険をいとわない勇敢な男だったらしい。

しかしながら、政治の舞台は大きくかわりつつあった。政界の有力者であるテミストクレスもキモンもアテナイから離れていくのが明らかになり、まったく民衆への思い入れをもたなかった男に変身の時が訪れた。ペリクレスは自分の資質に反して、富裕な貴族たちのためではなく、民衆のために身を捧げる気になったらしい。

## 親睦会は断り弁論術を磨く

年寄り連中はまだペイシストラトス一族の僭主政をよく覚えていたから、ペリクレスは独裁支配の疑いがかかるのを怖れていた。だが、その疑惑の一念だけで、政治の表舞台に立つことを拒むわけにはいかなかった。美と善からなる高貴な人々がキモンを中心にして貴族派をなしていたのだから、それに対抗しなければならなかった。それには貴族ではない人々にとり入るほかなかったのだ。

そこから政治家ペリクレスの凄みが感じられることになる。彼は自分の生活をこれまでとは異なる規律の下におくことにした。街中にあっては、公共広場と評議会場に通じる道一路だけでしか見かけられなくなったという。食事の招待とかそれに類する親睦会をいっさい断ったというから凄まじい。長期におよぶ政治活動だったにもかかわらず、友人の誰であっても食客となることはなかったらしい。親密になるとどこか尊厳さが薄れていくかのようであり、それに気を配ったのだろう。

そのために民衆とたえずふれあっていれば甘く見られるかもしれず、ほんのときどき民衆に話しかけたという。どんな機会にでも語りかけたり、いつも庶民のなかに入っていったり、そのような気軽な行動は避けていたらしい。こと国家大事の事態になればみずから乗り出すのだが、そうでなければ友人や弁論家を遣ることにしていた。そのなかの一人が例の改革を実行したエフィアルテスであったというから、隠然とした実力者としての一面もあったのかもしれない。

それにしても、ペリクレスは、学識とともに、弁論術を磨くことを心がけたらしい。そのせいか、「雷鳴を轟かす」とか「稲妻をきらめかせる」とか、喜劇作家たちは表現している。また、ペリクレスの弁舌の巧妙さを皮肉ったような伝聞も残っている。「あの男は、レスリングで投げ倒されても、落下しなかったと言い張り、見物衆まで言いくるめて勝ったことにしてしまう」くらいだったという。

とはいえ、ペリクレスは、弁論には慎重をきわめ、民会で演説するときは、うっかり不適切な言葉が口から出ないように細心の注意をはらったという。自分が提案して可決させた民会決議を例外として、書き物はまったく残さなかったし、伝聞の言辞もきわめて数が少ない。

## ギリシア人とローマ人の「資質の差異」

しかも、後に「ペリクレスの黄金時代」を現出させた人物にしては、前四五〇年代の活動をめぐっては不明なことが多いのではないだろうか。ただし、デロス同盟金庫のアテナイ移動のごとく、アテナイが帝国もどきの「力の支配」をむき出しにした時代の姿が露になっていた。そのころ、前四五一年のアテナイでは、ギリシア人のポリスとしての生態を明確にした法案が成立したことは忘れるべきではないだろう。

この新たな法は、俗に「ペリクレスの市民権法」とよばれているが、両親ともアテナイ市民身分でなければ、その子はアテナイ市民権をもらえない、と厳重に制限したのである。これまでは、父親がアテナイ市民でさえあれば、母親が外人身分であっても、その子はアテナイ市民の身分になれたのである。

　このような市民団が身分として封鎖されるという事態は、後世のローマ人の市民団のあり方と比較したとき、きわめて重大な差異を生み出すことになった。ローマ人は市民権を与えることをためらわず拡大することによって大国にのし上がっていくのだから、アテナイの「力の支配」はまったく逆の方向をとっていたことになる。しかも、このような市民身分の閉鎖化は、アテナイにかぎらず、ギリシア人のポリスに共通する大きな特色をなしている。それというのも、ローマ人が世界帝国を築いていったのに対して、ギリシア人のポリスはついぞ大国化し世界帝国にいたることはなかったからである。いわくつきの「アテナイ帝国」という見方もあるが、そのアテナイからして、デロス同盟の私物化と同時期に市民身分の閉鎖化を進めているのだ。そこには、ギリシア人とローマ人の資質の違いとでもいうべき特色が端的に物語られているかのようである。

「資質の違い」とはなんとも物わかりのよさそうな言葉だが、その内実となると曖昧模糊(あいまいもこ)としておぼつかない。そこで、一つの試みとして、現実にいたギリシア人とローマ人をとりあげて、比較してみたらどうだろうか。それもこちらの恣意で気ままに選んだ人物ではなく、『対比列伝』の異名をもつプルタルコスの『英雄伝』のなかで対比されたギリシア人ペリクレスとローマ人ファビウス・マクシムスである。

　前三世紀後半に生きたファビウス・マクシムスは、日本人にはなじみ薄いが、欧米ではイギリスの改良主義的社会主義団体フェビアン協会がローマの将軍ファビウスにちなんで名づけられていることで名高い。フェビアン協会は一九一八年に労働党綱領を起草し、労働党の理論的支柱となった。

なぜフェビアン協会がファビウスにあやかろうとしたのか。それはこの将軍が漸進的戦術でカルタゴの勇将ハンニバルを困惑させたことによるものだ。ハンニバルとの決戦を避け、敵を消耗させる持久戦に徹して、ローマ勝利の足がかりをもたらしたという。このため「ローマの楯」と讃えられたが、気がはやるローマ軍兵士には不人気で「クンクタトル（のろま）」の添名でよばれたこともある。総じていえば、慎重にして勇敢、かつ現実的な軍人政治家であった。

二世紀のローマ帝国の時代のギリシア人作家であるプルタルコスは、なぜペリクレスに対比させる人物としてファビウス・マクシムスをとりあげたのだろうか。二人の生涯をそれぞれたどった後、この両者の「比較」を試みる。そこでは、軍人としてはどうだったか、政治家としては何をしたのか、それを問いながら議論を進めている。

ペリクレスが君臨したとき、民衆は繁栄をきわめ、市民の力も最大であったし、武力も頂点にあった。国全体が幸運と力に恵まれていたから、それにのって、平穏にしてゆるぎない情勢をつづけることができた。これに対してファビウスは、最悪の災禍と屈辱のなかで国家を担うはめになり、劣悪な情況からいささかでも恵まれた情況へと引っぱっていったわけである。

ペリクレスにはキモンら先人たちの華々しい戦果があり、そのおかげで、国を拡大したり守ったりというよりも、彼は軍事指揮権をとりながら街中に饗宴と祝祭をもたらしたのである。ファビウスの場合、敗走と敗北をくりかえし、多くの将軍や指揮官が討ち死にするのを見ながら、兵士たちの死体が平原も沼地も森林も埋めつくして、死体と血が川の流れで海まで運ばれていくのも目に焼きつけていた。だが、国家を自分の手で引き受け、自分の正しいと信じる筋道をゆらぐことなく貫いている。

それによって余人が犯した錯誤のせいで意気ごみを失った国民をそのままにしてはおかなかったのだ。

## 市民身分を閉鎖したギリシアと開放したローマ

ところで、順境のペリクレスと逆境のファビウスを並べてみたとき、指導者としての器量はどうだったのかと勘ぐりたくなる。これについても、ローマ帝政期のギリシア人として生きたプルタルコスは、世界史における人間性一般について論じながら、いかほどか答えらしきものを示唆しているかもしれない。

というのも、幸運に酔いしれてうつつをぬかし傲慢になった国民に箍(たが)をはめるのは一筋縄ではいかないと語るとき、プルタルコスはどうしようもない人間の気性について冷静に見つめているからである。それに比べれば、困窮にあえいで誇りも失い、それらしき識者の意見に耳を傾けようとしている国民に対処するのは、むしろ容易いことではないかというのである。

たしかに、ペリクレスがアテナイ人を率いようとしていたときの好況はまさしくそうだった。さらに、ファビウスのとき、ローマ人に災厄が降りかかり、しかもくりかえされた苦境を思えば、事態の推移ははっきりしてくる。

境遇の差異だけに注目すれば、国家の指導者としての資質はペリクレスの方に軍配が上がるかもしれない。だが、ファビウスを襲った災厄とその反復に思いをいたせば、それに遭遇した指導者が自分の意思をぐらつかせないでいたことは、人間の強さと器の大きさを物語っている。

さて、二人の比較をしたのは、ギリシア人とローマ人の「資質の違い」について論じたかったからである。それも、そもそも市民権政策をめぐって、なぜ、ギリシアのポリスは閉鎖的であり、ローマ国家は開放的であったのか、その差異を知りたいのである。

ここで浮かび上がってきた指導者のミッションは、ギリシアでは緩んだ市民団を引き締めることであり、ローマでは縮んだ市民団を激励することであった。分かりやすく単純化すれば、そのような二つの歴史的背景の理解もありうるのではないだろうか。

それぞれ異なる事態に直面して、ギリシア人は市民身分を閉鎖し、ローマ人は開放したのである。ペリクレスは自分の手で厳格な市民権法案を成立させ、ファビウスは市民団を激励して威勢よくする雰囲気をただよわせることになったのだ。

### 同盟国の自治を超越したアテナイの市民権法

もとより、ギリシア人とローマ人の「資質の違い」などについて、まともに探究しようとすれば、数え切れないほどの論点があるにちがいない。それにもかかわらず、この市民身分をめぐる両者の差異は、その後の歴史の経過に目をやれば、あまりにも極端であり、歴史の歯車が違っていたと言えるほどである。ここではペリクレスの時代と個性およびファビウスの時代と個性について注目しながら、「資質の違い」を考えただけだが、なんらかの糸口は示唆することができるような気がする。

このようにして市民団の身分封鎖がおこったとしても、それはどれほど厳重に守られたのだろうか。じっさいのところ、前五世紀を通じて、内実をともなった市民権が付与されたという事例はほとんどないのだ。外交儀礼としての名目的付与は別としてもだが。また、一まとめにして付与された出来事も、前五世紀末に名目上のものとして一例が知られるのみである。

しかしながら、市民団の公的秩序は最重要課題としても、アテナイが「帝国」のごとく力の支配をむき出しにすれば、その反面では異邦人である外人に対する懐柔策をも伴わなければならないだろう。そのために、アテナイはプロクセニアとよばれる外人顕彰を利用している。

たとえば、アケロイオンなる外人身分の者に私法上の裁判特権を与えた後で、次のように付け加えている。

　もし誰かがアケロイオンあるいは彼の子息を、アテナイ人が支配する諸ポリスのなかで殺害した場合には、当該ポリスはアテナイ市民殺害の場合と同じく、五タラントンの支払いを負うことになり、また、殺害者に対する報復はアテナイ市民殺害の場合と同様とする。

この規定から明白なことだが、アテナイ市民の身柄は「帝国」のごとく君臨する全域において「帝国」法により厳重に保護されていたのである。同盟市の人々の側からすれば、宗主となるアテナイ市民の保護を義務づけられていたことになる。

ペリクレスの市民権法によって身分として閉じられたアテナイ市民団であるが、その市民権法は同盟諸国の自治を超越していたわけである。だが、このようなアテナイ市民権は諸同盟国の市民に与えられることはなく、アテナイ市民団は拡大することはなかった。せいぜいのところ、外人（プロクセノス）にその特典の片鱗を授けて、「帝国」行政の末端の一役を担わせるだけであった。アテナイ「帝国」行政の中枢にあるのは、あくまでアテナイ民会と民衆裁判所なのである。

## 5　行動する人々の祝祭

### 熱意と冒険心にあふれるアテナイ人

アテナイ市民の間には、支配する者と支配される者との区別がなかった。何よりも自由人であることを自負しており、市民はいかに貧しくても独立の農民であり、商人であり、手工業者であった。他人に使われることをひどく嫌っており、じっさいに他人に雇われて生活する者はほとんどいなかったらしい。

このようなアテナイ市民の感覚からすれば、アテナイ市民団の枠外にいる者は、奴隷はもちろんのこと、在留外人もほかのポリスの市民も、非市民にすぎなかった。場合によっては、アテナイの支配下にあるはずの劣格者であった。

それにしても、この前五世紀半ばの数十年間にあって、アテナイの人々が示したエネルギーは信じられないほどとてつもないものであったという。この期間、民会にあってほとんど揺るぎないほど優勢であったのが、ほかならぬペリクレスであった。この背景には、スパルタとペルシアの存在があったことは忘れてはならない。

ギリシア世界において早くから覇権をにぎっていたスパルタは、勢いづいていたアテナイに立ちはだかる大国であった。ペリクレスはスパルタの敵意をもはや避けることはできないと考えるようになっていたらしい。そのためには、東方の世界帝国ペルシアとの対立を抑えて、協定を結ぶことが賢明であった。それによって、ギリシア世界におけるアテナイの覇権を確固たらしめるのである。

われわれの手元に残されているギリシア人の証言は、しばしば討論、劇、法廷、行列などの素材のなかで語られている。だからといって、前五世紀のアテナイ人が口先だけの言葉巧みな人々だったと思い描いてはならない。彼らはなんといっても行動の人々であったこと、その事実は歴然としていたのだ。

そのようなアテナイ人の性格を言い当てているような外国人の描写がある。前四三〇年代になると、スパルタとアテナイの対立がほどなく戦争にいたることは必然であるかのごとき時代の雰囲気があった。スパルタ陣営の主戦派であるコリントスの代表は、スパルタにおける会議のなかで次のように発言している。語りがいささか長いので、意訳した部分もある。

アテナイ人がどのような性質であるか、それがあなた方スパルタ人とどれだけ異なっているか、あなた方はお気づきではないようだ。彼らは革新主義者であり、常に新しい計画を立てており、しかも実行するにすみやかである。あなた方は現状維持で満足しており、先の事態は考えず、必要なものですらしたがらない。彼らは大胆きわまりなく、良識に反しても冒険をおかし、死地にいたることを怖れない。あなた方は用心深く、信頼すべきものを疑い、怖れなきものまで脅えている。彼らは外地に行けば何かを手に入れると考え、あなた方は何かを失うと怖れる。彼らは勝利すると、それを最大限に活用し、負けた場合にも、後退したがらない。かりに意図した計画に挫折すると、案を練りなおして損失を補おうと努める。彼らにとって平穏無事でいることは怠惰なことにすぎない。要するに、自分にも他人にも安泰でいる暇を許したがらないのだ。

コリントスの代表者は、アテナイ陣営との戦いを決められないでいるスパルタに宣戦を促すために、かなり挑発的な発言をしている感もないではない。怖れを知らないアテナイ人と臆病者のスパルタ人を対比しながら、統率する者たちの奮起をひそかに画策しているにちがいないからだ。

このようなアテナイ人の積極果敢な行動を象徴するのが、アクロポリスの丘上にそびえるパルテノン神殿であろう。このアテナイを守る神々を祀る華麗なる神殿群の建立にあって指導的な役割をしたのもペリクレスである。もちろんこの建立にあたって対ペルシア防衛のためのデロス同盟の財源を用いたことには、アテナイ外の諸ポリスの非難のみならず、アテナイ市民側の批判もなかったわけではない。だが、それにもかかわらず、あえてそのような創造的暴挙をなしえたのも、ひとえにアテナイ人の冒険心が並はずれていたからではないだろうか。

パルテノン神殿。楠田守撮影

パルテノン神殿の彫刻。上は東面フリーズのポセイドンとアポロン、アルテミス。アクロポリス博物館蔵。左はメトープの「ラピタイ人とケンタウロスの戦い」。大英博物館蔵

パルテノン神殿は、前五世紀半ばから十数年の歳月を費やして、ペロポネソス戦争直前の前四三二年に完成している。建築作業にあっては、当代の傑出した建築家、彫刻家などをはじめとして、数多くの工作者が動員された。ここにはギリシア古典美術の粋を集めた建造物が創出されており、まさしく最盛期のアテナイであってこそ実現できた量感あふれる美の結晶であった。

三十数年前、アテナイの中心部はペルシア軍によって破壊しつくされていたので、国力を回復し充実したからには、それにふさわしい威容を整えなければならなかった。同じころ、アクロポリスの丘や中心市には、神殿（ナオス）、官公庁（アルケイア）、体育場（ギュムナシオン）、劇場（テアトロン）、広場（アゴラ）、泉場（クレネ）などの公共施設が次々と建造され、往時を凌ぐ景観が広がっている。

このような大事業の工事費にデロス同盟の資金が転用されたことには、国内からも批判の声があがったが、それに対してペリクレスは反論する。公共建築はそれに参集した数多くの市民たちに手当を配る良き機会であり、それによって庶民の懐がうるおうのだから、この上ない施策なのだ、と。さらにまた、アテナイは自らの国防に努めただけではなく、ギリシア全土の防衛のために血と汗を流して働いたのだ、とも。その事実は、ことさら強調されてもいいというのが彼の言い分だった。

## ポリスの市民生活

ところで、ギリシアを代表するアテナイの人々について、彼らの市民生活はどうだったのだろうか。ギリシアは、もともと太陽に恵まれており、家屋を暖かく快適にするつもりはなかったらしい。貧しい人々は窓などほとんどない狭苦しい住居にいて、道路に通じる扉があるだけにすぎない。街の家屋は通常は一階か二階であり、石造の土台に煉瓦造りで、傾きのあるかわら屋根があった。

富裕な人々の家屋には庭がついていた。上層階には女性が住んでいて、彼女たちは外に出ることは稀であった。他方、男性はしばしば外に出ていたので、守衛や門番が雇われて家政や婦人達を手助けしたらしい。

ギリシア人の庶民の食生活はいたって簡素であったが、富裕な人々は長い時間をかけて食事を楽しんだらしい。そのような会食の機会にも、ギリシア人ほど会話を好んだ種族は少ないのではないだろうか。会食者の誰もが同時に話すのを避けるために、しばしば議長が選ばれるほどだったという。議長は議論を系統だてながら進めることが期待された。食卓の会話はシュンポシオン（一緒に飲む）と呼ばれたが、ギリシア人は祝祭の日をのぞけば、それほど飲んでいたわけではない。ワインはほとんどいつも水で薄められていた。それも酩酊するのを防ぐためだったらしい。あるギリシア人はこう記している。

一杯目は健康のために、
二杯目は愉快な楽しみのために、
三杯目は睡眠のために、そこで賢人は帰宅する。
四杯目になると粗野になり、
五杯目には怒鳴り合いになり、
六杯目には野外の騒動になり、

七杯目には目の周りにあざができ、
八杯目になって警察沙汰で終わる。

民主主義を創成した古代ギリシアであったが、男性社会であることには変わりはなかった。女性たちは祝祭や聖域にあっては重要な役割をもっていたが、政治には参加していない。集会に招かれることもなく、投票することもできなかった。裕福な家族の少女は家庭で母親によって教育された。この教育はたいした費用もかからず、女子は厳しい監視のなかで、なるだけ見たり聞いたりしないように、また、できるだけ質問したりしないように育てられたという。一五歳になると、少女は両親が選んだ男と結婚するのが通常だった。女性は家内の仕事に忙しくしていればいいのであり、見知らぬ男やふざけ者からできるだけ遠ざけられていたらしい。

## 二年間は軍事奉仕が義務

これに比して、男子の教育となると、深刻さが加わる。まず、なによりも、ホメロスの二つの長編叙事詩『イリアス』と『オデュッセイア』を学ぶことだった。これらの叙事詩は、少年にギリシア人の歴史を教えるのと同様に、神々について語ってくれた。ホメロスの詩句は心で学ぶのであり、しばしば声をあげて朗読されたという。書き方の練習は蠟板を刺し棒で引っかくのであった。自由な時間になると、子供たちはさまざまなゲームに興じて遊ぶのは今日の子たちと変わらなかった。

学校教育らしき教科期間が終わると、男子は軍事訓練に入る。ギリシア人の信念では、戦う備えのない都市は自由ではありえないのである。それゆえ、戦争はギリシア人の人生のなかで重要な役割を演じていた。アテナイでは、一八歳になると成人となり、二年間、国内外での軍事奉仕を義務づけられていた。それを終えると、市民生活に戻るのだが、六〇歳までは、いざとなれば軍務にかり出されることになっていた。

今日の世界と異なり、アテナイの人々は常日頃から戦争に備える態度を身につけていたわけだが、日常生活のなかでは平和な職業に従事していた。ざっと見渡せば、アテナイは工芸家の街であったと言えるのではないだろうか。刀剣職人、彫刻家、石工、陶工および鍛冶屋などがひしめき合っており、騒々しい道路や市場で働いていた。とりわけ陶器は重要な交易品であった。アッティカ産の粘土は、焼かれれば赤褐色になり、テラコッタ陶器とよばれている。様式と図案は、赤褐色の背景に黒絵が塗られたとき、目を見張るものがあり、陶器美術の傑作群をなしている。このような黒絵式は、前六世紀までコリントス陶器に先導されながらも主流であったが、同世紀末になると、黒い背景から図像を浮かび上がらせる赤絵式がアッティカ陶器の主流となって

アキレウスの死骸を担ぐアイアス。アッティカ産の黒絵式アンフォラで、絵師エクゼキアスの作。前540年頃。高さ42cm。ミュンヘン古代美術博物館蔵

いく。赤絵であれば細部を濃淡によって描き出し、人間感情を自由に表現できるようになったのだから、めざましいものがあった（巻頭カラー口絵参照）。

概して、ギリシア人は多種多様な形態と大きさのポットをもちたがり、それぞれが特別に使用するためだった。たとえば、ワインのためのものであったり、水のためのものであったり、さらに食事の前に二つの液体を混ぜるものであったりした。ほかにも、アンフォラとよばれる大壺があり、ワインやオリーヴ油のほか食材を貯蔵するための容器も目を引く。美しい形をしており、その装飾を介して、ギリシア人の服装や宗教や日常生活のさまざまな情景が語られている。

## 祝祭・観劇・私生活

市民生活のなかでも広く注目されるのが祝祭である。ギリシア人には多くの祝祭があり、しばしばそれらは特定の神々をあがめたり、春や収穫時に年中行事として祝ったりした。なかには、オリュンピア祭のように、体育競技もあり、さらに、音楽、舞踏、芝居、物まねなども演じられた。これらから劇場での興行に発展するものもあった。最初は個人の役者はおらず、多数の人々のコーラスがあり、集団で歌ったり、朗誦したりした。後には、役者が登場したが、通常は演劇を書いた詩人であり、物語の進展を手助けするのだった。

最初のころは、おそらく市場のような場所で演じられたらしいが、やがて特定の劇場が建てられた。といっても、ギリシアは乾燥しており、陽にあふれて雨も少なく乾燥していたので、野外で催された。役者は、オーケストラとよばれる円形の舞台で演じており、その周囲を半円形の階段状に座席

アテネのアクロポリスの麓に残るディオニソス劇場（上）。下右は祭司の貴賓席。舞台のソデは彫刻で装飾されていた（下左）。

が設けられていたので、誰もがはっきりと観劇できた。初期の劇場は木造だったが、いく度も火災にあったので、石造にすることになったという。そのおかげで今日でも劇場のいくつかは残存している。

ギリシアの劇場は現代のものより、いささか大きいように見える。でも、よく全体の造りが構成されていたので、後方の座席でも充分に聴きとれたのではないかという。それにしても、役者は大声をはりあげなければならず、大げさな立ち振る舞いが注目された。役者は大きいマスクを着けていたので、彼らの顔を見ることはできなかった。だから、「私は泣きます」などと涙にくれる場面を告げなければならなかった。マスクがあったので、役者は同じ劇のなかでいくつもの役割を演じられたという。それなりの衣装を着けていたので、演者が王様か伝令かがすぐに分かったらしい。

これらの悲劇や喜劇は、祭典のなかでコンテストとしてもよおされた。古代ギリシアの人々は、どうも喜劇よりも悲劇を好んでいたらしい。おそらくそこに人間の崇高な所業があったと思っていたのかもしれない。「三大悲劇詩人」とよばれたアイスキュロス、ソフォクレス、エウリピデスに人々は熱い視線をそそいだ。ほかに政治や社会問題などを題材にした喜劇作家も注目された。

## 歴戦の勇士だった悲劇詩人

悲劇詩人アイスキュロスの作品は、前四七二年、『ペルシア人』が上演されている。彼自身がマラトンやサラミスでも戦ったこともある歴戦の勇士であったから、ペルシア宮廷を舞台に戦争を回顧するのは成り行きだった。その後、オレステイア三部作の序編として、前四五八年、『アガメムノン』が衆目の前で演じられている。

トロイア遠征軍の総帥であるアガメムノン王が祖国に凱旋した後、王妃クリュタイメストラは生贄(いけにえ)にされた愛娘イピゲネイアへの恨みで夫の殺害を情人と通じながら企み、その凶行を成就する。王宮の門の内側で、アガメムノンの叫びが突然のごとく響きわたる。

アガメムノン「ううむ、切りつけおったな、急所に深く……」
コロスの長「静かに。誰か手傷を受けたと呼ばわっているぞ、急所へ傷手を。」
アガメムノン「ううむ、またやられた、二度までひどく。」
コロスの長「例の企みが果たされたらしいぞ、殿のあの呻き声では。さあ私らはお互いに、なあ、皆の衆、相談し合おうではないか、何とか難のない思案を。」

そこで年寄たちが評議している間に王宮の門扉が開けられ、王妃クリュタイメストラが現れる。足もとには血に染まった衣も広げ、その上にアガメムノンが打ち伏している。そばには侍女となった元トロイア王女カサンドラも同じく倒れたままでいる。クリュタイメストラは手に刃物をかざしたままでいる。

クリュタイメストラ「(冒頭略)……私にとってこの手合いはとうの昔から、その昔の諍いを心から忘れ得ぬ身に、やって来たのです、いかにも遅くはあったけれど。うち倒したその場に私は立っています、成し遂げた仕事を前に。このとおりにやったのです、そのことをしも私は隠そうとはしません。」

この王妃にとっては、たとえ情人と結んでいたにしても、妻を辱めた夫の殺害は愛娘のための正義なのであった。夫殺しというとてつもない事件だが、その背景には天啓に従って愛娘を生贄として殺した夫への王妃の凄まじいばかりの憎悪と怨恨があるのだ。それを見せつけられれば、観客の多くはどこに正義があるのかと自問せずにはおれなかっただろう。

アイスキュロスの悲劇は深刻な題材をとりあげ、しばしば不幸な結末になる。ギリシア人は、とりわけ厳粛な宗教祝祭ではこれらの悲劇を好んだという。彼らはまた、アリストファネスの作品のごとき庶民や習俗を冷やかすような喜劇も楽しんだが、それでも大多数の観劇は悲劇であった。

ソフォクレスには、オイディプスの伝説を題材にした悲劇があり、神々の仕業でそれとは気づかずに、父親を殺して母親と結婚した男が事の真相を知り、自分の目をえぐり出すという悲惨な物語がある。ソフォクレスは名将ペリクレスと同世代であり、二人は終生にわたる親交を結んだらしい。ソフォクレス自身も公人としての能力にも秀でた稀有な人物であったという。

さらに、エウリピデスの悲劇は、神話の世界に人間の心理に密着した合理的解釈をもちこんだりして、庶民にも分かりやすかったらしい。人間味ある作品であるために、広く愛好され、『トロイアの女』や『メディア』など、彼の作品が一番多く残されている。

### 高級遊女と内縁関係だったペリクレス

ところで、アテナイの指導者ペリクレスの私生活についてふれておきたい。ペリクレスの最初の結婚は、彼が四〇歳頃に破綻したが、ほどなくアスパシアとよばれる自由身分の外人女性と内縁関係をもつようになったらしい。彼女はヘタイラとよばれていた高級遊女であり、やがて後には自身でも遊女屋を経営して生計をたてていたと言われるほどの才覚ある女性だった。

ペリクレスは、毎日、家を出るときも帰宅したときもキスを欠かさなかったと噂されるほどだった。アスパシアへの熱愛ぶりがひときわ目立ったのだろう。そのような男女関係が当時のアテナイで大きなスキャンダルとなったことは想像に難くない。大物政治家をたらしこんだ淫婦というのがアスパシアの代名詞だった。とりわけ、喜劇作家たちの格好の攻撃対象となり、「妾」だの「売女」だのと口汚くはやし立てられたのだった。

しかし、その一方で、アスパシアは才色兼備の誉れもあり、弁論術と政治感覚において人並すぐれていたという。夫のペリクレスの演説の草稿もアスパシアが書いたという伝聞もあるが、これらの話の真偽のほどは分からない。だが、その種の噂が広まるほど、この類稀（たぐいまれ）な才媛の弁論術は飛び抜けていたのだろう。

アスパシアの名が刻まれた胸像。前5世紀の作品のローマ時代の複製。ヴァチカン美術館蔵

ともあれ、ペリクレスは民主政の代名詞のような政治家であったが、市民たちを仲間として親密になるような人物ではなかったらしい。気位が高く、戯れ言など口にせず、人前で笑顔すら見せなかったというから、威厳がそこなわれることを避けていたのだろう。それだけ、言葉による説得力に重きをおいていたのである。ア

スパシアのような弁論術にすぐれた才媛と終生にわたって睦まじい内縁関係にあったのも、偶然ではなかったのだ。

## 二大強国が対立する火勢のくすぶり

前五世紀半ば、このようなペリクレスが率いる時代に、デロス同盟に参加するポリスの数は、およそ一五〇ほどだったという。だが、本来の軍事同盟を担う一員として軍船と兵員とを提供することができたのは、わずか一握りのポリスにすぎなかった。

このころには、アテナイがエーゲ海一帯を支配する道具としてデロス同盟があったのであり、もはやペルシア軍の再来に備える軍事同盟としての性格は失われていた。アテナイは、駐留軍をおく、役人を派遣する、司法権の一部をとりあげるなど、さまざまな手段を講じて同盟諸ポリスの内政に干渉していたのだ。

このようなアテナイに対して、すでにペルシア戦争以前からギリシア全土における覇者であったスパルタが不安を感じるようになっていたらしい。同時に、政治世界の全体を見渡せる卓越した見識をもつペリクレスがいたのだから、スパルタとはいつか雌雄を決さなければならないと見抜いていたことは言うまでもない。

ペリクレスは、陸軍ではとてもスパルタに敵(かな)うまいと自覚していた。だが、海軍であれば、アテナイは、断然、優勢であることもはっきりしていた。それに、サラミスの海戦以来の方針でペイライエウスの港はほぼ安全であるし、中心市にも防壁がめぐらしてあった。しかも、アクロポリス城砦とピレウス港をつなぐ長城も完成していたのだから、防衛態勢にぬかりはなかった。
さらに、全住民を城壁のなかに籠城させ、田園部は敵軍のなすがままにさせるというのだから、海洋の戦いすら万全であれば長期戦でもやっていける。戦略としては優れていても、はたしてどれほど実現できるのか、心もとないところもあった。

このような緊迫した情勢のなかで、やがてペロポネソス戦争がおこるのだが、戦争の直接の原因は些細な出来事だった。前四三五年、ギリシア本土西北岸植民市の内紛をきっかけに、スパルタの率いるペロポネソス同盟の有力市コリントスと帝国のごときアテナイとの仲がひどく険悪になったのである。

時代は緊迫しており、ペルシア戦争から五〇年を経るなかで、アテナイが強勢を誇示していたことは脅威であった。とりわけ、ペロポネソス同盟を率いる覇権国家スパルタにとっては、目障(めざわ)り以外の何ものでもなかった。ペロポネソス同盟陣営とデロス同盟陣営との対立は深刻になり、ついには大いなる戦争がおこる。その戦争にいたる混乱のなかで、両陣営の諸ポリスは、最終的にどちらの覇権に与(くみ)するか、迷っていたから混乱は深まるばかりだった。

すでに前四四六年に結ばれた三〇年間の休戦条約があったにもかかわらず、ギリシア世界が平穏でいられることはなかった。それぞれの陣営の諸ポリスの対立をきっかけに、前四三一年、ギリシア世界の覇権をめぐって二つの強大国が対決する、その幕が切って落とされるのだった。

第四章

# 都市の自由と古代社会の深淵

沈思のアテナ。前 460 年頃。高さ 54cm。アテネのアクロポリス出土。アクロポリス博物館蔵

## 1　ペロポネソス戦争、二七年の激闘

### 非凡なる政治家ペリクレス

歴史の舞台がこれほどあざやかに演出できるものだろうか。ペロポネソス戦争にいたるアテナイとスパルタの対立が激しくなり、まさしく衆目の思い描いたとおりの構図として現れ出たのだ。前四三一年五月、スパルタ王の率いるペロポネソス同盟軍がアッティカに侵入し、ギリシア世界全土の大戦の幕が切って落とされた。アテナイのしたがえるデロス同盟とスパルタのひきつれるペロポネソス同盟ががっぷり四つに組んだのだから、まさしく世界大戦だった。戦火は、ギリシア本土ばかりではなく、エーゲ海全域、さらにはシチリア島にまでおよんでいる。

開戦と同時に、事態の抜きさしならぬことを見抜き、戦況を詳しく記録しようとした文人肌の人物がいた。この戦争にみずからも将軍として出征しながらも、エーゲ海北辺での作戦失敗のために追放の憂き目をみたトゥキュディデス。彼はギリシア北方のトラキアに隠棲し、この戦争の経過を自由かつ公平に記述することになる。

長年にわたって資料を収集し、ギリシア世界の激動を書き記そうとしたトゥキュディデスの執念は、「ペロポネソス戦争」の『戦史』として結実した。ポリス市民は政治活動にたずさわりながらも戦士であるのだ。かくのごときギリシア人の思いが、このような作品として結晶したと言えよう。

さて、開戦の年の冬、勃発したばかりのペロポネソス戦争での激闘の後、最初の国葬が開催されて

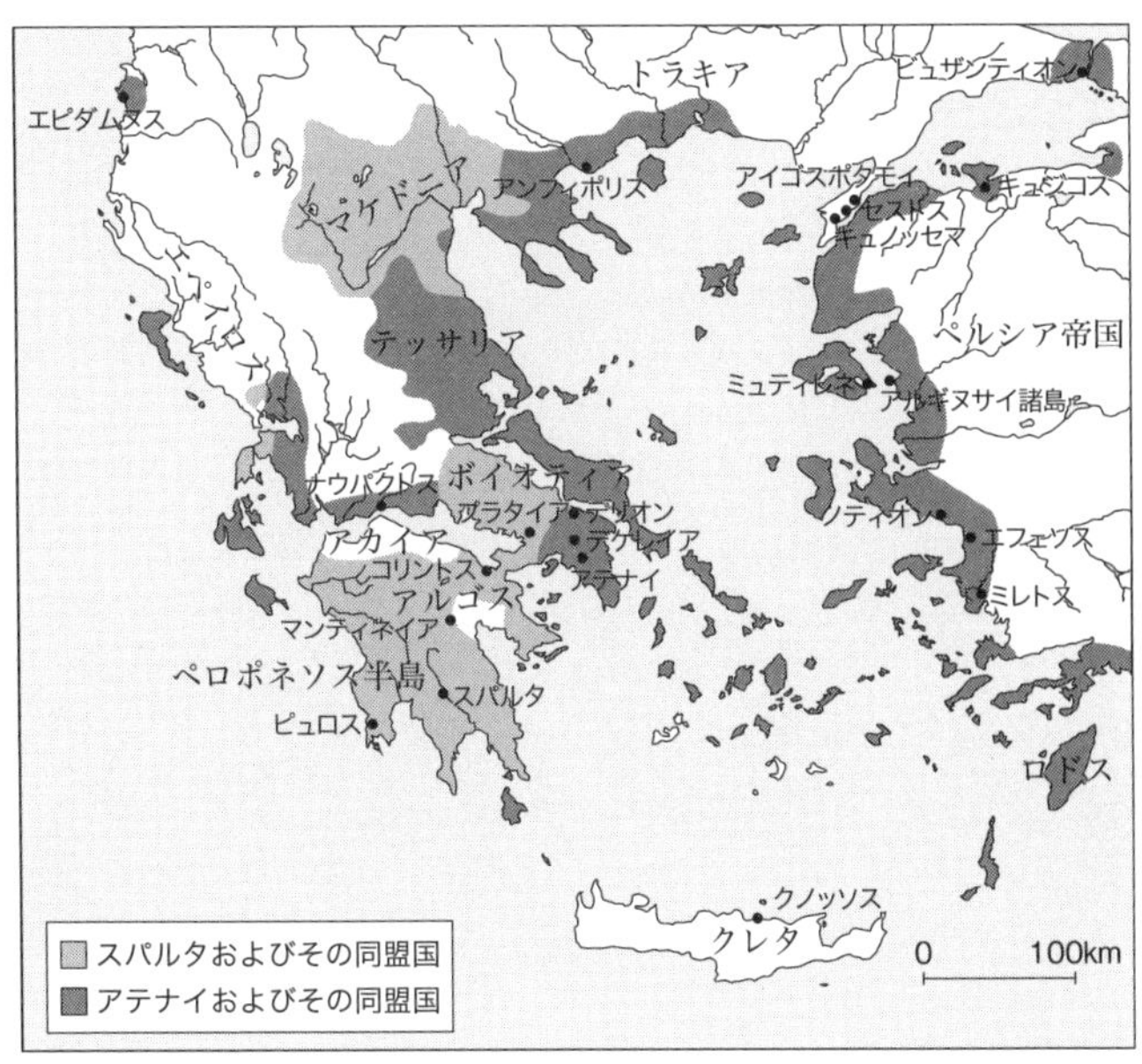


ペロポネソス戦争期のギリシア。J・M・ロバーツ『図説　世界の歴史②古代ギリシアとアジアの文明』桜井万里子日本語版監修／月森左知訳、創元社、2003年より作成

いる。これ以前から、事実上、アテナイにおける政界の第一人者として市民大衆を導いていたペリクレスは、ここでアテナイ民主政の理想を高らかに唱えている。そこには、パルテノン神殿の建立をはじめとしてアテナイの栄華を誇示していた統率者の自負心のほどがうかがわれる。

われらの政体は他国の制度を追従するものではない。ひとの理想を追うのではなく、ひとをしてわが範を習わしめるものである。その名は、少数者の独占を排し多数者の公平を守ることを旨として、民主政治と呼ばれる。（『戦史』二・三七）

われらは素朴なる美を愛し、柔弱に堕することなき知を愛する。われらは富を行動の礎とするが、いたずらに富を誇らない。また身の貧しさを認めることを恥とはしないが、貧困を克服する努力を怠るのを深く恥じる。そして己れの家計同様に国の計にもよく心を用い、己れの生業(なりわい)に熟達をはげむかたわら、国政の進むべき道に充分な判断をもつように心得る。ただわれらのみは、公私両域の活動に関与せぬものを閑を楽しむ人とは言わず、ただ無益な人間と見做(みな)す。そしてわれら市民自身、決議を求められれば判断を下しうることはもちろん、提議された問題を正しく理解することができる。理をわけた議論を行動の妨げとは考えず、行動にうつる前にことをわけて理解していないときこそかえって失敗を招く、と考えているからだ。この点についてもわれらの態度は他者の慣習から隔絶している。われらは打たんとする手を理詰めに考えぬいて行動に移るとき、もっとも果敢に行動できる。しかるにわれら以外の人間は無知なるときに勇を鼓するが、理詰めにあうと勇気をうしなう。だが一命を賭した真の勇者とは他ならず、真の恐れを知り真の喜びを知るゆえに、その理を立てて如何なる危険をもかえりみない者の称とすべきではないだろうか。（同書二・四〇）

まさしく知をきわめたと自負するアテナイ人であればこそ、唱えられる勇者論ではないだろうか。真の怖れも喜びもわきまえてこそ、国家のために危険をものともせずに戦える勇者たりえるのだ。

この戦没勇士への国葬における弔辞は最高級の名演説として名高く、それだけ政治家ペリクレスの卓越した弁論家としての名声が偲ばれる。このころペリクレスは六五歳ほどであり、まさに円熟のきわみにあった。

ペリクレスは長く平時におけるポリスの指導者であり、つねに穏健な政策をもって市民を率いながら、万全の守りを固めたという。ペロポネソス戦争の顚末(てんまつ)を物語った歴史家トゥキュディデスの筆にあっても、ペリクレスの指導下にあってこそ、アテナイは最盛期を迎えることができたものとして描かれている。

19世紀のドイツの画家、フィリップ・フォン・フォルツが描いた「演説するペリクレス」

しかしながら、戦争の非常事態に入ってからも、ペリクレスは戦時下におけるアテナイの国力を正確に見通していたという。ペリクレスの史観らしきものを見直せば、この洞察力ある人物は、アテナイ人が沈着にふるまうことを願っていたらしい。あせらずに機をうかがい、海軍力を充実しながらも、支配権の拡大をつつしみ、ポリスに危険を招かぬように努めること。このような心配りができれば、戦は勝利に終わると言っていたのだ。

## 籠城生活に疫病蔓延

ところが、事は順調に進むわけではないらしい。たしかに、籠城作戦を堅持し、海軍を戦略の基本にしてペロポネソス半島を奇襲し攪乱するという戦略はすぐれていた。だが、思わぬ事態が生じるのだった。開戦の翌年夏に予期せぬ疫病が流行しだし、アテナイの住民は混乱に陥ってしまう。

アクロポリスのある中心市と外港ペイライエウスとを囲む堅固な城壁に立てこもり、海軍力によって戦うのである。むろん、田園に住む市民たちは農地や家屋敷を捨てて、一人残らず城壁内に移り住む。田園地帯に集落をもつ農民たちはアテナイ市民団の中堅をなしており、愛着のある父祖伝来の土地を離れ、生活の基盤を失うのだ。それがどんなに苦痛であるか、しかも、田園地帯をスパルタ軍の蹂躙(じゅうりん)に任せるというのだから、はるかに想像を絶する。

なによりもこの籠城作戦に反対の声を上げたのは、これら農民たちであったことは言うまでもない。このとき類稀(たぐいまれ)なる政治家ペリクレスの雄弁と指導力が物をいったという。未曽有(みぞう)の国難が迫っているのだから、市民たる者は耐え忍ばなければならない。しかも、それを凌ぎきるだけの国家財政にはゆとりがあることを数値を示しながら、ペリクレスは訴えたのである。その説得力のある演説に促されて、人々は家財道具を背負い、妻子を引き連れて市内に入ったらしい。

ところが、それから一年も経たないうちに、外港ペイライエウスの地でとんでもない疫病が発生した。なにしろ、城壁に囲まれた狭い空間の籠城生活であるから、当然のことながら家も人も密集しており、生活環境は不衛生で劣悪であった。たちまち疫病は蔓延し、その後三年ほどにわたって猛威をふるったという。

## 住民の三分の一が死にペリクレスまでも

このときの悲惨な情況をトゥキュディデスの筆は書き記している。作家自身もこの疫病に感染し、幸運にも一命はとりとめたが、そのおかげで、疫病の症状や惨状を知ることができる。

> 住むべき家もなく、四季をつうじてむせかえるような小屋がけの下に寝起きしていた入居者たちを、死は露骨な醜悪さでおそった。次々と息絶えていく者たちの体は、容赦なく屍体の上につみかさねられ、街路にも累々と転がり、ありとあらゆる泉水の廻りにも水をもとめる瀕死者の体が蟻集していた。入居者たちが小屋がけをして暮していた神殿諸社は、その場で息を引きとる者たちの屍で、みるみる満たされていった。(『戦史』二・五二)

トゥキュディデス

正確な数値は不明だが、おおざっぱな見積もりであっても、住民人口のおよそ三分の一強の死者が出たという。成年男子市民が四万人であるとして、妻子をふくむ家族、在留外人、奴隷を加算すれば、全住民数は三〇万人を超えていただろうから、おそらく一〇万人以上が命を絶たれたことはまちがいないらしい。なにやら身の毛のよだつような悲惨さであった。

籠城作戦が裏目に出たのだから、もちろん市民の非難は指導者ペリクレスに集中する。さらに運悪く、この疫病で嫡出男児二人をもあいついで失っている。こうなったら、愛妾アスパシアとの間に生まれた庶出男児を市民権法の特例として恥をしのんで認めてもらうしかなかった。幸いにもこの願望はかなえられ、跡継ぎの目処は立ったのだが、この疫病はペリクレス自身にもふりかかったのである。開戦から二年目の秋、この不世出の政治指導者は、戦争の行く末を見届けることなくこの世を去った。

それにもかかわらず、戦況はアテナイ側に有利になりつつあった。生前のペリクレスの戦略は、前四二五年、アテナイ軍がペロポネソス半島西南岸のピュロスを占拠したことで、その見通しの正しさが明らかになる。スパルタにとっては、まさしく弱みを見せつけられたかのような窮地であった。国内に隷属農民（ヘイロータイ）を多数かかえるスパルタは、いつでも内乱の危機がひそんでいたのである。

これを機に、スパルタ側は講和を申し入れる。アテナイ側にとって戦争終結のまたとない好機であった。だが、このときアテナイ陣営では主戦論者の意見が衆目の賛意を集め、過大な要求をスパルタ側に突きつけた。それが通るわけがなく、戦争は継続されるしかなかった。

## アテナイの敗北と混迷

ふりかえれば、ペロポネソス戦争の幕が切られたとき、ペリクレスはアテナイ市民に「海軍力を充実しながらも、支配権の拡大をつつしみ」と勧告していた。この戦争の性格をよく見抜き、ギリシア人の世界についてすぐれて大きな枠組みのなかで見通すことができたのだろう。だが、ペリクレス死後に登場したアテナイ政界の指導者たちは、このような大局観に欠けており、退くことを知らない好戦主義が勢いづいていたらしい。さらに、民衆の側にも、そのような華々しさを喜ぶような素地があった。戦争をつづけていけば、海外に入植できる領土を獲得できるかもしれないという期待もあり、奴隷あるいは数多の戦利品への渇望もあったのだろう。とくに下層民の間では、これらの欲求がことさら強かったにちがいない。

ところで、ペリクレスの死後、アテナイ政界で目立った指導者たちは、しばしば扇動政治家(デマゴーゴス)とよばれている。もともとデマゴーゴスとは「民衆(デーモス)を説得する人」というありふれた意味合いしかなかった。ところが、民衆を説得するはずの指導者がいつの間にか民衆の喜びそうなことを唱道して迎合し扇動するようになったことで悪い意味合いが強くなった。今日でも、英語のデマゴーグ（demagogue）は「扇動する人」としてそれほどいい意味では用いられていない。

そもそも政治の舞台に立つ人々は、なにはともあれ名門貴族の出であった。名門の家柄と富は、ギリシア全土の祭典のなかで花形の戦車競走に優勝するということに象徴されていた。その伝来の威信が大きく物をいい、絶大な信望を生み出していたのである。アテナイにあっては民主政の土台ができつつあったにしても、貴族政期の価値観からなお抜け切れなかった。そこに民衆である市民層を説得する力があったのではないだろうか。もちろん民主政最盛期の指導者ペリクレスも有数の名門に属していた。

ところが、模範的な政治家であったペリクレスの没後、皮肉なことに事情が変わってしまう。新しく登場した指導者たちは、富裕ではあっても、およそこのような名門貴族とのつながりなどなさそうな人々だった。いずれも奴隷に使役させる製造工場の経営者のような人々が多かったという。皮なめし業者、ランプ製造業者、竪琴製造業者などが名を連ね、いささか品位に欠ける人々が民会で活躍したらしい。

しかしながら、新人の政治家たちは、弁論術にはたけていた。というのも、彼らの身ぶりたっぷりの弁舌には閉塞しがちな民衆の夢をかきたてるような文句がちりばめられていた。というよりも、弁舌さえすぐれていれば、民衆とりわけ貧民たちの感激を誘い出せるような雰囲気があったらしい。これらの人々は、戦勝と領土拡大によって土地と奴隷、その他の戦利品にあずかりたいという期待に燃えていたからである。

このような大局観なき弁論政治家にあやつられたアテナイの民衆市民は、せっかくのスパルタ勢との和平の機会を、過大な要求を突きつけて、しばしば逸してしまうのだった。だが、そのような駆け引きと戦乱がくりかえされるなかで、厭戦気分も広がり、和平の声が高まっていた。このころ、アテナイ政界の有力者であったニキアスが登場し、彼を中心として、前四二一年、「ニキアスの和約」が結ばれている。双方の占領地を返還するという条件で長期の休戦がもくろまれたのだが、スパルタとアテナイの直接の武力行使はなくなったとはいえ、あちらこちらの地で戦火はくすぶりつづけたという。

## 司令官のスパルタ亡命で惨敗

資産家のニキアスは、温厚にして敬虔であり、気前もよかったし、もともと和平論者であったが、どこか優柔不断なところがあったらしい。当然ながら、彼が平和の維持に努力したことは言うまでもない。だが、決然たる態度に気迫がなかったのかもしれない。ほどなく主戦論者アルキビアデスが頭角を現し、スパルタと敵対関係にある諸ポリスとアテナイとの間に防御同盟を結んでいる。これはスパルタ勢力への戦意を新たにし、反感をかったにちがいない。やがて、前四一五年、アルキビアデスはシチリア遠征を提案し、ニキアスの慎重論は退けられてしまう。

このころアルキビアデスは三十代前半も男盛りで、その美男子ぶりはギリシア人の間では後々まで伝説として語られるほどだったという。ある哲学者は「アルキビアデスは若い頃には女たちから夫を奪い去り、成人してからは男たちから妻を奪い去った」ともっともらしく評している。

もともと名門貴族の出であり、早くして父を失ったために、親戚のペリクレスの後見下に育てられている。アルキビアデスはきわだった肉体美のみならず、才智と富に恵まれており、哲人ソクラテスにも寵愛され、親交を結んでいる。だが、その薫陶を受けたにもかかわらず、その傲慢な言動は隠しようもなかったという。なにはともあれ、奔放な官能生活に走りやすかったらしい。

アルキビアデスの胸像。カピトリーノ美術館蔵

さて、シチリア遠征が始まると、アルキビアデスは、その気のないニキアスとともに、司令官に選ばれた。約六〇〇〇の歩兵を乗せた大艦隊が出航しようとしていたとき、不吉きわまる事件がおきた。アテナイの道辻の諸所に立てられていた富と幸運の神ヘルメスの柱像の首が一夜にしていずれも欠け落ちていたのだ。日頃から素行のよくないアルキビアデスとその一派に嫌疑がかかった。だが、なにしろ遠征軍の出発という非常事態でもあり、とりあえず、この重大な瀆神罪の審理は遠征

終了後にもちこされることになり、大艦隊は出航した。

ところが、アルキビアデスへの嫌疑は深まるばかりであり、ついには彼に召喚命令が下った。この根っから不埒な男は身にふりかかった事態の深刻さに気づいていた。自分の宿命に従うつもりはなく、途中に南イタリアで帰港したときに、遁走を図るのだった。それぱかりか、こともあろうに敵国スパルタに亡命してしまう。アテナイでは被告なしの欠席裁判であったが、当然ながら死刑判決が下された。

シチリア遠征は首謀者アルキビアデスを欠いたままでも進められたが、当初は優勢であったアテナイ軍勢にも、やがて衰えがみられるようになったという。というのも、亡命者アルキビアデスの進言で、スパルタはアテナイ軍の攻めるシチリア最大都市シュラクサイ（現シラクサ）に援軍を派遣してきたのである。

ここまで膠着していた戦争であったが、シュラクサイ軍は勢いを盛り返し、長びく遠征の疲れもあって、アテナイ軍は苦戦に追いこまれていく。前四一三年夏、陸戦の戦いでアテナイは惨敗を喫した。早々に帰国すればいいものを、ニキアスは決断できないばかりか、月蝕の前兆に惑わされて、出航を延期する始末だった。その期間にシュラクサイ軍はさらに力をたくわえ、アテナイ勢には悽惨をきわめた退却が待ちうけていた。ニキアスは追いつかれて処刑され、ほぼ七〇〇〇人の残存兵たちも石切り場に閉じこめられて、病気や飢えのために死んだと伝えられている。

もともとシチリアは豊かな穀倉地域であり、木材資源にも恵まれていた。このために、スパルタとシチリアの関係を絶ちスパルタの国力を削ぐ目的で企てられた遠征であったが、ほとんど全軍壊滅のごとき悲惨な結末に終わった。このアテナイ軍惨敗の知らせがギリシアに届くと、好機到来とばかりに、アテナイの率いるデロス同盟から諸ポリスが離反する動きが目立った。

## 傲慢さが招いたアテナイ全面降伏

このような事態になると、歴史における個人の行動をめぐって考えたくなる。というのも、そもそもシチリア遠征をもち出したのはアルキビアデスであり、亡命した敵勢スパルタにシチリア援軍を進言したのも同人である。このせいか、後世の伝記作家プルタルコスの筆によれば、「あのカメレオンよりもすばしっこく姿を変えられる」男であった。

アルキビアデスの変節ぶりはそれだけでは済まなかった。スパルタに入れ知恵して、アテナイ北部の要衝地デケレイアを占拠し、砦を築いて常駐する作戦を遂行させたのである。この地は穀倉地帯に連なる陸の補給路であり、ここを遮断されるのはアテナイにとって大打撃であった。そればかりか重要な財源である近郊のラウレイオン銀山から数多くの奴隷が逃亡し、採掘できないという窮地におちいったという。

その後のアルキビアデスの「カメレオン人生」をたどるのは煩わしくもある。あげくの果てには、いつの間にか対スパルタ戦に勝利して、前四〇七年春、アテナイに華々しく凱旋するまでになったから、驚くばかりだ。だが、やがてスパルタ海軍の再建もあって、はかばかしい戦果はあげられなかったらしい。ほどなく反対派の告発もあり、ついにはアテナイから失脚するはめになった。

このころには、戦局はますますアテナイの敗色が濃厚になっていた。前四〇六年夏、起死回生を狙って、最後の決戦のために、一〇〇隻以上の艦隊を整え、出航する。やがてレスボス島付近の海戦でスパルタ艦隊に大勝したが、喜びはつかの間だった。不運は思わぬところからやって来た。突然、暴風がおこり、難船のあげくに、多数の人命が失われた。不可抗力の出来事だったが、怒り狂ったアテナイの民衆は、指揮を担った将軍六名を正規の手続きなしの裁判で死刑にしてしまった。このころ六十代半ばの哲人ソクラテスただ一人が裁判に異議を唱えたが、虚しかった。

　さらに、民衆の愚劣さが目立ったことがある。海戦の大敗北によって勢いを失くしたスパルタが和平を申し出たのだが、またしてもアテナイは法外な条件をもち出して拒絶してしまうのだった。ここまでくると、アテナイの民衆は国家や国力についてどれほど自覚していたのか、と訝しくなる。海戦で大勝したとはいえ、そのころまで四半世紀におよぶ戦いのため国庫はほとんど空になっていたという。戦費の捻出のためには、神殿に奉納された金製品、銀製品を鋳溶かしてあてるほどだった。それにもかかわらず、アテナイ民衆の強硬な態度は、まさしく傲慢とよぶしかないのではないだろうか。

　ついには、軍勢を立て直したスパルタ海軍に惨敗を被り、前四〇四年春、アテナイは全面降伏するしかなかった。デロス同盟は解体され、長城壁は取り壊され、軍船は引き渡されたのだから、アテナイの惨めな完敗であった。

　ギリシア悲劇の最大のテーマは、「勝者の傲慢」であると言われる。トロイア戦争の覇者アガメムノンも父殺しの英雄オイディプスも勝者なるが故に身の破滅をきたすのだが、個人としての報いを被ったのである。しかし、アテナイの場合は、国家あるいは国民としての傲慢さへの報いであり、しかも伝説の劇作品ではなく、歴史上の出来事としておこったのである。まぎれもなく人類史の舞台での悲劇の上演と言っても大げさではない。

**寡頭派と民主派**

スパルタは、大国アテナイの名誉を尊重して、自主独立に手をつけることはしなかった。しかし、アテナイはどん底にあえいでいた。じっさいスパルタの武力を背景に三十人僭主の寡頭政が実現され、民主派の担い手であった富裕市民が殺害されたり、財産没収の憂き目にあったり、このうえなく迫害された。だが、このような恐怖政治が永続するはずがなかった。

やがて国外に逃れていた民主派が戻り、反寡頭政勢力を結集して、三十人僭主の軍勢にかなりの打撃を加えた。しばらく内戦状態がつづいたが、前四〇三年には、両派の和解が生まれたという。とにかく民主政はふたたび日の目をみることになり、アテナイは新しい時代に歩み出したのである。

人類史のなかで燦然（さんぜん）と輝かしいギリシアの民主政といえども、しばしば女性や奴隷はそれにあずかれなかったと言われる。だが、世界史の大きな流れからすれば、それは近現代の価値観からの裁断ではないだろうかと思える。古代という時代の人々のなかにあれば、女性は心身ともに弱き者であり、奴隷は自由を失った身分であった。それが近現代からすれば不当な判断であったにしても、同時代の人々には決して異常な見方ではなかった。むしろ、女性をひたすら弁護したり、奴隷の人間性を強調したりすれば、その種の人間はかなり偏見に満ちた人物であると周囲の人々には見なされたのではないだろうか。このことは異なる時代や地域の歴史をふりかえるとき、まずもって、同時代の人々の見方や価値観に身をさらしてみる、そのことが歴史の解釈には必要な作業ではないだろうか。

このような歴史の流れを自然なものとしてたどりながら、ギリシア人の政治行動に目をやれば、同じ考え方をもつ人々の仲間集団としても党派があったことが注目される。だが、ここからが問題なのだが、このような党派が近現代における政党にいたらなかったのはなぜかという疑問がわいてくる。たしかに、欧米流の政党というグループなら古代ギリシアがそこに達するにはいたらなかっただろう。政党の間で合法的に政権を交互に担当するという近現代風の政治のあり方が生まれなかったことは、やはりどこかもの足りないものがある。

だが、日本の政治史には派閥という政治グループを意味する言葉があり、それは党派に近かったのではないかという解釈もできるのではないだろうか。政権をたらい回しにする派閥の弊害が指摘され、昨今ではそれらが表向きは活動していないかに見える。しかし、派閥が勢いを失くして、官僚制が幅をきかし、その弊害も目につくようになれば、派閥という政治グループを見直そうという動きもある。というのも、実質的に政策を議論していたのは派閥ではなかったかとも指摘されることがある。このような文脈で考えれば、ギリシア人の間における党派もまた検討し直す余地があるのではないだろうか。推測に推測を重ねる議論であるが、離合集散しやすい党派や派閥のような政治集団を理解するには、必ずしも見当違いではないだろう。

### 勝者スパルタの閉塞

スパルタは今日訪れても見栄えのしない田舎町にすぎない。これがアテナイと並び称された大強国の都市かと目を疑いたくなる。いくら武勇を重んじ文化を軽んじたとはいえ、アテナイとの落差を考

スパルタの遺跡越しに、市街地を望む。著者撮影

えると、文化遺産の少なさや品質の低さに愕然とする。

ここで歴史における現在と未来という問題に切実な思いがする。スパルタ人にとっては「現実に存在する今の自分たち」がひたすら大事であったのであり、そのために、将来の世代には武勇さ以外は伝えなくてもいいような雰囲気がただよっていたのではないだろうか。およそ文化遺産などという未来の価値観などには思いいたらなかった、それがスパルタ人の気質をなしていたのだろう。

そのスパルタは、ギリシア人の世界大戦であるペロポネソス戦争で完璧といえるほどの圧勝をおさめている。もはやギリシア世界におけるスパルタの覇権は誰の目にも明らかであった。

ここで、スパルタを勝利に導いたリュサンドロスなる男についてふれておきたい。もとは貧農の出であったらしいが、ペロポネソス戦争末期に海軍の提督に任命されているから、有能な男だった。ほどなくペルシア王子の知遇をえて、巧みな話術で膨大な軍資金を提供されたという。その資金で、敵であるはずのアテナイの水兵たちを買収してしまったのだから、したたかな勇将でもあった。もともと海軍力にすぐれたアテナイであったが、それが最後の大海戦でスパルタに壊滅させられたのも、この勇将の暗躍があったことは大きかっただろう。

デロス同盟のもとにあった諸国はアテナイの支配から解放されたばかりであったが、今や実力者になったリュサンドロスはそこに監視役を駐在させ、軍隊を駐留させ、地元市民から成る十人委員会（デカルキア）を設置させ、寡頭派によって自治に干渉した。リュサンドロスの念頭にはどこか「帝国」への志向が明らかになりつつあった。この実力者にならって、ほかのスパルタ人たちも失墜したアテナイの後釜を狙って帝国経営の覇者を目指そうとしたのだろうか。

しかしながら、どうもスパルタの指導者である監督官（エフォロイ）たちはどこか慎重であったように見受けられる。やがてリュサンドロスが解放諸国に設けた十人委員会（デカルキア）は廃止されてしまう。とはいえ、駐留軍と監視役は要所の各地にかぎって配置されつづけたという。

スパルタの海外支配における注意深さは、なにごとにも意欲的だったアテナイと並べてみると、きわだって目立っている。とりわけ、スパルタ市民が海外の地に土地を所有していないことは、アテナイと比べて決定的といえるほど相違するところである。

アテナイ「帝国」は強引な力による支配であったと言える。それを支えていたのは民会を構成するアテナイ市民であり、彼らが海外の地域に土地を獲得することに意欲を燃やしていたことである。軍事入植団を派遣するという公の手段にとどまらず、個人としても同盟民から強硬に土地を奪取していたらしい。

そもそもアテナイでは商工業活動が自由に認められており、さまざまな局面で市民が現金を取得する機会に恵まれていた。海外領が広がれば、交易も盛んになり、利殖の機会も増大する。「帝国」に集まる国庫を財源とする土木事業が活況になる。民衆裁判所審判人などに日当が支給される制度が生まれる。このようにして直接間接にアテナイ市民は現金を手にすることができた。

ところが、スパルタでは、事情はまったく異なるのだ。ここではもともと貴金属貨幣が打刻されていなかった。それどころか、貨幣の使用すら認められず、市民が商工業活動に関わることが禁止されていた。現物で手に入ったものを分配するという形ならありえても、「帝国」経営にともなう財源がスパルタ市民一般の個人収益とは容易に結びつくことはなかったのである。

前四〇〇年頃、完全なる意味でのスパルタ市民は減少しつつあったという。三〇〇〇人ほどしかいなかったというから、支配者としてはどこか心もとないところがあった。全土を見渡せば、劣格市民（ペリオイコイ）や隷属農民（ヘイロータイ）らの家族をふくめた総人口の五〇分の一くらいだったというから、たえず反乱蜂起の危険にさらされていたのである。

### 対ペルシア戦で大打撃を受け没落へ

じっさい、前四世紀初めに、劣格市民（ペリオイコイ）を首謀者とするクーデターがもくろまれたが、陰謀が事前に感知されて、大事にいたらなかったという。ペロポネソス戦争期以来、国外遠征がたび重なり、兵力補充のために、隷属農民(ヘイロータイ)を解放して軍務に就かせる慣行が生まれていた。だが、隷属民が武装して戦士となるのだから、この慣行には大暴発しかねない爆弾をかかえこむ危険がともなっていた。

アテナイに代わって、ギリシア世界の覇者となったスパルタは、もはやギリシア人の諸勢力の保護者であるべき立場になった。かつてアテナイと対抗していたために、東方の大国ペルシアからの後援が必要であったが、今や情況は変わりつつあった。

前四〇〇年前後からギリシア人のイオニア諸国に対するペルシア帝国の姿勢が強圧的になっていた。もちろん自主独立を求めるイオニア人は覇者たるスパルタに支援を要請したので、スパルタは対ペルシアとの戦争に乗り出した。当初は、小アジア内陸部をも脅かす勢いであったが、ペルシア側は勢力を盛り返していく。海軍を再建したり、また、ギリシア本土の反スパルタ勢力の工作に着手したり、横暴なスパルタへの不満を募らせていたコリントスをはじめ、テーバイ(テーベ)やアテナイを結束させ、ますます戦線は拡大した。前三九四年の海戦では、スパルタ海軍は大打撃を被り、翌年にはさらに占領地を奪われ、スパルタは完全な窮地に追いこまれた。

もはやスパルタはペルシアに折れて交渉を求めるほかなかった。前三八六年、ペルシアを訪れた使節の将軍は、アテナイの復興に不安をいだきはじめていたペルシア王にとりいり、和平をなりたたせた。いわゆる「大王の和約」が締結された。ギリシアの諸勢力の戦争であったのに、ペルシア王の威光であるかのごとき条約名であるが、じっさい詔勅もどきのものであったという。そこには老大国であったとはいえ、ペルシア帝国の思惑がいかにギリシアの政局を左右していたかが示唆されているかのようである。

この和約によって、キプロス島および小アジアはペルシア領であると宣言され、イオニア諸ポリスはふたたびペルシアの支配下に入った。ほかのギリシア人の諸ポリスには、一部を除き、自治独立が認められたという。うまく立ち回ったスパルタは和約も好都合に利用しながら、周辺諸国に介入したり、非協力的な同盟国に報復したりしたという。だが、違法な行為も目立つようになり、評判が芳しくなくなり、やがて没落への坂道を転がりだしたのだった。

## 2　アテナイの哲人たち

### 哲人ソクラテスの生と死

さて、ここでふたたびペロポネソス戦争敗戦後のアテナイに目を向けておきたい。三十人僭主とよばれた寡頭政権の時代とともに内戦におちいり、寡頭派と民主派に分かれて熾烈な戦いがつづいていた。だが、スパルタの介入を受けいれ、前四〇三年初夏、両派は一応の和解にこぎつけている。このとき、過去の行為について罪を問わないというのが大赦の重要条件だったという。これなど物事を究めずにおれないギリシア人がたどりついた賢者らしい知恵だったのではないだろうか。

ところで、前五世紀後半といえば、民主政の考え方が流行り（はやり）をなしており、その時代風潮に合ったものとして、ソフィストとよばれる職業的な教師が登場していた。彼らはさまざまな地域を旅しながら富裕市民の子弟に知識を授け謝金をもらっていたという。もちろん、これらソフィストの活動の中

ソクラテス

心をなしていたのはアテナイであった。だが、このようなソフィストたちの活動を批判してはばからない異色の人物がいた。ほかならない哲人ソクラテスである。

ソクラテスの矛先は、ソフィストたちの言動は善悪の差異があいまいであり相対主義におちいりやすいということに向けられた。彼は真理の絶対性を信じていたので、民主政には懐疑的であったという。役人を籤で選ぶという原則にもソクラテスは反対意見をもっていたらしい。

また、民衆の愚かな行動にも、一人になっても反対するという芯の強さももっていた。たとえば、先に述べたが、ペロポネソス戦争末期の海戦でアテナイ軍は大勝しながら、暴風のせいで多くの人命が失われ、怒り狂ったアテナイの民衆が、戦闘の指揮にあたった将軍たち六人を裁判にかけ死刑にしてしまったとき、異議を唱えたのはソクラテスただ一人だった。しかし、正規の手続きもふまえずに死刑は執行されたというから、民衆は血迷っていたというしかないだろう。

ソクラテスは人々が奴隷の仕事として嫌っていた肉体労働についても厭わず市民に勧めていたらしい。一市民として武器をとって出征することは、大切な義務を果たすことであった。

そもそもソクラテスの活動は、世界を理解するにあたって、人間の精神あるいは心の問題を指摘することだった。なにしろ、そのころまでのギリシア人は目に映る自然界にしか関心を示さなかったから、とてつもなく大きな転機であった。ギリシア人の信頼を集約するデルフォイの神殿には「汝自身を知れ」と刻まれていたというが、まさしくその神託の示唆するところがソクラテスの望むものであった。彼はなによりも人類の視野を内なる世界に広げた冒険者であったのだ。その意味でも、ソクラテスはその語ったことや生き方そのものにおいてまわりの人々を圧倒した。

しかしながら、ソクラテスは自分自身で一書どころか一文字も書き残していない。自分の思想を書き記すなどまだるっこいことだったのかと想像したくなるが、もっと信念のごときものだったらしい。というのは、驚くべきことに、ソクラテスは文字を用いること自体に否定的だったのである。脳裏に刻まれた記憶にもとづいて思索することが肝心であり、文字にたよれば記憶があいまいになり、確固たる思考ができない、それをなによりも怖れていたらしい。

それにもかかわらず、ソクラテスの言行が今日にまで伝えられているのは、弟子のプラトンやクセノフォンらが書き残したものがあるからである。ただし、師の思想をよく伝えているとされるプラトンの著作をひもとけば、どこまでが師の説であり、どこからが弟子の考えかという点が気になるところである。

ところで、ソフィストとよばれた教師たちは、人によって教授内容は異なっていたが、若者たちの間では広く人気があったらしい。自分の思想を主張するための思考法、議論の受け答え方、さらに言葉の有効適切な用い方としての修辞の技術などを教えるものであった。しかしながら、人間が公平で客観的に認識できるかという点について、ソフィストたちは概して懐疑的であったらしい。物事を相対的にしか見ないことになりがちであり、人々が生活するなかで基本となる習俗や法も確固たるものではなくなってしまうことになりかねなかった。

このようなソフィストたちのなかには「神々ですら人間が考え出したもの」と口にする者すら出てきてもおかしくなかった。古代にあっては神々の存在は疑うべくもないことであったから、このような風潮は由々しきことであった。とくに、絶対的なものを信じ、最高の善を求めていたソクラテスのような人物にとって、最新の知識を誇るかのようなインテリ連中をやりこめ、正しい概念を追求させることは急務であった。

そのために、ソクラテスは皮肉なほどの問答法によって、議論の相手の無知を自覚させる方法をとり、人々を真理探究に導こうとした。彼の考えを突きつめていけば、徳とは知であるという知徳合一にたどり着くのではないだろうか。

このようにして、ソクラテスは初めて哲学に倫理の問題を持ちこんだのである。しかしながら、現実の社会に目をやれば、このような知徳合一などほとんど無きに等しい。悪行や犯罪をおこす人間が絶えることはないのである。それらの現実は否定できないにしても、ソクラテスのような絶対的なものを希求する立場からすれば、醜悪な現実を黙認するかのようなソフィストたちの相対主義は見過ごしておけない問題をはらんでいたのだ。

## 逃亡の勧めを断り毒杯をあおぐ

話はそれるにしても、残されている彫像からも想像できることだが、ソクラテスはお世辞にも美男というタイプではなかった。否、むしろ醜男といってもはばからない類だったのではないだろうか。それにもかかわらず、ソクラテスもまた、当時のギリシア人男性の例にもれず、美しい若者に目がなかったという。とりわけ、扇動政治家（デマゴーゴス）の一人として名高い美青年アルキビアデスなどは、ペロポネソス戦争従軍中に救助した若者であったが、その男と男の信頼関係はきわだっていたらしい。また、ソクラテスが医学の知識に熱心になったのも、難病に苦しむ美貌の青年の治療法を学びたかったからという。根っから男好きであったらしく、男色について「ソクラテス風の愛」という類の表現があるのは、このような逸話に由来する。

さて、前三九九年、七〇歳のソクラテスは牢獄で毒杯をあおいで世を去っている。彼は出征のほかは一歩もアテナイの外に出なかった。それほどアテナイ市民の教化に熱意をそそいでいたという。アテナイ市民の国家を豊かにするためには、なによりも個々人の魂を磨きあげることが必要であると考えていた。

だが、人間の心のあり様を指摘するソクラテスの教説は市民のなかには理解できない者も少なくなかったのだろう。なにしろ、人類はそれまで外界の自然にしか目を向けてこなかったのだから、それは新しい思想とすら受け入れられない大きな変革であった。それとともに、霊魂の不滅、夢の布告、神霊（ダイモン）の啓示なども説いていたという。

このためにアリストファネスらの喜劇作家から揶揄（やゆ）されることがあったが、ソクラテスは観衆とともに笑いながら観劇して、気にするそぶりをみせなかったという。アテナイの青少年の間で広く敬愛され、共鳴者あるいは弟子に支持された。

毒杯をあおぐソクラテス。1787年、ジャック・ルイ・ダヴィッド画。メトロポリタン美術館蔵

そのことを疎ましく思う人々もおり、ついには凡庸な市民たちより、「国家の認める神々を認めず、他の新奇な神霊の類を導入し、かつ青年たちを堕落させた」かどで訴えられ、死刑を宣告されてしまう。

ふりかえれば、ポリス社会にあっては、今日の意味での言論の自由があったわけではない。そもそもポリスは祭祀共同体という性格をもっており、伝統的信仰こそがなによりも重んじられるべきものだった。それにもかかわらず、ソフィストのように物事の相対性を強調しても大目に見られたのだが、ソクラテスのように個々の市民の魂を最も重要とすることはポリスにとってはなはだ危険な兆候であったのだ。

ところで、その身を拘束された場合、逃亡は黙認されていたという。それは亡命であり、国外に去ることであったから、邪魔者として消え去ってしまえばよしとされたわけだ。だが、ソクラテス自身にとって、国法はなによりも重んじられるべきものであり、逃亡の勧めにまったく応じようとしなかった。ほどなく毅然として毒杯をあおいだのだった。その生きる姿勢は一貫しており、まごうことなく見事であったと言えるだろう。

さて、ソクラテスの最高の弟子はプラトンと見られているが、師自身はけっして自分を知の教師とは考えていなかったという。彼の目からすれば、事実上の弟子であっても、いずれも真理探究の道を歩む友人たちであった。自分の考えを書きものにして残さなかったのも、師としてあがめられる気などさらさらなかったからかもしれない。

## 思索する哲人プラトン

いかなる書きものも残さなかったとはいえ、ソクラテスの人と思想は、その弟子たち、とりわけプラトンのすぐれた文筆活動によって、われわれの前に伝えられている。ソクラテスを主人公とする対話篇が数多く残されているが、どこまでが師の説であり、どこからが弟子の見解かとなると、なにかと困惑するところがある。だが、大半にあっては作者自身の思索が結晶したと思っていいのではないだろうか。

プラトンは体格に恵まれた若者であり、肩幅の広い（プラテュス）ことからプラトンなる綽名をもらい、レスリング競技にも参加したという。自然学や文芸にも関心をいだき、とりわけ詩を作ることを好んでいた。ギリシア人男性にはありがちなことだが、美青年には目がなく、ことさら彼らに恋愛詩を献げたらしい。

二〇歳のころ哲人ソクラテスに出会って、その教説に惹かれ、門下生となったという。ペロポネソス戦争末期には、三度も出陣し、国政にも強い関心をもっていた。しかしながら、スパルタの軍門にくだった後の三十人僭主の暴政を経験し、それにつづく恩師ソクラテスの刑死に遭って、政治の世界に失望したという。それ以後は、哲学にもとづく政治の理想を探求し、哲人政治の思想を築きあげていった。とどのつまり「真の哲学者が統治するか、為政者が真の哲学者になるか、いずれかでなけれ

ルネサンスの画家、ラファエロが描いたプラトン(左)とアリストテレス(右)。「アテネの学堂」(295頁参照)の部分。ヴァチカン蔵

ば人類の災禍は消え去ることはない」ということだ。

前四世紀初め、師ソクラテスが世を去ると、三〇歳頃のプラトンはアテナイを離れ、まずは西隣のメガラに身を寄せた。やがて、海を渡ってエジプト、キュレネ、南イタリア、シチリアなどの各地を遍歴した。それらの滞在生活のなかで、哲学・数学・宗教に通じるピュタゴラス派をはじめとするさまざまな思想・学問にふれながら、それらから享受したものも少なくなかった。

とくに、シチリアとは三度にわたる滞在のなかで深い関わりをもった。一度目は、哲人王を理想とするプラトンにとって、シュラクサイのディオニシオス一世は気になる人物だった。すでに武将から身をおこして僭主となり、シチリア全土のギリシア人を糾合して勢力を誇っていた。プラトンは僭主の義弟のディオンとは親密な仲になりながらも、僭主の信頼を得られず、反感をかったあげく奴隷として売り飛ばされてしまったという。幸い知友の一人に身代金を払って買い戻されている。

ほどなくアテナイに帰り、郊外のアカデメイアに学園を創設したのは、前三八七年頃だった。そこで、各地から青年たちを集めて、哲学をはじめ法学・数学・天文学などの諸学問を研究しつつ教育にたずさわっている。そのころ、往時の非礼を悔いたディオニシオスから謝罪の手紙が届いたという。

やがて前三六七年、ディオニシオス一世が崩御すると、父の後を継いでディオニシオス二世が即位した。親友のディオンの要請に応じて、哲人王実現の好機到来とばかり、プラトンはふたたびシチリアに渡った。だが、新しい若い僭主は思いのほか凡庸であり、宮廷内の陰謀もあり、計画は挫折したあげく、一年後に帰国を許されたという。

五年後、ディオニシオス二世に懇望され、三度目のシチリアに赴いたが、僭主との仲がこじれ、やっとのことで帰還したという。その後は、学園を経営し、門弟に教授することに熱意をそそぎ、そのかたわら著述にも専念した。門弟には、アリストテレスをはじめとする優秀な学者が輩出している。生涯独身のまま、八〇歳で死去し、アカデメイアの構内に埋葬されたという。

## ポリスを考察した『国家』と『法律』

ところで、プラトンは、政治・宗教・倫理・教育・自然など多岐にわたる諸問題を論じながら、年代による変遷もある。一概にまとめられないが、中心をなすのは「イデア」という考え方であろう。通俗的な事例だが、肉欲的な愛（エロス）に対して、精神的な愛を「プラトン風の愛／プラトニック・ラブ」とよぶことがある。人間は美しい肉体を通して「美のイデア」を観照するのであり、そこでは「美の本質」が見極められるはずだという。感覚がとらえるのは永遠不滅の真実の影にすぎないというプラトン流の考え方から、後世には平俗化されて、異性間の精神的愛をプラトニック・ラブとよぶようになった。その背景には、もともとプラトンの観念論的理想主義があったのである。

プラトンは、人生の後期には哲学の根幹にかかわる認識論や形而上学（けいじじょうがく）も俎上（そじょう）にあげているが、それらにまして彼の心に重くのしかかったのは、考えうる唯一の国家であるポリスについてではなかっただろうか。なによりも自分の生きる国家の生活環境としてのポリスがその脳裏にのしかかることであり、その考察に力をそそぐことが大事であったにちがいない。そのためだろうか、人生の中期の代表作に『国家』があり、後期には大作『法律』がある。人類史のなかでも傑出した哲人の思索が国家に向かうことは、ギリシア人の思想を考えるうえで、はなはだ意味深いことではないだろうか。

偉大なる哲学者であるから人々の心を打つ至言を数多く残しているが、なかでも筆者のような凡庸な歴史家にも、世界史あるいは人類史に目を向けるとき、ことさら胸に響く格言がある。

人間の最も基本的な分類として、〈知を愛する人〉、〈勝利を愛する人〉、〈利得を愛する人〉、という三つの種類がある。（プラトン『国家』藤沢令夫訳）

プラトンが『国家』のなかで述べているのであるが、この文言は、広く歴史を見わたしながらある時代の人々の価値観なり潮流なりをながめる場合に、ことのほかずしっとくる卓見ではないだろうか。

ところで、プラトンの人柄については、相反する見方があるらしい。一方では慎み深く節度を保ち激情にかられることはなかったという。だが、他方では名誉心が強く烈しい競争心をいだき勿体ぶっていたともいう。ただ、ざっくばらんなところがあったせいか、よそでプラトンと相宿になった人がアテナイを訪れたときに、「どうか貴方と同名の名高い哲人と会わせてください」と頼んだという話もある。その種のエピソードがあるほどだから、どこか憎めないところがあったのかもしれない。

## 観察する哲人アリストテレス

さて、プラトンの晩年には、哀れを誘うような逸話が残されている。ひときわすぐれた門下生であったアリストテレスは自分の道を歩むようになると、師プラトンを非難するようになったらしい。そのあげくに、プラトンが教場がわりにしていた歩廊から追い出されてしまったのだから「仔馬が産みの母親を蹴るように、アリストテレスは私を蹴とばした」と嘆いていたという。

詩人のような文才に恵まれていたプラトンは、「イデア論」に見られるような観念に偏りがちな理想主義者でもあった。これに比べて、アリストテレスは物事を観察にもとづき客観的・実証的に探究する学問の基礎を築くことになり、後に「万学の祖」と仰がれる大学者になっている。ここから、二人の肌合いがそぐわなくなっていたことは容易に読みとれるのではないだろうか。

アリストテレスの胸像。ローマ国立博物館蔵

早くに両親をなくしていたアリストテレスは、一七歳頃にアテナイに来て、プラトンの学園アカデメイアに入門した。そこで研鑽(けんさん)を重ね傑出したというが、三十代半ばで師の死をきっかけに、ほかの仲間とともにアテナイを離れた。やがて小アジアに移り住むが、そこでもめ事に巻きこまれたものの、難をのがれたという。その後、レスボス島に移住し、そこで弟子たちとともに主に自然科学を研究したらしい。

さらにマケドニア王フィリポス二世の招聘（しょうへい）に応じて宮廷を訪れ、一三歳の王子アレクサンドロス三世（後の大王）の家庭教師を務めた。文学をはじめとする諸学問を教えるかたわら、王子のためにホメロス『イリアス』を校訂したという。長じたアレクサンドロスが、東方遠征中に、この書を手元においていたことはあまりにも名高い。

アレクサンドロスが東方遠征に出かける前年の前三三五年、アリストテレスはアテナイに戻り、自分の学園リュケイオンを創設した。五〇歳頃からリュケイオンの学頭として活躍し、絶頂期であったにちがいない。大王の協力もあって、博物館や学術図書館を設け、大勢の弟子たちとともに、研究と教授の日々をおくったという。

やがて、前三二三年、アレクサンドロスが三二歳の若さで急逝すると、アリストテレスは反マケドニア派による裁判騒動に巻きこまれて、不敬罪で告発されてしまう。かつて八〇年近く前に、ソクラテスが裁判にかけられて刑死した故事は、孫弟子アリストテレスの胸にも深く刻みこまれていたせいか、「アテナイ市民がふたたび哲学を冒瀆（ぼうとく）することにならないように」という言葉を残したらしい。自分の学園リュケイオンを友人にゆだね、裁判を合法的に避けて母親の故郷に逃れたという。ほどなく六二歳で逝去したのである。

### 中間性を賞讃し両極端を非難

偉大なる哲人アリストテレスの生涯にふれたせいで、ギリシア古典期の歴史をいささか先走って話題にしてしまったかもしれない。だが、歴史というものは、どこかで明確に時代区分ができるものではなく、あいまいな時期がある。ここでは、あくまでアレクサンドロスが世界史の表舞台に姿をみせる前三三六年以前の時代をとりあげているのであるが、独立した人物となると形式どおりに区切れるものではない。だが、青少年期のアレクサンドロスと深い関わりをもったアリストテレスが、ほぼ同時期に世を去ったことはどこか因縁めいたものを感じさせる。

ところで、アリストテレスの思想に目をやれば、学問・議論の方法に関する著作群や観想（テオリア）による自然法則をめぐる著作群も重要であるが、国家や社会における人々の実践についての探究にも注目すべきである。それには、人間の主体的な行為に関する倫理学と人間の幸福の場となる善きポリスをめぐる政治学がある。

なかでも、人々の行動に目を向けがちな歴史家からすれば、前者にあたる『ニコマコス倫理学』は気になるところである。息子のニコマコスに宛てるという体裁での倫理学の書。自分の地道な努力で身についた徳（アレテー）のみが人間の真の価値と真の幸福を決める、と哲人は考えていた。そこで、まずもって次のように語り出す。

どのような技術も研究も、そして同様にしてどのような行為も選択も、なんらかの善を目指しているように思われる。それゆえ、善はあらゆるものが目指すものであるとする人々の主張はすぐれていたのである。（アリストテレス『ニコマコス倫理学』一・一　渡辺邦夫・立花幸司訳）

だから、徳（アレテー）を磨きつづける活動がなければ人間は幸福ではないというのが、その根源となる考え方である。これらの徳を得るには、なにごとにも中庸である「中間性」が求められるのだ。そこで哲人は次のように唱える。

このすべてにおいて、中間性は賞讃されるべきものだが、両極は賞讃されるべきものでも正しいものでもなく、非難されるべきものである。(同書二・七)

こうして、大言壮語と自己卑下の中間に「正直」があり、臆病と向こう見ずの中間に「勇気」があり、快楽と苦痛の中間に「節制」があり、超過とさもしさの中間に「気前のよさ」があり、さらにまた、「志の高さ」や「正義」などの人柄の徳(アレテー)があげられる。

## 3 混迷するギリシア世界

**奴隷制社会か?**

このように人間のあるべき姿を追い求めた古代人であるが、近現代人から見るとどうしても腑に落ちないことがある。それは、なぜ奴隷がいるかということ、しかもなぜ奴隷制が当然のごとく認められていたのかということである。プラトン・アリストテレス級の知識人・文化人ですら例外ではなく、奴隷の存在は彼らにとっても当たり前の出来事であった。ためらいもなく次のように語っているのは印象深い。

そこで、魂と身体とが、また人間と動物とが区別されるのと、ちょうどそれだけ「自由人から」隔たっている者たち――およそ肉体の使用がとりもなおさずその働きであるような者たちはこうした状態にあり、彼らから引きだせる最良のものはこの種の使用なのであるが――、こうした者たちが自然による奴隷である。彼らにとっては、さきに述べた身体や動物がまさしくそうであるからには、かの主人的な支配によって支配されるのがよりよいことなのである。なぜなら、他の者のものであることのできる者――このゆえに、事実彼は他の者のものなのであるが――、理知を「彼みずから」持つことはないが、それを理解する程度に理知に与かる者、これが自然による奴隷であるからである。（アリストテレス『政治学』）

ここで「自然による奴隷」という考え方があることは、現代人にはひどく衝撃的である。アリストテレスのような観察や調査を重んじる卓越した思想家ですらこのような奴隷観をもっていたのである。そこからすれば、前四世紀に生きていた人々が奴隷についてどのような思いをいだいていたか、それはもはや明白ではないだろうか。

そもそも奴隷について語るとき、奴隷状態とは「社会的死」だと指摘する西インド諸島の黒人出身の学者がいる。奴隷は生まれながらに疎外されており、自分がもともと所属していた血縁のある共同体の結びつきから引き裂かれ、永続的に拠り所を失って生きていくことを強いられているという。

しかし、すでに戦後日本を代表するギリシア史家の太田秀通は、奴隷を「共同体なき隷属者」として理解する見方を示しており、今後とも奴隷制の本質をとらえる議論の出発点となるのではないだろうか。というのも、二一世紀の今日にあっても、アジア・アフリカ諸国出身の労働者が欧米諸国で公民権もなく下働きしている情況があちこちに見られており、そのような奴隷もどきの境遇と古代の奴隷制との間に、いかなる異同があるか、それが問われるからである。

奴隷がどこから来たかという供給源について注目してみよう。もちろん人身売買によるものも少なくないが、もとをただせば戦争の犠牲者が捕虜として略奪されていることが多かったのである。とりわけ女性が好まれており、性的関係をふくむような全人格が勝者の権限下におさめられた。このために奴隷の多くは外人であった。法の上では生まれた子は母親の身分を受け継ぐので、女奴隷の子は奴隷であった。さらにまた、捨て子も拾われれば奴隷として育てられることも少なくなかったという。奴隷の価格は、しばしば身体的特徴による場合が多かったが、さらにまた能力や知識も重んじられた。

これらの奴隷が働いていたのは、家内か家関連の仕事が多かったという。たとえば、召し使い、小間使い、乳母、育児係、家庭教師などであったが、大半は農耕の労働力として使役されていたのである。つまるところ「道具」にすぎなかった。ほかの分野にあっても、畜産業、工作業、交易業あるいは銀行業まであり、主人の手助けをしていたらしい。

奴隷の数および市民数との比率をめぐっては、ほとんど信頼するに足るデータが残っていない。アテナイにあってすら、富裕市民や貴族のエリート層のなかには数百人規模の奴隷を所有していた者もいたというが、それとて例外的にすぎない。多少余裕のある農民や職人であれば数名の奴隷を使うことができたし、奴隷はどこにでもありふれていた。その点ではギリシア社会を「奴隷制社会」とよんでもいいだろう。

## スパルタ社会の脆さ

ところで、前述したごとく、ペロポネソス戦争で勝者となったスパルタは、前四世紀にはギリシア全土に覇者として睨みをきかせていた。それまでの前五世紀、スパルタは政治的に安定しており、それには国内の経済活動が外界の貨幣経済の影響から遮断されていたことが大きかった。そのために、土地所有が流動的にならずに、土地の集中を免れて、スパルタ市民数が減少することもなく、国防を担う重装歩兵が確保されたのである。

しかしながら、ギリシア世界を巻きこんだ戦争の混乱期に、市民数減少の兆しがあったことは見逃せない。その勢いは、スパルタがギリシア全土に覇権をおよぼすようになるにつれ、ますます顕著になっていく。支配の果実としての金銭にふれる機会が増大したことは、スパルタ社会を急激に変えていったらしい。

以前はラケダイモン（スパルタ）は［従属］諸ポリスで総督として治めおもねられて収賄することよりも、むしろ国内で適度の財を持ち一緒に暮らすことを選んだということを私は知っている。かつては彼らは金を持つことを知られるのを恐れていたことも知っている。今ではそれを獲得したことを自慢する者がある。かつてはこの故に外国人排除を行なっていたのであり、外国へ赴くことも禁止されていたが、その目的は市民が外国人と接触して怠惰に満たされることがないようにだということも承知している。しかし今や、指導者と考えられる人々は生涯外国で総督として治めることを切望していることを私は知っている。かつては彼らは指導者であるにふさわしいよう心を配った時もある。今や彼らは支配にふさわしくあろうとするよりも支配を行うために努力している。（クセノフォン『ラケダイモン人の国制』）

このようにスパルタ人が国外へ進出していく支配体制をとったことが、古来のリュクルゴス体制を崩してしまったのかもしれないのだ。さらに、自分の息子と不和になったせいで、世襲財産を自分のお気に入りの者に譲渡しようとした有力政治家の提案が認められたことは、重大な結果をもたらすことになる。それはスパルタ社会の平等原則が崩れ、土地の売買禁止もなし崩しにされ、土地所有の集中とともに市民が減少していく原因となっていくのだ。だが、それを懸念する声に耳をかたむける人はほとんどいなかったにちがいない。

その行きつくところ、前四世紀後半のスパルタでは「そのため国土は　一五〇〇の騎兵と三万の重装歩兵を扶養できるのに、全部で一〇〇〇にも達しなかった」という。もはや「一度の攻撃にこの国は耐ええず、人口不足により滅びたのだ」と嘆かれてもしかたなかった。この世紀の初め頃から、最強国を誇ったスパルタが古来の体制を維持していくことができなくなったことは歴然としている。だが、これほどまでに早く脆くも崩れ去ってしまうのか、世界史のなかにあって、「国家の衰退」をあまりにも鮮明に見せられているかのような気がする。

## ギリシア世界の混迷

このようなスパルタの衰退に拍車をかけたのが、前三七一年のレウクトラの戦いにおけるスパルタの敗北であった。いわゆる「大王の和約」成立の前後、アテナイの西北にあるボイオティア地方の雄テーバイはスパルタとの対立を深めていたが、ここにエパミノンダスなる名将が現れ、民主政の再興に努めていたという。彼は、ギリシア人の戦術に大変革をもたらした斜線陣（しゃせんじん）方式を案出したことでも名高い。

ところで、前四世紀、敗戦したとはいえ、かつての大国アテナイは復興に着手し、立て直しを図っていた。とりわけ、前三七七年のアテナイにおける民会決議はすこぶる重要なことが碑文に刻まれており、興味をかき立てる。そこには、この年に大きな連盟が成立し、その規約と参加国が列記されているのである。この連盟はテーバイとの同盟関係を踏み台にしており、今日の歴史用語では「第二次アッティカ海上同盟」とよばれている。奇しくも、かのデロス同盟の発足から一〇〇年目のことであった。

この新しい同盟では、旧いデロス同盟の失敗に懲りたせいだろうか、参加国の自由と自治がことさら強調されている。同盟の中心はあくまでアテナイであったが、往時のような貢賦金は課せられることもなく、さまざまな配慮がなされているのが印象深い。当代のアテナイでは、市民の財産調査なども実施され、非常時財産税のために備えられていたらしい。そのまま支障がなければ、おそらく復興は順調に進むことになっただろう。

その経過をたどるうえで、その二年後とおぼしき碑文が発見されており、アッティカ銀貨の通用と鑑定役に関するものである。そこではアッティカの刻印さえあれば、同盟国のどこで打刻されたものであれ、品位ありと鑑定されれば通用することが認められるという内容だった。かつてのデロス同盟のころ、アッティカ打刻貨幣だけの使用を強要した貨幣統一令を反省して、アッティカ様式の銀貨打刻を同盟諸国にも勧誘しようとしたのだろう。

このような時期に同盟の絆で結ばれたテーバイが急激に台頭していたのである。やがてレウクトラの戦いでスパルタを倒し、スパルタは大きな打撃を受けることになる。この戦いのみならず、名将エパミノンダスの率いるテーバイの軍勢は、ペロポネソス半島に侵入し、スパルタ人の本拠地ラコニアに侵攻する勢いだった。敵軍迫るという報のせいで、気丈夫なスパルタ婦人たちもひどく怖気づいたという。かろうじて占領されることはなかったが、災禍はスパルタの成り立ち自体を揺るがすものだった。

長い間、メッセニア人はスパルタの支配に甘んじていたが、これを機に彼らは蜂起の炎を上げたのである。なにしろエパミノンダスという心強い味方が背後にいたのだから、メッセニア人は労せずして独立の宿願を実現したのだ。スパルタにとって、メッセニアの独立は国土のほぼ半分を失うことであり、古来のリュクルゴスの国制が崩れ去ることだった。

このテーバイの覇権も、エパミノンダスをはじめとする有能な指導者が生きているかぎりはよかった。だが、それも長くはつづかず、あいつぐ勇将の戦死が重なり、その覇権拡大は挫折してしまった。このような情況のなかで、前四世紀半ばのギリシア世界は、有力ポリスが散在して、対立抗争する混迷の時代をむかえた。

## 傭兵の輩出と稀薄なポリス市民意識

戦争がたえまなくつづくと、その間に諸ポリスでは農耕市民が土地を失いつつあり、市民身分から転落する人々がふえはじめたという。ポリスが「農耕市民の戦士共同体」という本来の姿をもっているかぎり、市民身分の減少はとてつもない事態をもたらすことになる。

その市民身分の減少が市民戦士の喪失につながるのであれば、市民共同体としてのポリスでどのようにして国防の戦士を補うのかということになる。それは、当然のことながら、市民でない人々つまり非市民から戦力を集めることにならざるをえない。このような市民軍が結集されづらくなってきたのだから、いわゆる傭兵が流行するようになる。このような時代の成り行きをふまえれば、ここでは、戦争と傭兵との関係をめぐって、いささか考えておくべきだろう。

二〇世紀の戦争を記憶する世代にはよく実感できるように、戦争は勝敗にかかわらずひどく高くつく。そもそも戦争はどうあっても破壊なのだから、莫大な復興を考慮すればいささかの利点もないはずだ。だが、前近代の戦争にあっては、戦争はとてつもない収穫をもたらすものでもあったらしい。もちろん、敵がいかなる者たちであるか、どのような成功をおさめるか、場合によっては莫大な資産をもたらすこともあったという。

近現代にあっては、命を懸けて戦うのだから兵士に給金が与えられるのは、当たり前である。ところが、古代世界では、兵士の報酬は当然のことではなかったのである。すでに語ったところだが、古典古代の都市国家では、ポリスの市民権は従軍の義務と結びついていた。原則としては、国家は市民兵に給金を支払う必要はなかったのだ。

数多くの史料が残存するアテナイに注目すれば、ここですら前五世紀にかろうじて兵士への給金が支払われた形跡がある。「帝国」支配を成し遂げた時代であるが、当初は最低生活をなすだけの手当でしかなかったという。ギリシア人の世界大戦としてのペロポネソス戦争の時代に「兵士の給金」という観念が軍務への報酬として明確になり、多くのポリスで給金が支出されるようになったという。

　このような兵士への給金が大きな富にいたることなどありえなかった。もし兵士たちが富を築こうと思うならば、戦利品を当てにすることになっただろう。じっさい、給金など期待せず、戦利品を目当てに戦う連中もいたという。ペロポネソス戦争中のギリシア北方の部族民たるトラキアの傭兵たちは、戦利品を求めるだけであり、無償で軍務に就いたという。ここには傭兵あるいは外人部隊の本心が見え隠れしているかのようである。

　とはいえ、大半の傭兵には、給金が支払われるのが通例だった。というのは、傭兵たちの多くは貧しい地域の出身者であり、生活のために戦うというのが実情だった。ペロポネソス戦争以前であれば、ペロポネソス半島北部のアルカディアのような、風光明媚だが貧困きわまりない地域の出身者が多かったという。もっとも、この時代までは、小アジアやエジプトの支配者あるいはギリシアの僭主の下で従軍する傭兵が多かったらしい。たとえば、すでに前六世紀にアテナイの僭主となったペイシストラトスは名高いが、すでに敵対勢力から自分を守るために傭兵を用いているのだ。

　前五世紀後半のペロポネソス戦争以降、諸ポリスでは傭兵が市民兵と並んで大々的に用いられるようになったという。なかでもトラキアの軽装兵（ペルタスタイ）やクレタの弓射手は目立っていた。これらの傭兵は日当で一ドラクマを受けとっていたらしい。

前四世紀になると、傭兵の活躍する舞台はさらに広がったらしい。すでに前世紀末、ペルシア王の王子キュロスはギリシア人の傭兵を集めていたという。その背景には、ギリシア本土でも傭兵として暮らす者が少なからず輩出していたのである。

## 傭兵一万人の退却行

それらの顚末の一例はアテナイ人クセノフォンの『アナバシス』に描かれている。クセノフォンは師ソクラテスがとめたにもかかわらず、多数のギリシア人を引き連れて、傭兵として小アジアのキュロスのもとに馳せ参じた。キュロスの真意はペルシア王に即位した兄に反抗を企てており、キュロス勢はペルシア帝国に立ち向かう側であった。両軍の会戦になり、ギリシア軍は勝利をおさめたが、要となるキュロスが戦死してしまい、一万人ほどの傭兵連中は途方にくれるばかりだった。なにしろペルシア帝国の真ん中にあってペルシア王に反乱しているのだから、もはや逃避するほかになかった。アナバシスとは「内陸行」くらいの意味であるが、追っ手の脅威を感じながら、傭兵たちは不安と絶望におちいらんばかりだったという。これらの傭兵どもを隊長格のクセノフォンは励まし、ひたすら北進したらしい。荒涼たる山中をさまよったあげく、やがて峠を越えると眼下に海を見渡すことができた。その場面は「海だ(タラッタ)、海だ(タラッタ)」という名言として今日に伝えられている。そこは黒海南東岸だったらしい。

海に出れば、エーゲ海の民ギリシア人にはしめたものだった。こうして一万人が退却するという出来事がなされると、やがてギリシア本土の人々にアジアの内陸部の事情が初めて知られるようになる。おぼろげだったペルシア帝国の実態が認識できたことは、期せずして後世にアレクサンドロス大王の東方遠征がおこる下地をなしたかもしれない。また、ペルシア人にはギリシア傭兵軍の実力が知らされたことで、ギリシア人を頼みにするようになったという。とはいえ、ギリシアが無数のポリスに分かれ互いに争っていることは、ペルシアには好都合であり、そこはつけ目だった。これらが統一され団結したら、巨大な力になることは目に見えていた。それはなんとしても避けるべきであり、ペルシア帝国は陰に陽にギリシア人の世界に介入するのだった。

## 貧困化とポリス市民の自覚が薄れて

前四世紀を通じて、ペルシア帝国およびシチリア島では、ギリシア人の傭兵が広範囲に活躍したという。前三七〇年以降にあっても、地方総督の反乱にも、エジプト人との戦闘にも、しまいにはアレクサンドロス軍との防衛戦においても、ギリシア人の傭兵が用いられている。シチリアのシラクサの僭主ディオニシオスもその後継者たちも大方は傭兵を頼りにしていたという。

ギリシアのポリスも傭兵を用いるようになるが、特殊な兵器をあつかう技能兵士が多かった。ほかにも船の漕ぎ手であったり歩哨兵であったりした。アテナイにあってさえこの時代には傭兵軍を用いていたという。また、僭主のなかには傭兵を用いる権力者も少なくなかったらしい。前四世紀後半に台頭するマケドニアのフィリポス二世も傭兵を意のままに動かしていたし、後にアレクサンドロス大王の遠征軍でも後継者たちの戦闘にあっても、傭兵が徴用される動きは頂点に達した感があった。

だが、傭兵はあくまでよそ者であり、貧困やら難民やらの社会情勢のせいで、傭兵にならざるをえなくなった人々であった。だから、傭兵だけで正規軍団の大多数をなすような事例は稀にすぎなかったという。しかしながら、たとえよそ者であっても、傭兵の増大はその背景に深刻な事態をかかえていた。

それを考えるうえで、前四世紀のギリシア人の経済活動に注目しておこう。前五世紀のペルシア戦争以後、東地中海の交易活動でうるおっていたアテナイは、前四世紀になっても流通経済では活況がつづいていた。自分の船だろうが他人の船だろうが、遠く北方の黒海沿岸、南方のエジプト、西方のシチリアにまで出向く海外交易商人たちが輩出し、各地からアテナイを絶好の通商基地として集まっていた。

アテナイの海外交易にあって、主たる輸入品は穀物であり、輸出品といえば特産のオリーヴ油と陶器であった。ラウレイオン銀鉱産出にもとづく上質の銀貨も交易には有利であっただろう。工芸品製作の手工業も大勢の奴隷を使役する大規模な製作場が数例知られており、富裕な手工業者も多かったらしい。名高い政治家や弁論家のなかには、手工業者の家柄の出である者も少なくなかったという。

だが、ギリシア全土を見わたせば、アテナイ経済の順調さは異例であった。多くの地域では、あいつぐ戦禍のために土地を離れた農民は難民になり、内乱があれば亡命者が出て、生活のためなら傭兵になる人々が目立つようになった。数多くのポリスで下層市民の生活は困窮のきわみとなり、不平不満はつのり、ときには土地の再分配や負債の帳消しをかかげたりしたので、国内の内紛はますます深刻なものになった。

たしかに、傭兵が増大している背景には、深刻化する市民の貧困の問題がひそんでいた。だが、それだけが、ポリス社会の実情ではなかった。いく度もくりかえすようだが、都市国家としてのポリスはそもそも「農耕市民の戦士共同体」であったことを思い起こしてもらいたい。ポリス市民はなによりも国土防衛の戦士たることを本務としていたのであれば、その本来の責務を忌避する市民が後を絶たなくなっていたのではないだろうか。傭兵が増加していく流れの裏には、このポリス市民としての自覚が薄れつつあったということがあり、なによりもそこにポリス社会の深刻さがあったことになる。

## 崩れゆく鉄則「農耕市民の戦士共同体」

思えば、人間の社会で自由な意志が尊重されるのであれば、鉄のような原則が恒久的に順守されることはないのではないだろうか。「農耕市民の戦士共同体」としてのポリスであったが、数世代を重ねていくうちに当初の鉄則が崩れていくことは無理からぬこと。なにか自由意志を規制する強制力があれば、それは全体主義になりかねないし、それとともに独裁権力が生まれることを正当化することになる。

結局のところ、ポリス市民としての国防意識の自覚が稀薄になる事態をどのようにして補っていくかということになる。そのために、できるだけ戦争を回避するという道もありえたであろう。それにはポリス間の国際外交が活性化することが必要であっただろう。現代世界なら「国際平和」など当然の原則であるが、戦争がありふれた古代にあってそのような国際秩序の観念にたどりつくのに、どれほどの時間と労力を要したか、はかり知れないものがある。そこにはおそらく指導者としての政治家の資質が問題になっていくのではないだろうか。

前四世紀初め、ペロポネソス戦争後の余波のなかでおこったコリントス戦争は一〇年にもおよび、前三八六年の「大王の和約」でひとまずギリシア全土の平和が実現した。しかし、それまでの混乱のなかで、アテナイの指導者たちの多くが消えてしまった。しかも、戦死したのはわずかで、その多くが裁判によって姿を消したのであるから、ただならぬ政治的内紛の時代だった。それとともに、アテナイ政界の世代交代が進んだのである。

新しい世代の政治家たちは、ふたたびアテナイを隆盛に導くために尽力した。その活躍は前三七七年のいわゆる「第二次アッティカ海上同盟」として実を結んでいる。加盟国は当初のところテーバイなど六ヵ国にすぎなかったが、やがて六〇ヵ国ほどに増えていったという。

かつてのデロス同盟と異なり、加盟諸国に貢租を課したり、駐留軍を置いたりしない、諸市の自治尊重が原則だった。その後、この原則はテーバイの勢力増大とともに崩れ、アテナイの同盟支配が強化されたが、前四世紀半ばには、その支配圏はますます拡大されていった。その反面、同盟諸市は反発し離反していくばかりだったという。それは、アテナイの勢威が衰えていく兆しだった。

## 4　「古典期」の女性と社会

### 古典期ギリシアの社会

さて、ここで古典期ギリシアの社会と文化についてふれておくべきだろう。なにしろ人類史のなかでも、とてつもなく傑出した特異な文明を創出しているのである。ただし、ここで「古典期」とよばれる時代は、あくまで西欧人にとってなんらかの意味で模範となることを暗黙の前提としているのだ。だから、西欧人ならざる東アジアに生きる日本人には「古典」ととらえる必要はない、そのことは了解しておこう。

ここでいう古典期とは、前五〜前四世紀のギリシアを指す。どのような時代であれ、その社会には男女の性差があり、老若の年齢差があり、貧富の財力差などがある。それらの差異の程度を明らかにしながら、それら社会の特徴を浮かび上がらせることもできるだろう。

たとえば男女の性差であれば、ポリス社会は、女性は公の場には一切関わらない点できわだっていた。ほとんど家の外には出ることがなく、食材を入手する買い物は奴隷などの男手でなされていたという。私的な宴席などにも家婦の姿を見かけることはなかったというから、女性の地位がかなり背後に落とされていることは明白であった。

だが、現実はそれほど単純でないこともはっきりとしている。たとえば喜悲劇のなかには数多くの女性が登場しているのではないだろうか。彼女たちの言動やふるまいを見れば、女性が後景に押しとどめられていたとひと言で片づけるわけにはいかない。とはいえ、これら喜悲劇の書き手は男性であり、登場人物を演じる役者も男性であり、さらに観客もまたほとんどが男性であったのだから、どこまで迫真の女性像を伝えているかは疑わしいのではないだろうか。

そうであれば、もの言わぬ女性たちの姿を思い描くには、できるだけ偏りの少ない文言に頼るべきだろう。哲学者アリストテレスはなによりも自然の観察者であった。とりわけ彼は動物学あるいは生物学の探究者であったのではないだろうか。

ギリシア人には、両極対立的に思考するという特有な発想があったらしい。アリストテレスすら例外ではなく、彼の学派が解剖学を試みていたにしても、そのような発想の域を出なかった。たとえば、女児は左の睾丸から、男児は右の睾丸から生みだされ、いったん子宮に着床すると、女の胎児は子宮の左側で、男の胎児は右側で成長するというもの。うんざりするほどの通俗的なドグマであり、この「科学者風の」哲学者にしてもこの通俗説をくりかえしているにすぎなかった。

もっとも、この古典期には、ヒポクラテス医学論集にあるような医学思想が先進的と見なされていたから、アリストテレスの見解もそれら先進医学と無縁ではなかっただろう。そこに所収された論文「精液について」によれば、「男も女もともに、男性質の精液と女性質の精液の双方をもっている」と考えられていた。それにもかかわらず「男性が女性より強いのは、もちろん男性質の精液に由来する」と信じられていたらしい。いかにも科学的探究による自然決定論に見えるが、もちろん今日の科学研究にあっても、誰もが同感する常識があり、そこに同様の危険がひそんでいるかもしれない。

## 抑圧された女性の地位と人生

このような自然決定論は、アリストテレスの構想のなかでさらに強められた感がある。これらの議論をなすなかで、理性と情緒とのバランスに注目するのは自然の成り行きだったにちがいない。ここでは、女性のプシュケ（魂・心・精神）をめぐって、「自然本来」の弱さと「文化的」な劣等さが結びつくものとして、勇気という根本道徳が俎上にのせられる。勇気を表すギリシア語のアンドレイアは

「男らしさ」を意味するのだから、そもそも勝ち目はないのだ。この「男らしさ」は「勇敢」や「好戦性」と同一とされていたのだから、女性にはそのような高貴な情緒を経験したり、その種の美徳をふるまったりする機会など字義からしてありそうもなかった。

そうであれば、通俗的な話題に走りがちになってしまうのだろう。「女性というものは、議論ないし推論のプロセスを論理的帰結にいたるまで、きちんとたどってゆくことができない」とか、あるいは「たとえ知性的に推論することができたとしても、女性には先天的に自制心というものが欠落しており、それゆえ信頼がおけず、無責任で、気まぐれで無思慮であるゆえに、その推理を有効な行為に移すことができない」とか、さらに「女性の社会的地位が劣っているせいで、女性の推論は男性に対して権威をもたない」とかと説かれてもやむを得なかった。

なにしろ前七〇〇年頃の小農詩人ヘシオドス以来、ギリシア文化には、そこはかとなく「女性嫌悪」の気風がかもし出されていたらしい。市民身分の女性が公共生活に直接参加する機会は祭事などにかぎられていたのだから、これらの気風に異議を唱えたり、身をもって修正したりすることなどありえなかった。むしろ、このような劣った女のイメージを受けいれながら、社会秩序のなかにつつまれていることを当然のごとく感じていたかもしれない。たとえ、閉鎖的な家すなわちオイコスなる生活空間の内だけであったにしても、それを抑圧と感知する心情があったかどうか、女性自身の言葉からは検証できないだろう。

上流社会の女児であれば、余裕のある母親の手で教育されたが、高等教育の域までいったわけではない。ある作家の伝えるところでは、女子は厳しく育てられたらしい。それも見たり聞いたりしたものも少なく、できるだけ質問しないようにするためだったというから、教育というよりも躾であった。女子は一五歳頃には、両親の選んだ男性と結婚するのが習わしだった。家内で忙しく働き、できるだけ未知の男性や悪意のある人の目にさらされることのないよう心配りがなされていたらしい。夫の立場にある作家は、妻に期待することをおおよそ次のように語っている。

あなたのやるべきことは、家の内にとどまっていて、家外で働く召使たちを送り出す手助けをし、家内で働く召使たちを監督することです。必要な支出を配分しておき、一年の支出の金額が一ヵ月で使われないように心がけることです。羊毛が家に届けられたときには、必要とする人たちのために衣服を作ってやること、乾いた穀物は食べるにふさわしいように保つことなどです。また、召使の誰かが病気になったときには適切な処置をすることも心がけなければなりません。

何事においても家の内にとどまり、外部の人々の目にさらされないようにとの配慮が徹底していることは驚くほどである。だが、大方の女性がそうであったにしても、そのような「箱入り」状態に違和感をもつ女性もいたのではないだろうか。

ギリシア人の結婚は、まず婚約から結婚へと手続きの進む通常の結婚があった。その場合、妻の実家から夫に贈られる「嫁資」が問題であったという。ここでは、妻となる女の社会的評価を重視して嫁資にはこだわらなかったとの法廷弁論の報告もある。裏を返せば、妻の実家の評判が高ければ、夫は嫁資の額を気にしないで済んだが、一般には高額の嫁資が望ましかったにちがいない。

壺絵に描かれた婚礼の準備をする女性と手伝う奴隷。大英博物館蔵

## 家系の断絶防止のための結婚

この通常の婚姻のほかに、もう一つ別種の結婚があり、それは「家付き娘」の結婚であった。家（オイコス）の後継者としての息子が待望されたが、娘しか誕生しなかった家もあった。このような境遇に育った娘には、子をもうけて実家の家系の断絶を防ぐことが課されていた。それとともに、家産がほかに分散するのを防ぐ役割も期待されたのである。

このような「家付き娘」は、なによりも父方の近親の男たちのなかでももっとも近い親族と結婚するように求められたという。もっとも近い親族とは、具体的には、父親の兄弟、つまり当事者である娘にとっては、伯父あるいは叔父にほかならない。伯父・叔父がいなければ、かれらの息子たち、「家付き娘」にとっては従兄たちがそれを担ったのである。アテナイではオジとメイとの結婚は禁止されず、母親さえ異なればアニとイモウトとの結婚も認められているほどだった。

このようにしてみると、嫁資と「家付き」は、結婚した女性にとっていささかなりとも経済力の根拠にはなったかもしれない。じっさい、悲劇や喜劇のなかに登場する女性役の言動は、ときとして男性役のふるまいに負けないほどの勢いがある。だが、演劇作品は現実そのものを描いているわけではないのだ。むしろ、現実を逆手にとって、誇張して見せるところに物語の舞台の迫真力があったのだろう。概して言えば、ギリシアのポリス社会では、女性たちは抑圧されており、公然と活動したり発言したりする機会はほとんどなかった。

## 中等教育ではホメロスを徹底学習

老若の年齢差をとりあげるなら、なによりも子供が大人になる途上にある教育の問題に目を向けたくなる。遊んでいるだけの幼児期を過ぎて七歳で学校に通ったらしい。学校といっても、ありきたりの一部屋があるだけだった。そこには教師用の背もたれのある腰掛けと背もたれのない生徒用の椅子があるだけで、机はなく硬い書き板（蠟板）を膝の上において書くのだった。

早朝に登校し午前中は体育が重視され、帰宅して昼食をとり、午後は読み書きの授業を受けた。だが、時代が進むにつれ、体育はなおざりにされたわけではないが、読み書き授業中心になっていったという。初等教育への期待は、読み、暗誦し、書き、さらに計算するという単純な課程であった。

読み方の授業では、子供たちはまずアルファベットを学び、つぎに音節、単語、文、そして最後に筋のある文章を学ぶのだった。書き方の授業も、単純なものから複雑なものへと、個々の字母から音節、語、短文、筋のある文章へと、読み方に準じて進められた。教え方は、概して言えば、一つのことをくりかえしながらの「うのみにさせる学習」型であり、今日なら嫌われる授業であった。もちろん生徒の気持ちに弾みをつけるために競争心をかき立てるのは、ギリシア人ならではの熱意であった。それでも体得できない生徒がいれば、体罰に訴えるしかなかったという。

読み書きがすらすらできるようになったとき、中等教育に進む。子供たちのなかには「文法・文学の教師(グランマティコス)」の授業を受ける者も少なくなかった。この教師の本来の仕事は、詩人そのほかの古典作家を徹底して学習させることであった。とりわけ、ホメロスの叙事詩はなんといっても筆頭を飾った。すでに初等教育の段階で叙事詩の抜粋断片が読み書きされていたという。だから、叙事詩『イリアス』および『オデュッセイア』の作品全体を通読できるようになったことはたいそう名誉なことだった。

ホメロスのほかにもヘシオドスは広く親しまれていたらしい。ほかにもペルシア戦争を謡った叙事詩人コイリロスあるいはアルゴー船に乗って金の羊毛を求めまわった英雄たちを謡う『アルゴナウティカ』なども好まれたという。同じように、サッフォーやピンダロスらの抒情詩人たちも学ばれたが、おそらく詩文選があったらしい。抒情詩は原則としては歌唱用であり、音楽と緊密に結びついて学ばれた。

最後に演劇があり、悲劇が好まれた。伝統宗教にもとづくアイスキュロスとソフォクレスも注目されたが、とりわけ因襲(いんしゅう)によらない新思想のエウリピデスの作品は圧倒的な影響力をもっていたという。

古代の生徒は独創的であることなど求められず、いくつかの基準にある要約や注釈を身につけることが要であった。文法・文学の教師は、生徒たちに反復練習によって言葉と表現に習熟させ、彼らの作文能力を伸ばすように心がけたという。

## 圧倒的人気の弁論術の講義

高等教育になると、画一的な課程があったわけではない。科学や医学のような専門家のための学業ではなく、広く普及した教養・教育としては、哲学と弁論術のコースがあった。これら二つのコースのなかでも、学生たちに圧倒的に人気があったのが弁論術の講義であった。高等教育を受けるとは弁論術を学ぶことであり、弁論教師の指導で雄弁の技の門をくぐることにほかならなかった。前五世紀以降、都市国家ポリスに特有な民主政の政治制度があり、その舞台でこそ、弁論術とその技術の発展がうながされたのである。

このようにして子供が大人になるとは、心身ともに備わる「全き人」の実現を願ってのことである。そこに現実社会の経験が重ねられるとき、老若の年齢層の差異がきわだつことになる。だが、古代の教育にあっては、いつも道徳的な規範が生き方として求められていたので、近現代におけるような世代間の対立は生じにくかったのではないだろうか。

ただし、例外もある。三大悲劇詩人の人気に目を向ければ、伝統的な価値観にのっとったアイスキュロスとソフォクレスの悲劇の背景には宗教的命題があったが、哲人ソクラテスとほぼ同世代のエウリピデスにあっては劇の本質が実に人間的なものになっている。だが、前四世紀になると先人の二大作家と後輩の作家の地位が逆転し、エウリピデスの作品が多くの観客に愛好されていったという。ここには、旧思想の世代と新思想の世代の相克（そうこく）が読みとれないでもない。別の見方をすれば、前四世紀前半にあって、世代間の対立が目立ってくるほどに社会の大きな変化が生まれていたとも考えられるのではないだろうか。

### 市民は労働を卑しいものと蔑視

ところで、いずれの時代にも貧富の差はあるものだが、それが大きな社会問題となると厄介になる。そもそも古典期以前のギリシア人にとって、叙事詩人ヘシオドスの語るごとく「労働は決して恥ではない。働かぬことこそは恥なのだ」とは当然のことだった。ところが、前五世紀以降の古典期には、農業以外の生業、すなわち商業交易や手工業は市民にふさわしい労働ではないという考えが広がっていた。

前四世紀のプラトンやアリストテレスになると、農耕をふくむ生産労働そのものが自由市民にはいとわしいものだという意識がはっきりとめばえていたかのようである。「自然による奴隷」が認められる社会であれば、生産労働には奴隷が用いられるのは当然だと考えられたのだろう。それが通念となっていたのなら、そこには世界史における古典古代という社会の特殊性を見ることができるのではないだろうか。

前述したように、古代ギリシアでは、奴隷の存在に疑念がないどころではなく、むしろ奴隷制は当然のごとく認知されていた。よほど貧しい市民でないかぎり、一人二人の奴隷はいたという。だから、豊かな市民なら数名あるいは一〇名以上の奴隷を所有していたのは当たり前のことだった。このような雰囲気のなかで、市民あるいは自由人の間で労働を卑しいものと蔑視する人々が目立つようになっていたらしい。

しかし、貧しい市民は、あくせくと汗水流して働くほかに、なす術もなかったにちがいない。なかには傭兵や難民となって他所に新天地を求めてさまよう人々もいた。前四世紀の弁論家のなかには、極貧の者たちが浮浪しながら難民となり、ほどなく傭兵となりギリシア各地を移動するのを深刻な事態として憂慮する者もいた。

だが、傭兵の増大がそもそも貧困のせいだったとだけ見なすのは、出来事の背後にひそむ深刻な事態を見過ごしかねない。前四世紀のポリス社会にあって、ほんとうに深刻なのは、自由市民が労働を蔑視するようになっており、彼らはもはや国防の責務すらも忘れがちになっていたということではないだろうか。別の言い方をすれば、都市国家ポリスの市民という自覚が稀薄になっていたということだろう。

貧富の格差が拡大していくにつれて、市民共同体としてのポリスが解体していく様が目に浮かぶかのようである。もちろん、アテナイ、スパルタ、テーバイなどの個々のポリスに目を向ければ、ポリス解体の進行は一様ではない。たとえば、内政にかぎれば、民主政が根づいたアテナイはそれなりに穏やかであったらしい。ところが、ペロポネソス半島のスパルタでは貴族派と民衆派との熾烈な党争がくりかえされるだけであり、事態が一新することなど望みようもなかったという。

それぞれのポリスの内部事情がどうであったにしても、前四世紀半ばにおけるギリシア本土では貧困という深刻な問題があったことは否定できない。それとともに、貧富の対立にともなう党争に悩まされていたらしい。それればかりか、諸ポリスが分立して抗争し、戦争がほとんど慢性的にくりかえされていたのは痛ましいほどである。

## 5　奴隷と自由人

### 「ものいう道具」

さて、ギリシア社会における男性と女性の差、老若あるいは大人と青少年の差、富者と貧者の差などについて語ってきたが、これらの両極対立の図式は事態を分かりやすくするためには有効な手続きであろう。それをわきまえたうえで、古典古代社会における両極対立を念頭に並べてみるとき、世界史のなかできわだって根本的に傑出しているのは「自由と奴隷」という対立項ではないだろうか。

近現代人には「自由人」のかたわらに「奴隷」がいるという社会は信じがたいものがある。しかも、プラトンやアリストテレスのような卓越した知識人すらも臆面もなく「自然による奴隷」つまり「生まれながらの奴隷」などと言っているのだから、古代社会のなかにはどこか底知れないところを感じさせられてしまう。もちろん自由を貴ぶことは近代の欧米社会をはじめとして現代の先進諸国では当然の責務と見なされている。だが、自由あるいは自由人でいることが社会集団のなかでこれほど重大な心象をなしている文化となると、ギリシア人の右にでる者はいないのではないだろうか。

ところで、この「自由」あるいは「自由人」なるものをあれほど強調した古代人が、なぜ「奴隷」あるいは「奴隷制」を当然のものと見なすことができたのだろうか。じつのところ、この両極対立にはなにかはかり知れないような密接な結びつきがあるのではないだろうか、そのような疑念が頭をもたげてくる。

後世のローマ人は奴隷を「ものいう道具」と定義してはばからなかった。人間を二つのカテゴリーに分けるという考え方の裏には、奴隷が「道具」として非人間のごとくあつかわれるとともに、人間としての「魂（プシュケ）」のやどった生き物であることが認められている。そうであれば、その「魂」とは自由人の「魂」と同じものであるのか、それとも異なるのだろうか。論理にかなって考えれば、同一のものであるはずだが、「自然による奴隷」を認める古代人には、おそらく「劣った魂」を思い浮かべられるのではないだろうか。

プラトンやアリストテレスのような哲人にとって、劣格の魂とは精神活動における知性の点で欠陥があると見なされたらしい。ポリス市民としての自由人のもつ規範的知性をそなえていないということであろう。

オリーヴの栽培に従事する奴隷を描いた壺。大英博物館蔵

このような近代人から見れば奇妙な議論が受け入れられる背景には、古典期のギリシア人にとって奴隷制が太古の昔から当然のものとしてあるという心象があったことがあげられる。それとともに、ポリス市民が国家や政治について議論したり、哲学について思索したりするためには、なにはともあれ余暇（スコレ）が必要であるという通念が身にしみついていたということもあげられる。そのような自由民の

余暇が奴隷の担う労働によって支えられていたことは、ギリシア人には自明のことであったのだ。

## 自由と奴隷は硬貨の裏表

これらの心の底流にあるものに加えて、アリストテレスの生きた前四世紀にあっては、奴隷という身分にある大多数の人々が異民族の生まれであったという事実が歴然としていたのではないだろうか。さかのぼれば、前四八〇／四七九年に異民族オリエントの雄たるペルシア帝国の侵攻を斥(しりぞ)けて戦争に勝利したという経験は、異民族を劣等なものと見なす紋切り型の通念が広がっていく、その発端をなしたにちがいない。

このようにして、ギリシア人であることと自由であることは同一であり、それは政治上の自由だけではなく精神にあっても社会においても自由であると確信されたのである。それとともに、奴隷であることと異民族であることが同等と見なされるようになったのは必然のごとき成り行きであっただろう。

じつに、ギリシア人の社会にあっては、自由と奴隷は硬貨の表裏一体をなしていたと言ってもいいのであり、自由と人権を尊ぶ近代人の目からすれば、「ギリシア人の心性と文明は奴隷制の上に成り立っていた」と断言してもいいのではないだろうか。だが、それはとりもなおさず、近現代人の公正さを自負できることになるのだろうか。

どうやら事はそれほど単純なことではなさそうである。というのも、世界史を公平にふりかえれば、第二次世界大戦以前の近代史にあっても、国民国家の宗主国と植民地帝国の異民族支配が表裏一体をなしていたことに気づく。それもわずか数十年前、私たちの父や祖父の時代のことである。歴史とは何という皮肉きわまる事例を開示してくれるのだろうか。

それはともあれ、ギリシア人の社会にあって、自由人と奴隷との断絶は人口動態における両極対立の枢要をなすものであった。その歴然たる事実は、世界史規模の視野のなかでは、ことさら見過ごされるべきではない。「自然による奴隷」という大哲人も認める通念のなかには、ことさら古代社会の本質をなすものがひそんでいたのだ。それは驚きをもって認知しておくべきことであろう。あえて地中海文明の古代史を学ぶことの意義を考えるとすれば、なにはともあれ心しておくべきことである。

## 「観察する」ギリシア人の文化創造

ところで、このような奴隷制に支えられた自由市民の社会では、いかなる文化が生まれたのだろうか。その点について考えるとき、二〇世紀を代表する古代史家の一人であるモミリアーノに興味深い小論がある。「医学と修辞学との間にある歴史学」と題された論考は、一見すれば何の関わりもなさそうな医学と歴史学であるが、実のところ密接な結びつきがあり、親和性の高いものだったというのである。

たしかに、広く見渡せば、医学の祖といわれるヒポクラテスも歴史学の父とよばれるヘロドトスも前五世紀に誕生している。もちろん、ただの治療であればずっと昔からあったし、たんなる年代記なら古くから記録されていただろう。しかし、ひとつの学問という自覚をそなえた知的営為としては、まさしくこの古典期という時代に、医学も歴史学も生まれたのである。

医学も歴史学も、ともあれ出来事を微細に観察し叙述する。さらに、それによって事の原因を探り出す。その知的営為の点において、同じ姿勢を共有していた。ギリシア語に従えば、医学のアウトプシア autopsia（検死）と歴史学のヒストリア historia（調査）は、根底において同一の精神に根ざすものであったのだ。

しかしながら、現在に生きている人間の身体を対象とする医学は予兆から診断することにならざるをえないのだが、過去の政治や経済を対象とする歴史学は予見することを強いられることはめったになかった。その代わりに、因果を説明するための工夫を問われるのであり、そのために説得の技法を磨かなければならなかった。

その差異を考慮すれば、医学には無縁であった修辞学が歴史学のなかに入り込んでくる理由も分かりやすい。つまり、歴史学はその観察や探究の仕方において医学と同根であったのに、叙述の仕方の点で大きな違いが生じたのである。医者はともあれ的確に診断すればいいのだが、なによりも歴史家には説得の技法が求められた。こうして、歴史学は医学と修辞学の間をさまようかのようにして成長することになる。

このようにしてみれば、歴史学が誕生した時点において、ヘロドトス自身は歴史を叙述することの曖昧さにすでに気づいていたように思われる。だから、彼は人間の起源などという問題には近寄らないのであり、凡俗の人々によく知られる事柄だけをとりあげるのであった。現実の世界は、さまざまな国家、風土、信念、行動、慣習などから成り立っているから、信頼すべき情報も疑わしい情報もある。どの情報が信頼すべきものか、それは受け手の信条や思想にかかわるので、万人が納得するような絶対的な基準というものはありえない。

そのことをヘロドトスは充分に心得ており、人々の経験のなかにありながらそれまで誰も気づかなかった新しい問題群を見出したのである。この意味で、彼はやはり洞察力と創造力にあふれる歴史家の原型であった。ありふれたこの世の出来事を因果の連鎖のなかで考える歴史学は人体の病因を探る医学の手続きと似かよっていたのであるが、因果の連鎖には説得の修辞技術が求められたのである。

これらをこのように見渡せば、ここでもギリシア人にきわだつものとして、「観察する」という行為がある。哲学においては観想にもとづく思索の表現があり、芸術にあっては動感と生命感あふれる彫像の造形などがあるように、観察の形跡がありありとしている。さらにまた、ギリシア人の造形活動を象徴するものとして、アテナイのアクロポリスの丘上にそびえるパルテノン神殿の建築があげられる。

### 職人が技を競い腕前を発揮したパルテノン

このパルテノン建造の様を描く伝承（プルタルコス『英雄伝』「ペリクレス伝」）には、アテナイ社会の躍動感がにじみ出ているかのようである。

この際の材料は石、青銅、象牙、黄金、黒檀、糸杉。これらの材料の加工・仕上げを営む技術〔屋〕は、大工、彫塑師、銅細工師、石工、金箔師、象牙細工師、画工、刺繍師、銅板彫刻師。〔これらの材料を〕輸送供給する人々は、海上では渡航商人、船員、水先案内人。陸上では、車作り、馬〔または牛〕方、馭者、綱作り、麻綱織り、靴屋、道路夫、鉱夫である。おのおのの技術分野には、将軍が自分の部隊を率いるように、非熟練の日傭労働者の一隊が割り当てられ、これが手足のようになって下働きに励んだ。（中略）

規模の点では壮大な、形や優美さの点では真似のできない建造物が興り、職人たちは技の巧みさを競い合って実力以上の腕前を発揮したが、最も驚嘆に価するのはその速さであった。その一つを取っただけでも、何世代も世代を重ねてやっと完成するであろうと考えられていた仕事が全部、たった一つの政治世代の高潮時（アクメ）に完成を見たのである。（中略）

美しさの点から言えば、その一つ一つは完成した当時からすでに古風（アルカイク）な美しさをもっていたが、迫力の点では今日に至るも生気にあふれ、竣工したばかりのようである。このように常に一種の新鮮さが花薫り、時間に汚されずにその外観を保っているところは、まるでこれらの建造物には永遠に若い生命の息吹きがあり、不老の魂が滲み込んでいるかのようである。（馬場恵二訳）

パルテノン神殿は総大理石製という贅沢なものであり、およそ二万二〇〇〇トンの良質の大理石が使われていたという。さらに、本尊の女神アテナ像は、黄金象牙製の巨像であったらしいが、現存しないのは残念きわまりない。

**諸学創出の出発点となった古典期ギリシア**

言論の自由が保障された民主政アテナイでは、市民の集う祭典は重要な行事であった。そこでは悲劇や喜劇のコンテストがもよおされ、これらを鑑賞することはアテナイ市民の義務でもあったという。

プラトンとアリストテレスを中心に、古代ギリシアの哲人たちを描いた「アテネの学堂」は、ルネサンス期の画家・ラファエロの代表作。ヴァチカン蔵

アリストテレスは「悲劇は平凡な人間より優れたものを求めるが、喜劇は愚劣なものを好む」と語っている。悲劇のなかでは、人間の優れた部分が描かれると考えられていたらしい。アイスキュロス、ソフォクレス、エウリピデスのような三大悲劇詩人の作品が一年の祝祭日のなかで数日間も上演されていた。喜劇についてはアリストファネスに代表され、それも市民の喝采を浴びることになる。定例行事の祝祭中に上演されたが、上演の費用は富裕市民が公共奉仕としてみずから負担している。そこで市民は誰もが演劇を楽しむことになるわけである。

ところで、ギリシアの哲学や科学によって、近代に結びつく学問の基礎が築かれていることは特筆される。くりかえしになる話題もあるが、ここでかんたんに整理しておこう。ギリシア人の知的活動の出発点になるのが、小アジア西部沿岸地方にあるイオニアの自然哲学であった。ここに、タレスやヘラクレイトスなどの哲学者たちが輩出する。タレスは「万物の源は水である」と考え、ヘラクレイトスは「万物は流転する（パンタ・レイ）」と語っている。このイオニア地方に自然哲学が生まれたのは、じつのところそこがギリシア世界のなかでもオリエントに最も近い位置にあるからである。ギリシア世界の辺境にあるかのごとく見えるけれども、より広い視野で地中海世界としてながめれば、先進文明たるオリエントに近い。そうであれば、先進文明の影響下に、新しい物の見方が生まれたのである。その新しさの底流をなすのが、「観察する」という行動であった。

それらを受け継ぎ、とくに論理学や修辞学として発展させたのが、ソフィストとよばれる知者たちであった。彼らは、一方ではそれぞれが意見を出し、それを闘わせて民主的な議論を展開するが、やがて他方では、それが行き過ぎてそれぞれの主観だけを大事にすることになってしまう。そうすれば、かえって何も客観的なものは存在しないと結論せざるをえない。公衆道徳の基盤としての客観的な価値が失われてしまうために、公衆の規範が崩壊する危機を迎えかねなくなっていた。

このようにして諸学の基盤が揺らぐときに、ソクラテスのような哲人が出て、「客観的な真理は存在する」と主張する。このソクラテスの意見は影響力があったので、教育者として青年たちをかどわかしたという嫌疑がかかることになる。これはソフィスト全体への批判がソクラテスに集約される形になったのであり、このため法を重んじる偉大なる哲人は自害する羽目になってしまう。自分に対して死刑執行したのである。

ソクラテスの弟子であるプラトンは、師の学問を受け継ぎ、万物にイデアを見る考え方を発展させた。さらに、プラトンの学園に学んだアリストテレスは、物事を正確な観察にもとづいて客観的に探究する学問の基礎を築き、「万学の祖」とよばれることになる。

このような哲学者にかぎらず、数学においてはピタゴラス、医学ではヒポクラテスが登場する。ただし「医学の父」なるヒポクラテスが実在したかについて、それに否定的な考え方もある。ヒポクラテスという一人物に集約されたかもしれないにしても、科学的な観察による医学的思想や考え方が前五世紀に生まれたことは確かであろう。

自然科学ではない歴史学においても同様なことがいえる。ヘロドトス、トゥキュディデスなどの歴史家はオリエント世界でみられたような年代記のごとき物事のたんなる羅列ではない叙述をなすことになる。物語風の記述であれ、客観的・科学的な記述であれ、歴史を語る営みが本格的に始まったのである。

これらは、前五世紀から前四世紀にかけての古典期ギリシア社会のなかで生まれた大きな文化運動であった。それは近代に連なる諸々の学問を創出するうえで出発点になる出来事であった。このような文化現象の意味でも、古典期ギリシアは世界史上にあってもこのうえなく大きな影響力と意義をもつ時代であったことは否めない。

# おわりに

## ナチスに利用されたスパルタ

史上最高の政治家の一人と称されるアテナイ人ペリクレスの高潔あふれる演説は目をみはるものがある。ペロポネソス戦争の戦没者への国葬の弔辞は名だたるものである。

> 先ず、われらは何人にたいしてもポリスを開放し、決して遠つ国の人々を追うたことはなく、学問であれ見物であれ、知識を人に拒んだためしはない。敵に見られては損をする、という考をわれらは持っていないのだ。なぜかと言えば、われらが力と頼むのは、戦の仕掛や虚構ではなく、事を成さんとするわれら自身の敢然たる意欲をおいてほかにないからである。子弟の教育においても、彼我の距りは大きい。かれらは幼くして厳格な訓練をはじめて、勇気の涵養につとめるが、われらは自由の気風に育ちながら、彼我対等の陣をかまえて危険にたじろぐことはない。
>
> (トゥキュディデス『戦史』二・三九)

自由の気風のなかで勇敢に戦うとは、なんという自負心であろう。これに対して「スパルタ教育」で名を成すスパルタ人の生き方はまったく異なる。

今日スパルタを訪れると、ひなびた地方都市であり、これがあの古代ギリシアの二大強国の一つかと目を疑いたくなる。文化活動を軽んじ、ひたすら軍事活動に心を配ったスパルタだったが、その栄光は同時代の人々でなければ感じられないものだったのだろうか。

オリーヴ畑に囲まれたスパルタ遺跡に向かう途中で大きなレオニダス王の立像を仰ぎ見る。前四八〇年、ペルシア軍との戦いで三〇〇人の兵士を率いて玉砕したスパルタ王を記念したもの。いく度も映画化されているので思い出す読者も少なくないだろう。

ところで、一九四三年のナチスの国際宣伝雑誌『シグナル』の冒頭には、この立像の原像とおぼしき写真が「ヨーロッパを守る楯」として大きく載せられている。ドイツ兵の敢闘精神を鼓舞するためにスパルタ兵の奮戦を想起させようとしたのだろう。

第一次世界大戦後、民主主義にもとづくヴァイマル共和国が成立した。しかし、多額の賠償金、大インフレ、貧富の差の増大、中産階級の貧困化、小党分立による安定政権の欠如、政治的テロなどがうずまき、共和国への不満と戦勝国への雪辱感が強まるばかりだった。

スパルタに立つ巨大なレオニダス像。著者撮影

このような経済的停滞と政治的混乱とともに爛熟した文化が見られ、それらのせいか、民主主義・資本主義を装う内外の敵には、アテナイ民主主義が投影されていた。そもそも、一八世紀後期以降のドイツ人は古代ギリシアに大きな愛着を寄せてきた。しかも、このような古典主

義への関心は、主にドイツとアテナイとが親縁にして類似しているという意識にもとづくものだった。

### 第三帝国下の学校教育

しかしながら、ヴァイマル期の混乱と停滞は社会や国家を改造する気運を創り出し、ナチスが登場する。ドイツ思想史家の曽田長人氏によれば、その改造の梃子（てこ）となるのがスパルタを規範とする施策であった。この時期に生まれた作家は、第三帝国下の学校での経験を回顧して語っている。

> 私は我々に紹介された理想、つまり古代のスパルタにおける子供の教育のことを、はっきりと覚えている。この理想は、国粋主義を奉じる教師によって感激と共に我々の眼前に繰り広げられた。例は巧みに選ばれた。つまり一方で小さいスパルタは、経済的には強力だが根本において腐敗している（アテナイなど）民主主義（国家）に囲まれ、軍事教育を受けた自らの若者の力だけを頼りにした。他方で（第一次世界大戦での）敗北の屈辱に苦しみ敵に囲まれた戦後のドイツは、（スパルタ市民と）似た、死を軽蔑する若者を教育した場合のみ、この恥辱を雪（そそ）ぐことができた。
> （曽田長人『スパルタを夢見た第三帝国』講談社、二〇二二年よりディーター・ヒルデブラントの回顧）

これと同時に、古典古代の教養を軸としてきた人文主義は、岐路に立たされた。それまで「人間と文化を介してドイツとアテナイの親縁性」が強調されてきたのに、第三帝国のスパルタ受容をきっかけに「人種を介したゲルマン人とスパルタ人の親縁性」が重んじられるようになったのだ。ナチ政権の理想に人文主義者たちはどう対峙（たいじ）すべきか、決断を迫られたという。人文主義保護のためにナチスに協調する学者もおり、学問と大学の自由のために抵抗した学者もいた。これらの背景に、なによりも社会の底流に浮沈する人々の夢があったことも忘れてはならない。

このシリーズ第三巻で述べてきたギリシア人の理知的な知力と体力の活動が、今さらながら現代文明のあり方に大きな影を落としていることには驚くしかない。ここから何を学ぶかは、われわれに課せられているのだ。

しかし、このギリシア文明が地中海世界全体に広がり、普遍化していくには、ギリシアのさらに辺境からの力を借りなければならなかった。そして次巻、第四巻ではそこで生み出される新しい文明をみていくことになる。

ところで、大学の教養教育のなかで毎年のごとくギリシア史を語ってきたとはいえ、筆者は必ずしもギリシア史を専門に研究していたわけではない。基本的な誤認がないか気にかかるものもあり、かつての教え子の一人である上野愼弥氏に点検していただいた。おそらく解釈の違いなどがあったにちがいないが、辛抱強く目をつぶっていただいたご厚意に感謝したい。

# 参考文献

**●引用史料**　本書中に取り上げた史料・碑文等の日本語訳は、これらの書籍を参照したが、引用にあたっては、著者が内外の文献を参考に、読みやすさを考慮して改変したものもある。


アリストテレス／山本光雄訳『政治学』岩波文庫　一九六一年
アリストテレス／村川堅太郎訳『アテナイ人の国制』岩波文庫　一九八〇年
アリストテレス／渡辺邦夫・立花幸司訳『ニコマコス倫理学　上・下』光文社古典新訳文庫　二〇一五年・二〇一六年
クセノフォン／古山正人訳「ラケダイモン人の国制」試訳」「電気通信大学紀要　二巻一号」電気通信大学　一九八九年六月
ディオゲネス・ラエルティオス／加来彰俊訳『ギリシア哲学者列伝　上・中・下』岩波文庫　一九八四年・一九八九年・一九九四年
トゥーキュディデース／久保正彰訳『戦史　上・中・下』岩波文庫　一九六六年・一九六七年
プラトン／藤沢令夫訳『国家　上・下』岩波文庫　一九七九年
プルタルコス／村川堅太郎編『プルタルコス英雄伝　上・中・下』ちくま学芸文庫　一九九六年
古山正人・本村凌二ほか編訳『西洋古代史料集』東京大学出版会　一九八七年（第一版）二〇〇二年（第二版）
ヘーシオドス／松平千秋訳『仕事と日』岩波文庫　一九八六年
ヘロドトス／松平千秋訳『歴史　上・中・下』岩波文庫　一九七一年・一九七二年
ホメーロス／呉茂一訳『イーリアス　上・中・下』岩波文庫　一九五三年・一九五六年・一九五八年
ホメロス／松平千秋訳『イリアス　上・下』岩波文庫　一九九二年
ホメロス／松平千秋訳『オデュッセイア　上・下』岩波文庫　一九九四年

●**参考文献**　本書執筆にあたって参考にしたおもな文献を、一般書を中心にあげた。

青柳正規・平山東子／小川忠博写真『写真絵巻　描かれたギリシア神話』講談社　一九九八年
アングリム、サイモン＋フィリス・G・ジェスティス＋ロブ・S・ライス＋スコット・M・ラッシュ＋ジョン・セラーティ／松原俊文監修／天野淑子訳『戦闘技術の歴史1　古代編――3000BC－AD500』創元社　二〇〇八年
安藤弘『人間の世界歴史3　古代ギリシァの市民戦士』三省堂　一九八三年
伊藤貞夫『古代ギリシアの歴史――ポリスの興隆と衰退』講談社学術文庫　二〇〇四年
岩田靖夫『ギリシア思想入門』東京大学出版会　二〇一二年
ヴェルナン、ジャン＝ピエール／上村くにこ、ディディエ・シッシュ、饗庭千代子訳『ギリシア人の神話と思想――歴史心理学研究』国文社　二〇一二年
太田秀通『ミケーネ社会崩壊期の研究――古典古代論序説』岩波書店　一九六八年
太田秀通『東地中海世界――古代におけるオリエントとギリシア』岩波書店　一九七七年
太田秀通『奴隷と隷属農民――古代社会の歴史理論　増補版』青木書店　一九八八年
太田秀通『生活の世界歴史3　ポリスの市民生活』河出文庫　一九九一年
オズボン、ロビン／佐藤昇訳『ギリシアの古代――歴史はどのように創られるか？』刀水書房　二〇一一年
カートリッジ、ポール／橋場弦監修／新井雅代訳『古代ギリシア　11の都市が語る歴史』白水社　二〇一一年
カートリッジ、ポール／橋場弦訳『古代ギリシア人――自己と他者の肖像』白水社　二〇〇一年
ガーランド、ロバート／高木正朗・永都軍三・田中誠訳『古代ギリシア人と死』晃洋書房　二〇〇八年
川島重成『ホメロス叙事詩の世界――『イリアス』と『オデュッセイア』』ピナケス出版　二〇二三年
キトー、H・D・F／向坂寛訳『ギリシャ人』勁草書房　一九六六年
サイドボトム、ハリー／吉村忠典・澤田典子訳『ギリシャ・ローマの戦争』岩波書店　二〇〇六年
桜井万里子・本村凌二『世界の歴史5　ギリシアとローマ』中公文庫　二〇一〇年

澤田典子『アテネ民主政――命をかけた八人の政治家』講談社選書メチエ　二〇一〇年
周藤芳幸『古代ギリシア　地中海への展開』京都大学学術出版会　二〇〇六年
周藤芳幸・澤田典子『古代ギリシア遺跡事典』東京堂出版　二〇〇四年
周藤芳幸・村田奈々子『ギリシアを知る事典』東京堂出版　二〇〇〇年
スパイヴィ、ナイジェル／福部信敏訳『岩波　世界の美術　ギリシア美術』岩波書店　二〇〇〇年
曽田長人『スパルタを夢見た第三帝国――二〇世紀ドイツの人文主義』講談社選書メチエ　二〇二一年
高野義郎『古代ギリシアの旅――創造の源をたずねて』岩波新書　二〇〇二年
田島正樹『古代ギリシアの精神』講談社選書メチエ　二〇一三年
多田智満子『神々の指紋――ギリシア神話逍遥』筑摩書房　一九八九年
チャドウィック、ジョン／矢島文夫監修／細井敦子訳『失われた文字を読む3　線文字B――古代地中海の諸文字』學藝書林　一九九六年
ド・ロミイ、ジャクリーヌ／細井敦子・秋山学訳『ギリシア文学概説』法政大学出版局　一九九八年
橋場弦『賄賂とアテナイ民主政――美徳から犯罪へ』山川出版社　二〇〇八年
橋場弦『民主主義の源流――古代アテネの実験』講談社学術文庫　二〇一六年
バナール、マーティン／片岡幸彦監訳『ブラック・アテナ　古代ギリシア文明のアフロ・アジア的ルーツ――I．古代ギリシアの捏造 1785-1985』新評論　二〇〇七年
馬場恵二『〈ビジュアル版〉世界の歴史3　ギリシア・ローマの栄光』講談社　一九八四年
馬場恵二『ペルシア戦争――自由のための戦い』教育社　一九八二年
フィンリー、M・I／下田立行訳『オデュッセウスの世界』岩波文庫　一九九四年
フィンレー、モーゼス・I／山形和美訳『古代ギリシア人』法政大学出版局　一九八九年
フォレスト、W・G／丹藤浩二訳『スパルタ史――紀元前950―192年』渓水社　一九九〇年
藤縄謙三編『ギリシア文化の遺産』南窓社　一九九三年

モアコット、ロバート／桜井万里子監修／青木桃子訳『地図で読む世界の歴史　古代ギリシア』河出書房新社　一九九八年
ナヴェー、ヨセフ／津村俊夫ほか訳『初期アルファベットの歴史』法政大学出版局　二〇〇〇年
マッカーティ、ニック／本村凌二監修『シリーズ絵解き世界史2　トロイア戦争とシュリーマン』原書房　二〇〇七年
マルタン、ルネ監修／松村一男訳『図説ギリシア・ローマ神話文化事典』原書房　一九九八年
村川堅太郎『古典古代游記』岩波書店　一九九三年
本村凌二・中村るい『古代地中海世界の歴史』ちくま学芸文庫　二〇一二年
柳沼重剛『西洋古典こぼればなし』岩波書店　一九九五年
吉田敦彦『ギリシァ文化の深層』国文社　一九八四年
ルージェ、ジャン／酒井傳六訳『古代の船と航海』法政大学出版局　一九八二年
レンフルー、コリン／大貫良夫訳『文明の誕生』岩波書店　一九七九年
ロバーツ、J・M／桜井万里子監修『図説世界の歴史2　古代ギリシアとアジアの文明』創元社　二〇〇三年

Arnaldo Biscardi, *Diritto greco antico*, giuffrè, 1982
Bennet Simon, *Mind and madness in ancient Greece: the classical roots of modern psychiatry*, Cornell University Press, 1978
Benjamin D.Meritt, *Inscriptions from the Athenian Agora*, The Greek Museum, 1978
Claude Mossé, *La Femme dans la Grèce antique*, Albin Michel, 1983
Elke Stein-Hölkeskamp, *Das Archaische Griechenland: Die Stadt und das Meer*, C.H.Beck, 2015
Jenifer Neils, *Ancient Greece*, British Museum Press, 2008
M.I. Finley, *The Ancient Economy*, University of California Press, 1973
M.I. Finley, *The Use and Abuse of History*, Hogarth Press, 1975

M.M.Austin & P.Vidal-Naquet, *Economic and Social History of Ancient Greece: An Introduction*, University of California Press, 1972

Patricia Foster, *Greek Arms and Armour*, supervised by Brian Shefton, The Meriden Gravure Company, 1966

Russell Meiggs & David Lewis (eds.), *A Selection of Greek Historical Inscriptions to the End of Fifth Century B.C.*, Oxford at Clarendon Press, 1969

Sebastian Schmidt-Hofner, *Das klassische Griechenland: Der Krieg und die Freiheit*, C.H.Beck, 2016

Tony M.Lentz, *Orality and Literacy in Hellenic Greece*, Southern Illinois University Press, 1978

Yvon Garlan, *Slavery in Ancient Greece*, Cornell University Press, 1988

［マ］



［ラ］

［ナ］



［ハ］

## ［タ］

## ［カ］



## ［サ］

# 索引

## ［ア］

本村凌二（もとむら・りょうじ）

一九四七年生まれ。一橋大学社会学部卒業、東京大学大学院人文科学研究科博士課程単位取得退学。文学博士（西洋史学）。東京大学大学院総合文化研究科・教養学部教授、早稲田大学国際教養学部特任教授を経て、現在、東京大学名誉教授。おもな著書に『薄闇のローマ世界――嬰児遺棄と奴隷制』（東京大学出版会、サントリー学芸賞）、『古代ポンペイの日常生活――「落書き」でよみがえるローマ人』（祥伝社新書）、『愛欲のローマ史――変貌する社会の底流』『興亡の世界史　地中海世界とローマ帝国』（講談社学術文庫）、『馬の世界史』（中公文庫、ＪＲＡ賞馬事文化賞）、『多神教と一神教――古代地中海世界の宗教ドラマ』（岩波新書）、『教養としての「世界史」の読み方』『名作映画で読み解く世界史』（ＰＨＰ研究所）ほかがある。

企画協力＝株式会社シュア

地中海世界の歴史③

# 白熱する人間たちの都市

## エーゲ海とギリシアの文明

二〇二四年 七月 九日 第一刷発行
二〇二四年 八月二三日 第二刷発行

著者 本村凌二


発行者 森田浩章
発行所 株式会社 講談社
東京都文京区音羽二丁目一二―二一 〒一一二―八〇〇一
電話（編集）〇三―五三九五―三五一二
（販売）〇三―五三九五―五八一七
（業務）〇三―五三九五―三六一五

KODANSHA

装幀者 奥定泰之
本文データ制作 講談社デジタル製作
本文印刷 信毎書籍印刷株式会社
カバー・表紙印刷 半七写真印刷工業株式会社
製本所 大口製本印刷株式会社



ISBN978-4-06-536408-6 Printed in Japan N.D.C.209 311p 19cm

# 講談社選書メチエの再出発に際して

講談社選書メチエの創刊は冷戦終結後まもない一九九四年のことである。長く続いた東西対立の終わりはついに世界に平和をもたらすかに思われたが、その期待はすぐに裏切られた。超大国による新たな戦争、吹き荒れる民族主義の嵐……世界は向かうべき道を見失った。そのような時代の中で、書物のもたらす知識が一人一人の指針となることを願って、本選書は刊行された。

それから二五年、世界はさらに大きく変わった。特に知識をめぐる環境は世界史的な変化をこうむったとすら言える。インターネットによる情報化革命は、知識の徹底的な民主化を推し進めた。誰もがどこでも自由に知識を入手でき、自由に知識を発信できる。それは、冷戦終結後に抱いた期待を裏切られた私たちのもとに差した一条の光明でもあった。

その光明は今も消え去ってはいない。しかし、私たちは同時に、知識の民主化が知識の失墜をも生み出すという逆説を生きている。堅く揺るぎない知識も消費されるだけの不確かな情報に埋もれることを余儀なくされ、不確かな情報が人々の憎悪をかき立てる時代が今、訪れている。

この不確かな時代、不確かさが憎悪を生み出す時代にあって必要なのは、一人一人が堅く揺るぎない知識を得、生きていくための道標を得ることである。

フランス語の「メチエ」という言葉は、人が生きていくために必要とする職、経験によって身につけられる技術を意味する。選書メチエは、読者が磨き上げられた経験のもとに紡ぎ出される思索に触れ、生きるための技術と知識を手に入れる機会を提供することを目指している。万人にそのような機会が提供されたとき初めて、知識は真に民主化され、憎悪を乗り越える平和への道が拓けると私たちは固く信ずる。

この宣言をもって、講談社選書メチエ再出発の辞とするものである。

二〇一九年二月　　野間省伸

英国ユダヤ人　佐藤唯行
オスマンvs.ヨーロッパ　新井政美
ポル・ポト〈革命〉史　山田　寛
世界のなかの日清韓関係史　岡本隆司
アーリア人　青木　健
ハプスブルクとオスマン帝国　河野　淳
「三国志」の政治と思想　渡邉義浩
海洋帝国興隆史　玉木俊明
軍人皇帝のローマ　井上文則
世界史の図式　岩崎育夫
ロシアあるいは対立の亡霊　乗松亨平
都市の起源　小泉龍人
英語の帝国　平田雅博
アメリカ　異形の制度空間　西谷　修
ジャズ・アンバサダーズ　齋藤嘉臣
モンゴル帝国誕生　白石典之
〈海賊〉の大英帝国　薩摩真介

---

フランス史　ギヨーム・ド・ベルティエ・ド・ソヴィニー　鹿島　茂監訳／楠瀬正浩訳
地中海の十字路＝シチリアの歴史　藤澤房俊
月下の犯罪　サーシャ・バッチャーニ　伊東信宏訳
シルクロード世界史　森安孝夫
黄禍論　廣部　泉
イスラエルの起源　鶴見太郎
近代アジアの啓蒙思想家　岩崎育夫
銭躍る東シナ海　大田由紀夫
スパルタを夢見た第三帝国　曽田長人
メランコリーの文化史　谷川多佳子
アトランティス＝ムーの系譜学　庄子大亮
中国パンダ外交史　家永真幸
越境の中国史　菊池秀明
中華を生んだ遊牧民　松下憲一
戦国日本を見た中国人　上田　信
地中海世界の歴史①　神々のささやく世界　本村凌二
地中海世界の歴史②　沈黙する神々の帝国　本村凌二